LES PENDULES

Agatha Christie, née à Torquay, dans le Devon, le 15 septembre 1890, publie son premier roman, *La Mystérieuse Affaire de Styles*, simultanément en Angleterre et aux États-Unis en 1920.

Auteur de 66 romans policiers, 20 pièces de théâtre et plus de 100 nouvelles, traduite en 63 langues, elle demeure aujourd'hui, grâce à Miss Marple, Hercule Poirot, Parker Pyne et les autres, l'écrivain de romans policiers le plus célèbre et le plus vendu au monde.

Comment expliquer ce succès de la reine absolue du roman d'énigme ? Sans doute, comme le dit H.R.F. Keating, « parce qu'elle est en même temps un génie de la complexité et un génie de la simplicité : complexité des intrigues policières, simplicité et limpidité dans la façon d'y conduire le lecteur... ».

AGATHA CHRISTIE

Les Pendules

TRADUCTION NOUVELLE PAR JEAN-MARC MENDEL

LIBRAIRIE DES CHAMPS-ÉLYSÉES

Titre original :

THE CLOCKS

ISBN : 978-2-253-03821-4 - 1re publication - LGF

Prologue

L'après-midi du 9 septembre avait commencé comme n'importe quel après-midi. Aucune des personnes concernées par les événements de cette journée n'aurait pu se vanter d'avoir eu la moindre prémonition du cataclysme. (À l'exception, bien entendu, de Mrs Packer, du 47, Wilbraham Crescent, spécialiste ès prémonitions en tout genre, qui décrivait toujours après coup dans le détail les étranges frissons et les sombres pressentiments qui l'avaient assaillie. Mais Mrs Packer, du n° 47, était tellement éloignée du n° 19 et ce qui s'y passait lui était à ce point indifférent qu'il ne lui sembla pas nécessaire d'avoir eu la moindre prémonition.)

Au siège de l'Agence Cavendish — Travaux de frappe et de secrétariat, directrice : miss K. Martindale —, la matinée et le début de l'après-midi de ce 9 septembre s'étaient déroulés dans le morne ennui né de la routine quotidienne : téléphone qui sonne, machines à écrire qui crépitent, volume de travail ni plus ni moins conséquent qu'à l'accoutumée. Rien de notable ni de particulièrement emballant. Jusqu'à 14 h 35, ce 9 septembre aurait pu être semblable à tous les jours qui l'avaient précédé.

À 14 h 35, l'interphone de miss Martindale bourdonna au sein du pool des dactylos et Edna Brent décrocha.

— Oui, miss Martindale ? répondit-elle de sa voix naturellement essoufflée et quelque peu nasillarde tout en coinçant son caramel contre sa joue gauche.

— Voyons, Edna, ce n'est *pas* comme cela que je vous ai appris à parler quand vous répondez au téléphone ! récrimina la patronne. Gardez votre souffle *derrière* le timbre de votre voix et *ar-ti-cu-lez*.

— Excusez-moi, miss Martindale.

— Voilà, c'est mieux. Quand vous faites un effort, vous y arrivez très bien. Envoyez-moi Sheila Webb.

— Sheila n'est pas encore rentrée de déjeuner, miss Martindale.

— Tiens donc !

L'œil de miss Martindale s'en fut consulter la pendulette posée sur son bureau. 14 h 36. Six minutes de retard. Ces derniers temps, Sheila Webb en prenait décidément à son aise :

— Expédiez-la-moi dès qu'elle sera arrivée.

— Bien sûr, miss Martindale.

Edna ramena son caramel sur sa langue et, tout en le suçotant béatement, se remit à taper *L'Amour sans voiles*, d'Armand Levine. L'érotisme laborieux de l'ouvrage en question la laissait de glace — comme il en allait d'ailleurs pour la plupart des lecteurs de l'infortuné Mr Levine, qui pourtant s'échinait à la tâche. Il était un exemple flagrant de ce que rien n'est plus soporifique que la pornographie ordinaire. Malgré des couvertures torrides et des titres provocants, ses ventes ne cessaient de baisser — et cela faisait déjà trois fois que sa dernière facture de dactylographie lui avait été envoyée.

La porte s'ouvrit et Sheila Webb entra, passablement hors d'haleine.

— Sandy Cat te réclame, la prévint Edna.

Sheila Webb fit la grimace :

— C'est bien ma veine... juste le jour où je suis en retard !

Elle se lissa les cheveux, empoigna bloc et crayon et s'en fut frapper à la porte de la directrice.

Miss Martindale leva les yeux de son bureau. La quarantaine largement dépassée, elle respirait l'efficacité. Ses cheveux blond-roux relevés en chignon et son prénom de Katherine lui avaient valu le surnom de « Sandy Cat », « le chat roux » :

— Miss Webb, vous êtes en retard.

— Je suis désolée, miss Martindale. C'était affreux. Les bus étaient bondés.

— À cette heure-ci, c'est toujours affreux et les bus sont invariablement bondés. Tenez-en compte à l'avenir.

Elle jeta un coup d'œil à son bloc :

— Une miss Pebmarsh a appelé. Elle aimerait une sténo pour 15 heures. C'est vous qu'elle a demandée, vous avez déjà travaillé pour elle ?

— Pas que je me souvienne, miss Martindale, pas récemment en tout cas.

— L'adresse est le 19, Wilbraham Crescent.

Elle marqua un temps d'arrêt interrogateur. Sheila Webb secoua la tête :

— Ça ne me dit rien non plus.

Miss Martindale consulta la pendulette :

— Pour 15 heures... Il va falloir vous dépêcher. Vous avez autre chose de prévu cet après-midi ?

Elle jeta un coup d'œil oblique à son cahier de rendez-vous :

— Ah ! oui. Le professeur Purdy, à l'hôtel *Curlew*. À 17 heures. Vous devriez être de retour juste à temps. Si vous êtes retardée, j'enverrai Janet.

Elle la congédia d'un signe de tête, et Sheila repassa dans la pièce à côté.

— Du neuf et de l'intéressant, Sheila ? s'enquit mollement Edna Brent.

— Le sempiternel train-train à mourir de langueur, tu veux dire. Une vieille chouette à Wilbraham Crescent. Et à 5 heures le Pr Purdy — rien que de penser à son abominable jargon archéologique, j'en suis malade ! Qu'est-ce que je ne donnerais pas pour qu'il se passe un jour quelque chose de palpitant !

La porte de miss Martindale s'ouvrit :

— Sheila, j'ai oublié de vous préciser qu'au cas où miss Pebmarsh ne serait pas chez elle, vous pourrez entrer directement : la porte ne sera pas fermée. Elle vous demande de vous installer dans la première pièce à main droite. Vous vous en souviendrez ou vous voulez que je vous le note sur un papier ?

— Je m'en souviendrai, miss Martindale.

Miss Martindale réintégra son sanctuaire.

Edna Brent fourragea sous sa chaise et, d'un geste furtif, ramena à la lumière un escarpin assez tape-à-l'œil dont le talon aiguille faisait désormais bande à part.

— Ce n'est pas tout ça, mais comment est-ce que je vais rentrer chez moi ? gémit-elle.

— Oh ! arrête de braire... on te trouvera bien une solution, lança une des dactylos avant de recommencer à taper.

Edna soupira et coinça une nouvelle feuille dans le chariot de sa machine : « *Les griffes du désir tenaillaient désormais tout son être. Il déchira d'une main rageuse la mousseline légère qui faisait obstacle à sa passion et, rendu fou par la vision de ses seins nus, la renversa sur le sofa.* »

— Oh, zut et flûte ! bougonna Edna en tendant la main vers sa gomme.

Sheila prit son sac et sortit.

Wilbraham Crescent était un caprice architectural de style victorien datant des années 1880. Alignées côte à côte en une vaste demi-lune et dotées chacune d'un jardinet à l'avant et d'un jardin privatif à l'arrière, les villas, toutes identiques, se tournaient deux par deux le dos. Cette conception entraînait d'incroyables complications pour qui ne connaissait pas le quartier. Ceux qui abordaient Wilbraham Crescent par le côté convexe ne trouvaient pas les premiers numéros, et ceux qui l'attaquaient côté concave s'interrogeaient longuement sur le sens des derniers. Coquettes, bien entretenues et agrémentées de balcons artistement contournés, les maisons offraient l'apparence de la plus parfaite respectabilité. La modernisation les avait à peine touchées — du moins en apparence. Car à l'intérieur, cuisines et salles de bains avaient déjà senti le vent du changement.

Rien ne distinguait le n° 19. Les rideaux étaient amidonnés, la poignée de cuivre brillait, des rosiers avaient été plantés de chaque côté de l'allée qui menait à la porte d'entrée.

Sheila Webb poussa la grille, remonta l'allée et pressa le bouton de sonnette. Pas de réponse. Elle attendit un moment puis, suivant en cela les instructions reçues, tourna la poignée. La porte s'ouvrit. Dans le vestibule, la porte à droite était entrebâillée. Elle frappa, s'immobilisa quelques secondes et pénétra dans la pièce. C'était un salon assez plaisant, encore qu'un peu trop encombré pour le goût actuel. Seul détail sortant de l'ordinaire, l'abondance de pendules : une horloge de parquet tictaquant dans un angle ; une pendule en porcelaine de Saxe sur la cheminée ; une pendulette en argent sur le bureau ; une autre, plus petite et dorée, sur une étagère près de la cheminée ; et, posée sur une table près de la fenêtre, un réveil de voyage dont l'étui de cuir fané arborait dans un coin un ROSEMARY en lettres d'or à moitié effacées.

Sheila Webb s'arrêta devant la pendulette sur le bureau et eut un haussement de sourcils. Elle marquait un peu plus de 4 h 10. Étonnée, elle passa à la pendule de la cheminée. Elle indiquait la même heure.

Un bourdonnement au-dessus de sa tête, suivi d'un déclic, fit sursauter Sheila : d'un cartel en bois sculpté accroché au mur venait de jaillir un coucou qui, sur le seuil de sa porte miniature, clama un *Coucou, Coucou, Coucou !* strident et sans réplique. Les six notes aigres semblaient renfermer on ne savait quelle menace. Puis le coucou redisparut en claquant sa petite porte.

Sheila sourit. Elle s'apprêtait à passer derrière le sofa quand elle s'arrêta net et eut un violent mouvement de recul.

Le corps d'un homme était affalé sur le plancher. Ses paupières à demi relevées découvraient des yeux qui n'y voyaient plus. Une tache sombre et humide maculait le veston de son complet gris. D'un geste quasi mécanique, Sheila se pencha, lui caressa la joue — froide — les doigts, pareils... effleura furtivement la tache et, horrifiée, retira aussitôt la main.

À cet instant elle entendit le loquet de la grille et tourna la tête vers la fenêtre. Elle vit la silhouette d'une femme qui s'avançait rapidement dans l'allée. La gorge sèche, Sheila avala sa salive. Et elle resta plantée là, paralysée, muette... les yeux exorbités.

La porte s'ouvrit et une grande femme d'un certain âge pénétra dans la maison, un panier à provisions à la main. Elle avait des cheveux gris ondulés tirés en arrière. Ses yeux étaient d'un bleu liquide. Ils glissèrent sur Sheila sans la voir.

Sheila émit un faible son, un petit cri rauque. Les yeux bleus se tournèrent vers elle et la femme demanda d'un ton brusque :

— Il y a quelqu'un ?

— Moi... Je...

La jeune fille s'interrompit en voyant la femme se diriger rapidement vers elle et s'apprêter à contourner le sofa.

C'est alors qu'elle poussa un cri :

— Arrêtez ! arrêtez !... vous allez marcher là-dessus — vous allez *lui* marcher dessus... *Et il est mort*...

1

RÉCIT DE COLIN LAMB

Pour m'exprimer comme dans la police : le 9 septembre, à 14 h 59, je m'étais engagé dans Wilbraham Crescent en procédant d'est en ouest. C'était la première fois que j'abordais Wilbraham Crescent et, franchement, cet endroit me faisait perdre la boule.

Je m'étais fourré une idée dans la tête et, plus ses chances de se révéler exacte s'amenuisaient, plus je m'obstinais. Je suis comme ça.

Je cherchais le numéro 61. Est-ce que je serais fichu de le trouver ? Eh bien pas du tout. J'avais sagement remonté les numéros en commençant par le 1 et en finissant par le 35, là où Wilbraham Crescent semblait s'arrêter. Une voie de grande communication, crânement baptisée Albany Road, m'interdisait en effet d'aller plus loin. Je me retournai. Côté nord, il n'y avait pas de maisons, seulement un mur. Derrière ce mur, une série d'immeubles modernes s'élançaient vers le ciel. On y accédait manifestement par une autre rue. Rien à attendre de ce côté-là.

Je remontai le « crescent » en sens inverse et regardai défiler les numéros : 24, 23, 22, 21, « Le Logis de Diane » (sans doute le 20, avec un chat roux perché sur le pilier de la grille et qui faisait sa toilette), 19...

La porte du 19 s'ouvrit tout à trac et une fille en sortit qui se précipita dans l'allée à la vitesse d'une bombe. La comparaison avec cet engin s'imposait d'autant plus qu'une sorte de couinement accompa-

13

gnait sa progression. Un couinement suraigu et singulièrement inhumain. La fille passa la grille et me rentra dedans avec une telle force que je faillis être éjecté du trottoir. Et elle ne fit pas que me bousculer. Elle s'agrippa frénétiquement à moi — dans une étreinte désespérée.

— Eh là, dites donc ! protestai-je en rétablissant mon équilibre. (Je la secouai un peu :) Allons, du calme.

Elle se calma. Elle s'accrochait toujours, mais elle s'arrêta de crier. Maintenant, elle suffoquait — de gros sanglots secs.

Là je ne suis pas très fier de ma réaction : je lui demandai s'il était arrivé quelque chose. Reconnaissant que ma question était mal posée, je la rectifiai :

— Qu'est-ce qui vous arrive ?

La jeune fille prit une profonde inspiration.

— *Là-dedans* ! exhala-t-elle dans un souffle en indiquant la maison derrière elle.

— Oui ?

— Il y a un homme sur le plancher... mort... Elle a failli marcher dessus.

— Qui ça ? Et pourquoi ?

— Je crois que... que c'est parce qu'elle est aveugle. Et lui, il est couvert de sang.

Elle baissa la tête et lâcha mon pardessus pour regarder sa main :

— Et moi aussi. *Moi* aussi, je suis couverte de sang.

— C'est ma foi vrai.

À mon tour j'examinai les taches sur la manche de mon pardessus.

— Notez que je suis maintenant dans le même cas, lui fis-je remarquer. (Je soupirai et réfléchis à la situation.) Conduisez-moi dans cette maison et allons voir ensemble ce qui s'y passe, lui proposai-je en fin de compte.

Mais elle se mit à trembler de tous ses membres :

— Je ne peux pas. *Je ne peux pas*... il n'est pas question que j'y retourne.

— Mieux vaut peut-être en effet vous éviter ça.

Je regardai autour de moi. Rien *a priori* qui convienne à l'accueil d'une fille à deux doigts de tomber dans les pommes. Je me contentai de la faire glisser doucement sur le trottoir, l'assis et l'adossai au montant du portail :

— Je reviens tout de suite. Vous, vous restez ici. Je n'en ai pas pour longtemps. Tout se passera bien. Si vous avez la tête qui tourne, posez le front sur les genoux.

— Je... je crois que ça va mieux.

Elle n'en avait pas l'air persuadé, mais je préférai la prendre au mot. Je lui tapotai l'épaule et remontai vivement l'allée. Une fois passé le seuil, j'hésitai un instant dans le hall, entrebâillai la porte de gauche... une salle à manger. Je me dirigeai vers la pièce juste en face.

La première chose que je vis en entrant, ce fut une vieille femme aux cheveux gris assise sur une chaise. Elle m'entendit et tourna brusquement la tête vers moi :

— Qui êtes-vous ?

Je compris tout de suite que cette femme était aveugle. Elle avait tourné les yeux dans ma direction mais ils fixaient un point au-dessus de mon oreille gauche.

J'adoptai un ton abrupt et ne m'embarrassai pas de périphrases :

— Une jeune femme a débouché dans la rue en courant et m'a dit qu'il y avait un cadavre dans la maison.

En même temps que je prononçais ces mots, l'absurdité de la situation me sauta aux yeux. Comment pouvait-il y avoir un cadavre dans cette pièce bien rangée avec cette femme parfaitement calme, assise sur une chaise, les doigts croisés.

Mais la réponse fusa.

— Derrière le canapé, dit-elle.

Je m'approchai du sofa. Là je le vis : les bras ouverts — les yeux vitreux — la tache de sang qui se figeait.

— C'est arrivé comment ? demandai-je de but en blanc.

— Je l'ignore.

— Mais enfin... Qui est-ce ?

— Je n'en ai aucune idée.

— Il faut appeler la police.

Je jetai un coup d'œil circulaire :

— Où est le téléphone ?

— Je n'ai pas le téléphone.

Je l'observai d'un peu plus près :

— Vous vivez ici ? C'est chez vous ?

— Oui.

— Vous pouvez me dire ce qui s'est passé ?

— Tout à fait. Je revenais de faire mes courses.

Je remarquai le panier à provisions posé sur une chaise près de la porte.

— Quand je suis entrée dans cette pièce, j'ai tout de suite perçu une présence. Cela n'a rien d'étonnant pour une aveugle. J'ai demandé qui était là. Pas de réponse — juste une respiration un peu rapide. Je me suis dirigée vers cette respiration, et une femme s'est écriée que quelqu'un était mort et que j'allais marcher dessus. Ensuite cette personne est passée près de moi et elle est sortie de la pièce en hurlant.

Je hochai la tête. Les deux versions concordaient.

— Et alors, qu'avez-vous fait ?

— J'ai avancé tout doucement jusqu'à ce que mon pied rencontre un obstacle.

— Et alors ?

— Je me suis agenouillée. J'ai touché quelque chose — la main d'un homme. Elle était froide — le pouls ne battait plus... Je me suis levée, et je suis venue m'asseoir ici. Des gens allaient venir, c'était inévitable. Cette fille, je ne la connais pas, mais elle allait sûrement appeler à l'aide. J'ai pensé qu'il valait mieux ne pas bouger.

Le calme de cette femme m'impressionnait. Elle n'avait pas crié, ne s'était pas précipitée dehors en se cognant aux meubles. Sa réaction était parfaitement sensée, mais elle supposait une certaine force de caractère.

Elle m'interrogea :

— Qui êtes-vous au juste ?

— Mon nom est Colin Lamb. Je passais par là.

— Où est cette jeune femme ?

— Je l'ai laissée appuyée au portail. Elle est encore sous le choc. Où se trouve le téléphone le plus proche ?

— Il y a une cabine à cent mètres environ en descendant la rue, juste avant de tourner le coin.

— Oui, bien sûr. Maintenant je me souviens d'être passé devant. Je vais appeler la police. Est-ce que...

J'hésitai. Fallait-il dire « Vous ne bougez pas d'ici ? » ou opter pour « Vous êtes sûre que ça va aller ? » Elle se chargea de régler le problème à ma place.

— Vous feriez bien de faire rentrer cette fille ici, déclara-t-elle d'un ton sans réplique.

— Je ne sais pas si elle acceptera de me suivre, répondis-je, dubitatif.

— Pas dans ce salon, évidemment. Installez-la dans la salle à manger, c'est la pièce juste en face.

Elle se leva et vint vers moi :

— Dites-lui que je vais faire du thé.

— Mais... balbutiai-je, vous pourrez vous débrouiller toute seule ?

L'ombre d'un sourire sarcastique passa sur son visage :

— Cher monsieur, je prépare mes repas dans ma cuisine depuis que j'ai emménagé dans cette maison. Cela va bientôt faire 14 ans. Une aveugle n'est pas nécessairement une empotée.

— Pardonnez-moi, je suis vraiment stupide. Il vaudrait peut-être mieux que je sache votre nom ?

— Millicent Pebmarsh... *miss* Millicent Pebmarsh.

Je sortis et descendis l'allée. La jeune fille leva les yeux vers moi et entreprit de se lever :

— Je... je pense que ça va aller.

Je lui tendis la main pour la remettre sur ses pieds et l'encourageai avec entrain :

— Bien !

— Dites-moi... Je n'ai pas rêvé, il y a bien un cadavre, là-bas, derrière le canapé ?

Je m'empressai d'acquiescer :

— Absolument. Je vais téléphoner à la police, il y a une cabine un peu plus loin. Si j'étais vous, j'attendrais à l'intérieur. (J'élevai la voix pour couvrir ses protestations :) Allez dans la salle à manger, à gauche en entrant. Miss Pebmarsh vous prépare une tasse de thé.

— Ah ! c'était miss Pebmarsh. Et elle est aveugle ?

— Oui. Elle aussi a été assez choquée, bien sûr, mais c'est une femme bourrée de bon sens. Allez, venez, je vais vous accompagner. En attendant l'arrivée de la police, une tasse de thé vous fera le plus grand bien.

Je lui passai un bras autour des épaules et l'entraînai dans l'allée. Puis je l'installai confortablement à la table de la salle à manger et repartis en hâte donner mon coup de téléphone.

— Poste de police de Crowdean, dit une voix dépourvue d'émotion.

— Pourrais-je parler à l'inspecteur Hardcastle, je vous prie ?

— Je ne sais pas s'il est là, répondit prudemment la voix. C'est de la part de qui ?

— Colin Lamb.

— Ne quittez pas.

La voix de Dick Hardcastle résonna à mon oreille :

— Colin ? Tu es en avance. Où es-tu ?

— Crowdean. Plus précisément Wilbraham Crescent. Un type tout ce qu'il y a de mort est étendu sur le plancher du numéro 19, sans doute poignardé. Le décès doit remonter à environ une demi-heure.

— Qui l'a trouvé ? Toi ?

— Non, je me promenais innocemment dans le coin. Et tout d'un coup, une fille a déboulé comme si elle avait le diable à ses trousses. Elle a d'ailleurs bien failli me flanquer par terre. Elle m'a dit qu'il y avait un cadavre sur le parquet et qu'une aveugle était en train de le piétiner.

— Tu ne serais pas en train de me faire marcher, par hasard ? demanda Dick, saisi d'un doute.

— Cette histoire peut surprendre, je suis d'accord avec toi. Mais ça semble s'être passé comme je te le dis. L'aveugle s'appelle miss Millicent Pebmarsh, il s'agit de sa maison.

— Et elle piétinait le cadavre ?

— Pas dans le sens où tu l'entends. Je pense qu'étant aveugle, elle ignorait qu'il se trouvait là.

— Je mets la machine en branle. Toi, tu m'attends sur place. Et la fille, à propos, qu'est-ce que tu en as fait ?

— Miss Pebmarsh lui prépare une tasse de thé.

« Tout va donc pour le mieux dans le meilleur des mondes », tel fut à peu près le commentaire de Dick.

2

Au 19, Wilbraham Crescent, l'artillerie judiciaire s'était mise en batterie. Il y avait là un médecin légiste, un photographe de la police et les hommes du labo qui relevaient les empreintes. Absorbés par leurs tâches respectives, ils arpentaient la pièce, efficaces et peu bavards.

L'inspecteur Hardcastle fit son entrée en dernier. Grand, visage impassible en dépit de sourcils expressifs, il donnait l'impression de régner sur son petit monde. Il s'assura que tout avait été exécuté selon les règles, jeta un dernier coup d'œil au cadavre, échangea deux ou trois mots avec le médecin légiste, puis passa dans la salle à manger où trois personnes étaient attablées devant des tasses vides : miss Pebmarsh, Colin Lamb et une grande fille brune aux cheveux bouclés et aux yeux écarquillés par la peur. « Pas vilaine du tout », nota l'inspecteur à part soi.

Il se présenta à miss Pebmarsh :

— Inspecteur de police Hardcastle.

La vieille demoiselle n'était pas une totale inconnue pour lui. Bien qu'il n'ait jamais eu affaire à elle dans l'exercice de ses fonctions, il l'avait souvent croisée dans le quartier et savait qu'elle avait été professeur de lycée avant de s'occuper maintenant d'enseigner le Braille aux enfants handicapés à l'Institut Aaronberg. Qu'un homme ait pu être assassiné chez une personne aussi austère et comme il faut semblait totalement invraisemblable — mais l'invraisemblable tend à se produire plus souvent qu'on ne l'imagine.

— Quelle horrible histoire, miss Pebmarsh, compatit Hardcastle. Ça a dû vous causer un choc. Il faut que chacun de vous me fasse une déposition précise de ce qui s'est passé. Si j'ai bien compris, c'est miss...

Il jeta un coup d'œil rapide au bloc-notes que l'agent de police lui avait remis :

— ... miss Sheila Webb qui a découvert le corps. Si vous me permettez d'utiliser votre cuisine, miss Pebmarsh, miss Webb va m'y accompagner, nous y serons plus tranquilles.

Il ouvrit la porte qui communiquait avec la cuisine et s'effaça devant la jeune fille. Un jeune policier en civil s'était déjà installé dans la place et s'apprêtait à prendre discrètement des notes sur une table en Formica.

— Ce siège a l'air confortable, jaugea Hardcastle en avançant une chaise Windsor version moderne à Sheila Webb.

Elle s'assit maladroitement et le regarda de ses grands yeux effrayés.

« Ne vous bilez pas, mon petit, faillit-il lui conseiller, je ne vais pas vous bouffer », puis il se ravisa :

— Vous n'avez plus rien à craindre. Ce que nous souhaitons, c'est tout bonnement récapituler les événements de la façon la plus claire possible. Bon, vous vous appelez Sheila Webb. Maintenant, votre adresse ?

— 14, Palmerston Road — après l'usine à gaz.

— Oui, je vois très bien. Et vous travaillez, j'imagine ?

— Je suis sténodactylo chez miss Martindale.

— L'Agence Cavendish ?

— Oui, c'est ça.

— Depuis longtemps ?

— Environ un an. Dix mois, pour être précise.

— Bien. Et maintenant racontez-moi le plus simplement possible comment vous êtes arrivée au 19, Wilbraham Crescent.

— Eh bien voilà...

Sheila Webb semblait plus en confiance :

— Cette miss Pebmarsh a appelé au bureau pour qu'on lui envoie une dactylo à 15 heures. Quand je suis rentrée de déjeuner, miss Martindale m'a demandé de me rendre chez elle.

— Comment s'opère le choix ? Vous êtes sur une liste et c'est chacune à tour de rôle ou quoi ?

— Non, pas exactement. Mais dans le cas particulier, miss Pebmarsh m'avait fait demander personnellement.

— Miss Pebmarsh vous avait fait demander personnellement, enregistra Hardcastle avec un froncement de sourcils. Je vois... Vous aviez déjà travaillé pour elle ?

— Pas du tout, répliqua Sheila.

— Jamais ? Vous êtes sûre ?

— Oh oui ! Catégorique. Après tout, ce n'est pas le genre de personne qu'on oublie. Toute cette histoire est très bizarre.

— Je vous l'accorde. Laissons de côté ce détail pour le moment. À quelle heure êtes-vous arrivée ?

— Il ne devait pas être loin de 3 heures, parce que le coucou...

Elle s'arrêta brusquement. Ses yeux s'agrandirent :

— Comme c'est bizarre ! Sur le moment, je l'avais noté mais je n'y avais pas vraiment fait attention.

— Quoi donc, miss Webb ?

— Eh bien... les pendules.

— Qu'est-ce qu'elles avaient, les pendules ?

— Quand le coucou a sonné 3 heures, tous les autres cadrans avançaient de plus d'une heure. Ce n'est pas normal !

— Pas normal du tout, convint l'inspecteur. Mais dites-moi, quand avez-vous remarqué le cadavre ?

— À un moment donné je me suis avancée pour contourner le sofa. Et cette chose — enfin *lui*, je veux dire... lui, il était là. Quelle horreur ! Quelle horreur...

— Je suis bien d'accord avec vous. Et cet homme, est-ce que vous l'avez reconnu ? S'agit-il de quelqu'un que vous aviez déjà vu ?

— Oh *non* !

— Vous en êtes sûre ? Vous savez, il avait peut-être l'air très différent de ce à quoi il ressemblait habituellement. Réfléchissez bien. Vous êtes absolument certaine de ne jamais l'avoir vu avant ?

— Absolument.

— Bon. Tant pis. Et qu'est-ce que vous avez fait ?

— Fait ? Rien... rien du tout. Je n'aurais jamais pu faire quoi que ce soit.

— Vous ne l'avez pas touché ?

— Ah ! si. Pour voir si... enfin... juste pour voir. Mais il était... il était tout froid... et... et je me suis retrouvée avec du sang sur la main. Du sang épais... gluant... C'était abominable.

Elle se remit à trembler.

— Allons, allons, dit Hardcastle sur le ton du vieil oncle débonnaire. C'est fini, maintenant. Oubliez ce sang et continuez. Après ça, que s'est-il passé ?

— Je ne sais pas... Ah ! si, elle est rentrée chez elle.

— Miss Pebmarsh, vous voulez dire ?

— Oui. Mais pour moi, à ce moment-là, elle n'était pas miss Pebmarsh. Elle est rentrée comme ça avec un panier à *provisions* à la main.

Le ton de sa voix trahissait combien, vu la situation, le panier à provisions lui avait semblé incongru.

— Et qu'est-ce que vous avez dit ?

— Je ne crois pas avoir dit quelque chose. J'ai essayé, mais ça ne sortait pas. (Elle porta la main à

son cou :) J'avais comme une sensation d'étouffe-
ment, *là*.

L'inspecteur hocha la tête.

— Et alors... et alors... elle, elle a dit « Qui est
là ? », et elle a voulu faire le tour du canapé et j'ai
pensé, j'ai pensé qu'elle allait... qu'elle allait marcher
là-dessus. Alors j'ai crié... et quand j'ai commencé à
crier je n'ai plus pu m'arrêter... et je ne sais pas comment j'ai réussi à sortir de la pièce et à me précipiter dans la rue...

— Comme si vous aviez le diable à vos trousses,
précisa l'inspecteur en se rappelant l'expression de
Colin Lamb.

Sheila Webb leva vers lui des yeux remplis de tris-
tesse et de frayeur.

— Je suis désolée, balbutia-t-elle de façon assez
inattendue.

— Je me demande bien pourquoi. Vous avez très
bien raconté votre histoire. Et maintenant n'y pensez plus. Oh ! une précision encore : qu'est-ce que
vous faisiez au juste dans cette pièce ?

— Qu'est-ce que je faisais...

Elle ne voyait apparemment pas où il voulait en
venir.

— Oui. Vous êtes arrivée au rendez-vous avec
quelques minutes d'avance et je suppose que vous
avez tiré la sonnette. Mais si personne n'a répondu,
pourquoi êtes-vous entrée ?

— Ah, ça ! Mais parce qu'on m'avait dit d'entrer.

— Qui vous avait dit de le faire ?

— Miss Pebmarsh.

— Je croyais que vous ne lui aviez jamais parlé.

— Non, jamais, c'est vrai. C'est miss Martindale
qui m'a dit que... que j'étais censée entrer attendre
dans le salon à droite dans le hall.

— Ben voyons ! marmonna Hardcastle, pensif.

Sheila Webb s'enquit timidement :

— Est-ce que... est-ce que c'est tout ?

— Je crois bien que oui. Attendez cependant une
dizaine de minutes, pour le cas où j'aurais des précisions à vous demander. Après quoi je vous ferai rac-

compagner chez vous par une voiture de police. Pour ce qui est de votre famille... au fait, vous avez de la famille ?

— Mes parents sont morts. Je vis avec ma tante.

— Elle s'appelle comment ?

— Mrs Lawton.

L'inspecteur se leva et tendit la main :

— Merci beaucoup, miss Webb. Essayez de bien dormir cette nuit. Vous en aurez besoin après ce par quoi vous êtes passée.

Elle lui adressa un sourire timide avant de refranchir la porte qui donnait dans la salle à manger.

— Colin, occupe-toi de miss Webb, décréta l'inspecteur. Miss Pebmarsh, pouvez-vous venir jusqu'ici ? J'aurais besoin de vous.

Hardcastle ébaucha le geste de tendre la main à l'aveugle qui passa résolument devant lui, effleura la chaise Windsor et la recula un peu avant de s'asseoir.

Hardcastle referma la porte. Avant qu'il ait pu placer un mot, Millicent Pebmarsh demanda d'un ton brusque :

— Qui est ce jeune homme ?

— Il s'appelle Colin Lamb.

— Il s'est déjà présenté, mais qui est-ce ? Pourquoi est-il venu ici ?

Un peu surpris, Hardcastle la dévisagea :

— Il passait dans la rue quand miss Webb lui est tombée dessus en criant au meurtre. Il est entré chez vous pour vérifier si ce qu'elle avait dit était exact, puis il nous a prévenus par téléphone et je lui ai demandé de retourner chez vous et de nous y attendre.

— Vous l'avez appelé Colin et vous l'avez tutoyé.

— Vous êtes très observatrice, miss Pebmarsh. (Observatrice n'était sans doute pas vraiment le mot... et c'était pourtant le seul qui convenait.) Colin Lamb est un ami à moi, que je n'avais pas vu depuis longtemps.

— C'est un biologiste, ajouta-t-il, qui étudie la flore marine.

— Ah bon.

24

— Et maintenant, miss Pebmarsh, si vous me disiez ce que vous savez de cette étrange affaire ?

— Volontiers. Mais je ne crois pas avoir grand-chose à vous raconter.

— Il me semble que vous avez emménagé ici il y a pas mal de temps, n'est-ce pas ?

— En 1950. Je suis — enfin, j'étais — professeur, et puis, quand ma vue s'est irrémédiablement détériorée, je me suis spécialisée dans l'enseignement du braille et autres méthodes adaptées aux non-voyants. Je travaille à l'Institut Aaronberg pour les Aveugles et les Handicapés.

— Merci. Et maintenant passons aux événements de cet après-midi. Vous attendiez un visiteur ?

— Non.

— Je vais vous lire une description du mort pour voir s'il vous rappelle quelqu'un. Taille 1,80 m ; petite soixantaine ; cheveux bruns grisonnant sur les tempes ; yeux bruns ; visage mince, menton énergique, rasé de près. Bien nourri sans être corpulent. Complet anthracite. Mains manucurées. Pouvait être employé de banque, avocat, comptable, ou exercer une profession libérale quelconque. Est-ce que cela vous rappelle quelqu'un ?

Millicent Pebmarsh réfléchit longuement avant de répondre :

— Non, je n'en ai pas l'impression. Évidemment, cette description pourrait s'appliquer à des tas de gens. Il peut s'agir d'un individu que j'aurais croisé quelque part, mais certainement pas de quelqu'un que je connais bien.

— Vous n'avez pas, récemment, reçu une lettre vous annonçant une visite ?

— Absolument pas.

— Très bien. Abordons maintenant le point suivant : vous avez téléphoné à l'Agence Cavendish pour demander une dactylo et...

Elle lui coupa la parole :

— Excusez-moi. Mais je n'ai jamais rien fait de tel !

Hardcastle écarquilla les yeux :

— Vous n'avez *pas* appelé l'Agence Cavendish pour demander...

— Je n'ai pas le téléphone.

— Mais il y a une cabine au bout de la rue.

— Oui, bien sûr. Mais je peux vous garantir, inspecteur Hardcastle, que je n'avais nul besoin d'une dactylo et que je n'ai pas — j'insiste, je n'ai *pas* — téléphoné à cette Agence Cavendish pour leur demander quoi que ce soit.

— Et vous n'avez pas spécifié qu'on vous envoie miss Sheila Webb ?

— J'ai entendu ce nom-là pour la première fois quand vous l'avez prononcé tout à l'heure.

Hardcastle n'en croyait pas ses oreilles.

— Vous aviez laissé la porte de la maison ouverte, fit-il néanmoins observer.

— Dans la journée, cela m'arrive souvent.

— N'importe qui peut entrer.

— En l'occurrence, n'importe qui ne s'en est pas privé, ironisa miss Pebmarsh.

— D'après les conclusions du médecin légiste, miss Pebmarsh, cet homme est mort entre 13 h 30 et 14 h 45. Où étiez-vous entre 13 h 30 et 14 h 45 ?

Miss Pebmarsh se concentra une minute, puis :

— Si je n'étais pas sortie à 1 heure et demie, je m'y préparais : j'avais des courses à faire.

— Où au juste êtes-vous allée ?

— Attendez... Je me suis rendue à la poste, celle d'Albany Road, j'y ai acheté des timbres avant d'expédier un colis, j'ai ensuite acheté quelques provisions, oui, et aussi des boutons-pression et des épingles de sûreté à la mercerie, chez Field & Wren. Et puis je suis revenue ici. Je peux même vous préciser l'heure qu'il était. Mon coucou a chanté trois fois quand je suis arrivée à la grille. Je l'entends de la rue.

— Et les autres pendules ?

— Je vous demande pardon ?

— Vos autres pendules avançaient toutes d'une heure.

— Avançaient ? Ah ! vous parlez sans doute de l'horloge de parquet dans l'angle de la pièce ?

— Pas seulement celle-là, mais toutes les autres pendules du salon.

— Je ne comprends pas ce que vous entendez par « les autres pendules ». Il n'y a pas d'autres pendules dans le salon.

3

Hardcastle n'en revenait pas :

— Allons, miss Pebmarsh, vous avez oublié cette superbe pendule en saxe sur la cheminée ? Et la pendulette en argent ? Et la dorée ? Et — ah ! mais oui — le réveil de voyage, avec « Rosemary » gravé en lettres d'or dans un coin ?

Ce fut au tour de miss Pebmarsh d'afficher sa stupéfaction :

— Inspecteur, je ne sais pas si c'est vous ou s'il s'agit de moi, mais l'un de nous deux est dérangé. Je vous assure bien que je ne possède pas de pendule en saxe, ni de... qu'avez-vous dit déjà ?... de réveil de voyage avec « Rosemary » gravé en tout ce que vous voudrez dans un coin. Sans compter la pendulette dorée et... et quoi d'autre encore ?

— La pendulette en argent, répondit l'inspecteur sur un ton machinal.

— Celle-là non plus. Si vous ne me croyez pas, demandez à ma femme de ménage. Elle s'appelle Mrs Curtin.

L'inspecteur Hardcastle était décontenancé. Miss Pebmarsh, qui s'exprimait avec une vivacité un peu sèche, dégageait une telle assurance qu'on ne pouvait s'empêcher de la croire. Un peu abasourdi, il réfléchit un instant avant de se lever :

— Miss Pebmarsh, voulez-vous avoir l'obligeance de m'accompagner dans la pièce à côté ?

— Mais certainement. En vérité, j'ai moi-même très envie de les voir, ces pendules.

La réaction de Hardcastle fut immédiate :

— Les voir ?

— Les examiner serait plus correct, convint miss Pebmarsh, mais les aveugles, inspecteur, utilisent eux aussi les images du langage courant, même si elles ne sont pas tout à fait adaptées à leur situation. Quand je dis que je voudrais *voir* ces pendules, j'entends par là les examiner, les *sentir* du bout de mes doigts.

Suivi de miss Pebmarsh, Hardcastle sortit de la cuisine, traversa le hall d'entrée et pénétra dans le salon. L'homme qui relevait les empreintes se redressa :

— J'ai pratiquement fini, monsieur. Vous pouvez toucher ce que vous voulez.

Hardcastle hocha la tête et prit le réveil de voyage qui portait l'inscription « Rosemary ». Il le mit dans les mains de miss Pebmarsh. Elle le tourna et le retourna :

— Cela m'a tout l'air d'un réveil de voyage ordinaire dans son étui en cuir, conclut-elle. Il ne m'appartient pas, inspecteur, et je pourrais quasiment vous jurer qu'il ne se trouvait pas dans cette pièce quand j'ai quitté la maison à 1 heure et demie.

— Merci.

L'inspecteur le lui reprit. Il souleva avec précaution la pendule en saxe.

— Attention, c'est fragile, dit-il en la lui mettant dans les mains.

Millicent Pebmarsh effleura de son toucher délicat la pendule de porcelaine. Puis elle secoua la tête :

— Elle doit être ravissante, mais elle n'est pas à moi. Où était-elle, dites-vous ?

— Sur la cheminée, un peu à droite.

— N'y a-t-il pas là un bougeoir en porcelaine, qui est le pendant de celui de gauche ?

— Oui, mais il a été repoussé.

— Vous avez encore une pendule ?

— Deux.

Hardcastle reprit la pendule en porcelaine et lui donna la pendulette dorée. Elle la parcourut rapidement :

— Non, je ne la connais pas non plus.

Puis ce fut le tour de celle en argent, qu'elle restitua aussitôt :

— Les seules pendules de cette pièce sont l'horloge de parquet qui se dresse dans l'angle, non loin de la fenêtre...

— Exact.

— ... et un coucou, au mur, près de la porte.

Hardcastle se sentait bien en peine d'ajouter quoi que ce soit. Conscient de ce que l'aveugle ne pourrait lui rendre la pareille, il la dévisagea tout à loisir. Il constata qu'elle avait le front plissé par la perplexité.

— Je n'y comprends rien, gronda-t-elle soudain. Je n'y comprends rien du tout.

Elle tendit la main et, avec l'aisance de quelqu'un qui sait exactement où elle se trouve, s'assit au bord d'un canapé. Hardcastle se tourna vers le spécialiste des empreintes, qui se tenait près de la porte :

— Vous avez effectué les relevés sur ces pendules ?

— Oui, monsieur. Pas d'empreintes sur la pendulette dorée, mais cela va de soi. La surface ne les prend pas. Pareil pour la pendule en porcelaine. Mais rien non plus sur le cuir du réveil de voyage ni sur la pendulette en argent alors qu'il devrait normalement y en avoir. Ah ! au fait : aucune n'était remontée mais elles marquaient toutes la même heure — 16 h 13.

— Des empreintes dans le reste de la pièce ?

— Trois ou quatre séries — toutes des empreintes de femmes, à mon avis. J'ai vidé le contenu des poches, tout est là sur la table.

D'un geste du menton il désigna une petite pile d'objets. Hardcastle alla y jeter un coup d'œil. Il inventoria un portefeuille qui contenait 7 livres 10, un peu de monnaie, une pochette en soie sans initiales, une petite boîte de pilules pour la digestion et une carte de visite :

Mr R. H. Curry
Compagnie d'Assurances Metropolis
7, Denvers Street
Londres, W2

Hardcastle revint vers le canapé où miss Pebmarsh s'était assise :

— Vous attendiez la visite d'un agent d'assurances ?

— D'un agent d'assurances ? Non, jamais de la vie.

— La Compagnie d'Assurances Metropolis, ça ne vous dit rien ?

Miss Pebmarsh secoua la tête :

— Jamais entendu parler.

— Envisagiez-vous de souscrire une assurance quelconque ?

— Non, pas du tout. Je suis assurée contre le vol et l'incendie chez Jove Assurances, qui a une filiale près d'ici. Mais je n'ai souscrit à aucune assurance sur la vie. N'ayant pas de famille directe ni de proches parents, je n'en vois pas l'utilité.

— Je comprends. Est-ce que le nom de Curry vous dit quelque chose ? Mr R. H. Curry ?

Il l'observait attentivement. Mais son visage ne trahit aucune émotion.

— Curry... répéta-t-elle. (Puis elle secoua la tête :) Ce n'est pas un nom très courant, si ? Non, je ne pense pas l'avoir jamais entendu, ni avoir connu quelqu'un qui le portait. Il s'appelait comme ça ?

— Cela paraît vraisemblable.

Miss Pebmarsh hésita un instant, puis :

— Voulez-vous que... que je le touche...

Il s'empressa de saisir la balle au bond :

— Vous feriez ça, miss Pebmarsh ? Ça ne vous ennuierait pas trop ? Je ne suis pas très ferré dans ces matières, mais j'imagine que vos doigts vous en apprendront davantage sur son signalement que toutes les descriptions que je pourrais vous faire.

— Exactement, répondit miss Pebmarsh. Je vous accorde que ce sera là une corvée qui n'aura rien d'agréable, mais si vous pensez que cela peut vous aider, je m'y livrerai volontiers.

— Merci. Si vous le voulez bien, je vais vous guider.

Il la conduisit derrière le sofa, lui indiqua où elle devait s'agenouiller et guida doucement ses mains vers le visage du cadavre. Elle était très calme, impassible. Ses doigts suivirent la ligne d'implantation des cheveux, s'attardèrent un instant derrière l'oreille gauche, dessinèrent le nez, la bouche et le menton. Puis elle secoua la tête et se releva :

— J'ai maintenant une idée très nette de ce à quoi il pouvait ressembler, et je suis convaincue de ne l'avoir pas connu et de ne l'avoir même jamais rencontré.

L'homme des empreintes rangea son matériel, sortit de la pièce, puis passa la tête par la porte entre-bâillée.

— Les gars viennent d'arriver pour lui, fit-il en désignant le cadavre. Pas d'objection à ce qu'ils l'embarquent ?

— Aucune, lui répondit Hardcastle. Venez donc vous asseoir par là, miss Pebmarsh.

Il la conduisit à un fauteuil dans un coin de la pièce. Deux hommes entrèrent. L'évacuation de feu Mr Curry se déroula avec une célérité toute professionnelle. Hardcastle accompagna le cortège jusqu'à la grille puis revint s'asseoir auprès de l'aveugle :

— Nous voilà confrontés à une affaire peu banale, miss Pebmarsh. J'aimerais en revoir avec vous les points essentiels pour vérifier que rien ne m'a échappé. Corrigez-moi si je me trompe. Vous n'attendiez aucun visiteur, vous n'avez contacté aucune compagnie d'assurances ni reçu aucune lettre vous informant qu'un agent d'assurances se rendrait aujourd'hui chez vous. Vous êtes d'accord ?

— Oui.

— Vous n'avez pas demandé les services d'une sténodactylo, vous n'avez pas appelé l'Agence Cavendish pour qu'elle vous en envoie une vers 15 heures.

— Tout à fait.

— Quand vous êtes partie de chez vous vers 13 h 30, il n'y avait dans cette pièce que deux pendules, le coucou et l'horloge de parquet. C'est tout.

Miss Pebmarsh allait répondre, puis elle marqua un temps.

— Pour être tout à fait honnête, je n'en jurerais pas, dit-elle enfin. N'y voyant pas, je ne peux pas savoir si des objets ont été enlevés ou ajoutés dans cette pièce. Mais enfin la dernière fois que j'ai pu m'assurer des meubles et bibelots qu'elle contenait, c'était tôt ce matin, quand j'ai fait la poussière. À cette heure-là, tout était en place. C'est moi qui m'occupe généralement des bibelots car les femmes de ménage sont souvent peu soigneuses avec les objets fragiles.

— Vous vous êtes absentée dans la matinée ?

— Oui. Comme d'habitude, j'ai quitté la maison vers 10 heures pour me rendre à l'Institut Aaronberg. J'y donne des cours jusqu'à midi et quart. Je suis revenue chez moi vers 1 heure moins le quart. Je me suis fait du thé et des œufs brouillés. À propos, j'ai pris mon repas dans la cuisine, ce qui revient à dire que je ne suis pas retournée dans cette pièce.

— Je vois. Si donc vous êtes absolument certaine qu'à 10 heures ce matin il n'y avait pas trace des pendules étrangères, on peut éventuellement imaginer qu'elles ont été apportées ici au cours de la matinée.

— Pour cela, il vous faudra interroger ma femme de ménage, Mrs Curtin. Elle arrive ici vers 10 heures, et s'en va d'habitude vers midi. Elle habite au 17, Dipper Street.

— Merci, miss Pebmarsh. Maintenant que nous avons récapitulé les faits j'aimerais que vous me disiez ce qui vous vient à l'esprit : suggestions ou associations d'idées. À une heure indéterminée, quatre pendules ont été introduites ici. Les aiguilles de ces quatre pendules ont été réglées sur 16 heures et 13 minutes. Est-ce que par hasard cette heure vous suggère quelque chose ?

— 16 h 13 ? Autrement dit 4 h 13 de l'après-midi ?

Miss Pebmarsh secoua la tête :

— Absolument rien.

— Passons des pendules à cet homme qui a été assassiné. Il semble peu probable que votre femme de ménage l'ait laissé entrer et soit partie en lui abandonnant la maison si vous ne lui avez pas dit que vous attendiez quelqu'un. Mais elle nous le confirmera elle-même. Lui, de son côté, avait certainement une raison pour venir vous voir. D'ordre privé ou professionnel. Il a été poignardé entre 13 h 30 et 14 h 45. Si jamais il est venu ici sur rendez-vous, vous affirmez en ce qui vous concerne n'en avoir pas été informée. Il appartenait probablement à une compagnie d'assurances — mais là encore vous ne pouvez pas nous aider. La porte étant ouverte, il a pu entrer tout seul et s'installer au salon pour vous attendre — oui mais dans quel but ?

— Tout cela ne tient pas debout ! s'écria miss Pebmarsh d'un ton agacé. Vous croyez donc que ce — comment s'appelle-t-il déjà ?... Curry ? — a apporté ces pendules avec lui ?

— Je ne vois pas trace d'emballage, fit remarquer Hardcastle. Il n'aura quand même pas sorti quatre pendules de ses poches. Maintenant réfléchissez bien, miss Pebmarsh. Le mot pendule ne vous suggère rien ? Il ne vous vient à l'esprit aucune association d'idées reliée à des pendules ou, sinon à des pendules, du moins à la notion d'heure : 16 h 13 ?

Elle secoua la tête :

— J'ai beau me dire que c'est l'œuvre d'un fou, ou alors que quelqu'un s'est trompé de maison, je n'y comprends rien. D'ailleurs, même cela n'expliquerait pas tout. Non, je suis désolée, inspecteur, mais je ne peux pas vous aider.

Un jeune agent de police passa la tête par la porte entrebâillée. Hardcastle le rejoignit dans le hall puis alla jusqu'à la grille parlementer quelques instants avec ses hommes.

— Maintenant, vous pouvez raccompagner la fille, leur confirma-t-il. Elle vit au 14, Palmerston Road.

Il retourna à la salle à manger. La porte de communication avec la cuisine étant ouverte, il entendit miss Pebmarsh qui faisait la vaisselle et la rejoignit :

— Il faut que j'emporte ces pendules, miss Pebmarsh. Je vais vous signer un reçu.

— Comme elles ne m'appartiennent pas, vous pouvez en disposer comme il vous plaira, inspecteur.

Hardcastle se tourna vers Sheila :

— Une voiture de police va vous raccompagner, miss Webb.

Sheila et Colin se levèrent.

— Colin, tu veux bien l'escorter jusqu'à la voiture ? suggéra Hardcastle en avançant une chaise vers la table et en s'asseyant pour rédiger le reçu.

Colin et Sheila sortirent de la maison. Ils atteignaient le trottoir quand Sheila s'arrêta brusquement :

— Mes gants. Je les ai oubliés...

— J'y vais.

— Non... je sais exactement où je les avais posés. Ça m'est égal de retourner dans le salon maintenant que... maintenant qu'ils ont emporté cette *chose*.

Elle partit en courant et le rejoignit deux minutes plus tard :

— Excusez-moi pour tout à l'heure. Je me suis vraiment comportée comme une idiote...

— Compte tenu des circonstances, vous avez réagi très normalement, la réconforta Colin.

Hardcastle les rejoignit à l'instant où Sheila s'engouffrait dans la voiture. Quand le véhicule démarra, il se tourna vers le jeune agent :

— Je veux que vous emballiez très soigneusement toutes les pendules du salon — toutes, à l'exception du coucou et de la grande horloge de parquet.

Il donna encore une ou deux instructions, puis se retourna vers son ami :

— Je vais aller fureter un peu. Tu m'accompagnes ?

— Et comment ! acquiesça Colin.

4

RÉCIT DE COLIN LAMB

— Où allons-nous au juste ? demandai-je à Dick Hardcastle.

Il se pencha vers le chauffeur :

— L'Agence Cavendish, Palace Street. Vous prenez la direction de l'Esplanade et vous tournez à droite.

— Oui, monsieur.

La voiture démarra. Un attroupement s'était déjà formé et les gens regardaient la maison d'un air fasciné. Le chat roux était toujours perché sur le portail du Logis de Diane, la villa contiguë. Assis très droit, il avait fini de se passer la patte sur le museau et balançait doucement la queue, dominant l'assemblée de ce dédain pour la race humaine qui est la prérogative des chameaux et des chats.

— Primo l'Agence Cavendish parce que les bureaux vont bientôt fermer, et ensuite la femme de ménage, m'expliqua Hardcastle.

Il jeta un coup d'œil à sa montre :

— Déjà plus de 4 heures...

Après un silence étudié, il reprit :

— Une sacrée jolie fille, non ?

— Pas mal, concédai-je.

Il me jeta un coup d'œil amusé :

— Mais sa version des faits est assez peu vraisemblable. Mieux vaut la vérifier le plus vite possible.

— Tu ne penses quand même pas que c'est elle qui...

Il me coupa la parole :

— J'ai toujours porté un intérêt tout particulier aux petits rigolos qui découvrent des cadavres.

— Mais cette fille était morte de peur ! Si tu l'avais entendue brailler...

Il me jeta de nouveau un de ces regards railleurs dont il semble avoir le secret et me répéta que c'était une sacrée jolie fille :

— Et au fait, qu'est-ce que tu étais venu fabriquer

à Wilbraham Crescent, Colin mon tout bon ? Admirer notre belle architecture victorienne ? Poursuivre un noir dessein ?

— Je poursuivais un noir dessein, comme tu dis si bien. Je cherchais le n° 61 — et je n'arrivais pas à le dénicher. Peut-être qu'il n'existe pas ?

— Bien sûr que si, il existe. Les numéros montent jusqu'à... 88 je crois.

— Mais quand je suis arrivée au n° 28, Wilbraham Crescent s'est volatilisé !

— Les gens comme toi qui ne connaissent pas le coin se laissent toujours avoir. Si tu avais tourné deux fois à droite en arrivant à Albany Road, tu te serais retrouvé dans la seconde portion de Wilbraham Crescent. Les deux rangées de maisons se tournent le dos, mon vieux. Et leurs jardins font la jonction.

— Ah ! bon, répondis-je quand il m'eut expliqué en long et en large les particularités de ce type d'architecture. C'est comme ces fichus « Squares » et « Gardens » à Londres. Type Onslow Square, hein ? Ou Cadogan. Tu arpentes benoîtement le trottoir d'un « Square » et puis tu découvres tout d'un coup que c'est devenu sans crier gare une « Place » ou des mêmes « Gardens ». Jusqu'aux taxis qui y perdent leur latin... Enfin bref, d'après toi, le 61 existe. Tu as une idée de qui y crèche ?

— Au 61 ? Attends une minute... Oui, ça doit être Bland, 1'entrepreneur.

— Oh, mince ! Tu parles d'une tuile !

— Ce n'est pas un entrepreneur, que tu cherches ?

— Non. Je n'imaginais pas du tout un entrepreneur. Mais alors là, pas du tout. À moins que... Peut-être qu'il a emménagé récemment ? Qu'il vient de démarrer son entreprise ?

— Bland est né ici, je crois bien. C'est un type du cru — et il travaille dans le bâtiment depuis des années.

— Là, tu me sapes vraiment le moral.

— C'est un entrepreneur désastreux, dit Hardcastle pour essayer de me réconforter. Il utilise de très mauvais matériaux et construit le genre de bicoque qui a l'air à peu près normale jusqu'à ce que tu y emménages. Parce qu'à ce moment-là, tout se casse la figure et tombe en panne. Il frise souvent l'abus de confiance. Ce ne sont pas les scrupules qui l'étouffent... mais, bon, il s'en sort toujours.

— Inutile de me dorer la pilule, Dick. D'ailleurs l'homme que je cherche devrait à coup sûr présenter toutes les apparences d'un parangon de vertu.

— Il y a environ un an, Bland a touché le pactole... ou plutôt c'est sa femme qui l'a fait. Elle est canadienne. Elle est venue ici pendant la guerre et a rencontré Bland. Sa famille à elle refusait le mariage. Et puis l'année dernière un grand-oncle est mort, son fils unique s'est tué dans un accident d'avion et si tu ajoutes à ça un ou deux décès pendant la guerre et deux ou trois accidents imprévus, tu retrouves Mrs Bland comme seule héritière. Le grand-oncle lui a donc laissé sa fortune. Ce qui à mon avis a sauvé Bland de la faillite.

— Tu en sais des choses sur ce Mr Bland, dis-moi.

— Eh bien oui, les impôts, comprends-tu, s'intéressent toujours à un homme qui s'enrichit trop vite. Ils se demandent s'il n'a pas un peu triché et dissimulé des fonds à droite à gauche — alors ils vérifient. Mais tout était parfaitement légal.

— De toute façon, un type devenu riche du jour au lendemain ne m'intéresse pas non plus. Ce n'est pas après ce genre de profil que je cours en ce moment.

— Ah bon ? Tu as déjà donné, je suppose ?

Je hochai la tête.

— Et tu en as terminé ? Ou bien pas encore ?

— Ce serait trop long à te raconter, éludai-je. On dîne toujours ensemble comme convenu ? À moins que cette nouvelle histoire ne t'oblige à changer tes projets ?

— Non, non, ça ira. Pour le moment, il suffit de mettre la machine en branle. La première question qui se pose, c'est de savoir qui est ce Mr Curry. Une fois que nous connaîtrons son identité et sa profession, nous aurons une idée assez claire de qui voulait s'en débarrasser.

Il regarda par la vitre :

— Nous y voilà.

L'Agence Cavendish était située dans la principale rue commerçante, pompeusement baptisée Palace Street. Comme nombre d'entreprises et de boutiques, elle avait établi ses pénates dans une ancienne demeure victorienne. Au pied d'un édifice similaire, à droite, on lisait dans une vitrine : « Edwin Glen, Artiste Photographe. Spécialiste de Photos d'Enfants, Baptêmes, Mariages, etc. » Afin d'étayer cette assertion, la vitrine était bourrée d'agrandissements de bambins de tous âges et de toutes tailles. Du nourrisson à six ans. Histoire, bien sûr, d'appâter les mères sensibles. Quelques couples étaient également représentés. Des jeunes gens gênés aux entournures accouplés à des jeunes filles souriantes. À gauche de la bâtisse dévolue à l'Agence Cavendish s'était établi depuis des lustres un négociant en charbon, firme antique autant que vénérable. Les vieilles maisons suivantes avaient été rasées et en leur lieu et place s'élevait un bâtiment de trois étages flambant neuf qui se proclamait « Café et Restaurant Oriental ».

Hardcastle et moi montâmes quatre marches, entrâmes dans la maison et, obéissant à la plaque « Entrez sans frapper » sur la porte à droite, pénétrâmes dans une vaste pièce où trois secrétaires tapaient à la machine avec ardeur. Deux d'entre elles poursuivirent leur tâche sans même lever le nez. La troisième, assise à une table juste en face de la porte et dotée d'un téléphone à portée de la main, s'interrompit et nous interrogea du regard. Elle suçait un bonbon. Après se l'être coincé contre la joue dans la position la moins gênante possible, elle s'enquit d'une voix aux intonations légèrement nasales :

— Je peux vous aider ?

— Miss Martindale ? demanda Hardcastle.

— Elle est en ligne...

À cet instant on entendit un « clic ». La fille décrocha, appuya sur un bouton et annonça :

— Deux messieurs qui veulent vous parler, miss Martindale.

Elle nous dévisagea tour à tour :

— Je peux avoir vos noms, s'il vous plaît ?

— Hardcastle, répondit Dick.

— Un Mr Hardcastle, miss Martindale.

Elle raccrocha et se leva :

— Si vous voulez me suivre.

Elle ouvrit une porte où le nom de MISS MARTINDALE brillait sur une plaque de cuivre, annonça « Mr Hardcastle » et referma le battant derrière nous.

Miss Hardcastle leva les yeux de son bureau directorial. Je lui accordai la cinquantaine bien portée. Cheveux blond-roux remontés en chignon sur la nuque, elle avait le regard vif et semblait la personnification de la compétence et de l'efficacité.

Elle nous interrogea du regard :

— Mr Hardcastle ?

Dick lui tendit une de ses cartes professionnelles. Moi-même, je m'assis discrètement sur une chaise près de la porte.

Les sourcils roux de miss Martindale se haussèrent sous l'effet de la surprise et d'une certaine contrariété :

— *Inspecteur* Hardcastle ? Que puis-je pour vous, inspecteur ?

— Je suis venu vous demander quelques menus renseignements, miss Martindale. Et je pense que vous devriez pouvoir nous aider.

Au ton de sa voix, je compris que Dick, qui préférait souvent la manière indirecte, allait user de son charme. Je n'étais pas vraiment persuadé que miss Martindale y serait sensible. Elle était l'image même de ce que les Français appellent fort justement une « maîtresse femme ».

J'étudiai son environnement. Au-dessus du bureau de miss Martindale était punaisée toute une collection de photos dédicacées. Je reconnus Mrs Ariadne

Oliver, auteur de romans policiers dont j'avais déjà fréquenté la prose. Tracé d'une main hardie, *Remerciements amicaux, Ariadne Oliver* barrait la photo. *Avec toute ma reconnaissance, Gary Gregson* s'inscrivait au bas d'un cliché d'un auteur de romans noirs mort il y a une quinzaine d'années. *Amicalement vôtre, Myriam* paraphait la photo de Myriam Hogg, écrivain spécialisé dans le roman sentimental. Le sexe était représenté par un homme timide et au crâne quelque peu dégarni qui avait écrit d'une écriture resserrée *Sincères remerciements, Armand Levine.* D'une certaine manière, ces trophées se ressemblaient. Les hommes arboraient des pipes et portaient du tweed, les femmes avaient tendance à se perdre dans la fourrure et vous regardaient dans les yeux.

Tandis que j'observais les lieux, Hardcastle y allait de ses questions :

— Si mes renseignements sont bons, vous employez une jeune fille du nom de Sheila Webb ?

— C'est exact. Je crains cependant qu'elle ne soit pas là pour le moment — à moins que...

Elle appuya sur le bouton d'un Interphone :

— Edna, est-ce que Sheila est rentrée ?

— Non, miss Martindale, pas encore.

Miss Martindale relâcha le bouton.

— Elle avait un rendez-vous de travail à l'extérieur en début d'après-midi, expliqua-t-elle. Je me disais qu'elle était peut-être de retour. Il est possible qu'elle se soit rendue directement à l'hôtel *Curlew*, au bout de l'Esplanade. Je lui avais pris un rendez-vous pour 17 heures.

— Je comprends, assura Hardcastle. Que pouvez-vous me dire à son sujet ?

— Assez peu de chose, répondit miss Martindale. Je l'ai engagée il y a, attendez... un peu moins d'un an et elle me donne toute satisfaction.

— Savez-vous où elle travaillait avant de venir chez vous ?

— Si vous tenez à avoir des informations exactes, je dois pouvoir vous les retrouver, inspecteur. Ses références sont quelque part dans un dossier. Autant que je m'en souvienne, elle travaillait à Londres et ses références étaient assez bonnes. Elle était employée dans une entreprise de... non, une agence immobilière.

— Vous êtes donc contente d'elle ?

— Elle est d'un bon niveau, reconnut miss Martindale qui n'était pas du genre à se répandre en compliments.

— Mais il y a mieux ?

— Je n'ai pas dit cela. Elle tape assez vite, elle est soigneuse et raisonnablement cultivée.

— Vous la connaissez personnellement ? Vous la voyez en dehors des heures de travail ?

— Non. Je crois qu'elle vit avec une de ses tantes.

Là, miss Martindale marqua une certaine impatience :

— Puis-je vous demander, inspecteur, la raison de toutes ces questions ? Cette jeune personne aurait-elle des ennuis avec la police ?

— Je ne formulerais pas les choses ainsi, miss Martindale. Connaissez-vous une miss Millicent Pebmarsh ?

— Pebmarsh... médita miss Martindale en fronçant ses sourcils roux. Eh bien ça me... mais oui, bien sûr ! C'est par miss Pebmarsh que miss Webb commençait son après-midi. Le rendez-vous avait été pris pour 15 heures.

— Par téléphone ?

— Par téléphone. Miss Pebmarsh a appelé pour demander les services d'une sténodactylo, en l'occurrence miss Webb.

— Elle a précisé le nom de miss Webb ?

— Oui.

— Et elle vous a appelée vers quelle heure ?

— Je ne l'ai pas eue par le standard. C'est moi qui ai décroché. Cela se passait donc pendant la pause du déjeuner. En essayant d'être le plus exacte possible, je dirais 2 heures moins 10. En tout cas avant 2 heures. Ah ! je l'ai noté là sur mon bloc. Il était exactement 13 h 49.

— C'est miss Pebmarsh elle-même qui vous a appelée ?

Miss Martindale parut un peu surprise :

— Sans doute.

— Mais vous avez reconnu sa voix ? L'aviez-vous déjà rencontrée, elle, personnellement ?

— Non, pas du tout. Elle m'a dit s'appeler miss Millicent Pebmarsh, m'a donné son adresse, un numéro à Wilbraham Crescent. Et puis, comme je vous l'ai déjà expliqué, elle m'a précisé qu'elle désirait contracter les services de Sheila Webb et m'a demandé si elle était libre à 15 heures.

Le discours était clair et sans ambiguïté. Je songeai que miss Martindale ferait un excellent témoin.

— Voudriez-vous être assez aimable pour me dire ce dont il s'agit ? ajouta la maîtresse des lieux qui commençait à perdre patience.

— Voyez-vous, miss Martindale, l'ennui c'est que miss Pebmarsh nie avoir passé cet appel.

Miss Martindale ouvrit de grands yeux :

— Pas possible ? Mais c'est insensé.

— D'un autre côté, vous nous assurez que vous avez bien reçu cet appel mais vous ne pouvez affirmer qu'il s'agissait de miss Pebmarsh à l'autre bout du fil.

— Je ne peux évidemment pas l'affirmer. Je ne connais pas cette personne. Mais enfin je ne comprends pas ce qui a pu motiver une telle démarche. S'agirait-il d'une plaisanterie ?

— C'est plus grave que ça, répliqua Hardcastle. Est-ce que miss Pebmarsh — ou la personne, quelle qu'elle soit, qui a téléphoné — a justifié son choix de miss Sheila Webb ?

Miss Martindale réfléchit un instant :

— Je crois qu'elle a dit que miss Webb avait déjà travaillé pour elle.

— Et cela est-il exact ?

— Sheila m'a affirmé qu'elle ne se souvenait pas de miss Pebmarsh. Mais cela ne signifie rien, inspecteur. Après tout, les filles voient tellement de gens différents aux quatre coins de la ville qu'elles seraient bien en peine de se rappeler un emploi du temps qui remonterait éventuellement à plusieurs mois. D'ailleurs Sheila n'a pas été catégorique sur ce point. Elle a simplement dit qu'elle ne se souvenait pas être allée chez cette dame. Mais, inspecteur, même s'il s'agissait d'une plaisanterie, je ne saisis toujours pas la nature de votre intervention.

— J'y viens. Quand miss Webb est arrivée au 19, Wilbraham Crescent, elle est entrée dans la maison et s'est installée au salon. Elle a prétendu qu'elle suivait en cela les instructions que vous lui aviez données. Vous confirmez cette déclaration ?

— Absolument. Miss Pebmarsh m'avait prévenue qu'elle serait peut-être en retard et avait suggéré que Sheila, le cas échéant, l'attende à l'intérieur.

— Quand miss Webb est entrée dans le salon, poursuivit Hardcastle, elle a trouvé le cadavre d'un homme étendu sur le sol.

Miss Martindale écarquilla les yeux et resta un instant sans voix. Puis :

— Vous avez bien dit *le cadavre d'un homme*, inspecteur ?

— D'un homme qui avait été assassiné, compléta Hardcastle. Et plus précisément poignardé.

— La pauvre petite ! Quel choc ! Elle a dû être très contrariée.

C'était le genre d'euphémisme dont miss Martindale devait être coutumière.

— Est-ce que le nom de Curry vous dit quelque chose, miss Martindale ? Mr R. H. Curry ?

— Je ne pense pas, non.

— Qui aurait travaillé pour le compte de la Compagnie d'Assurances Metropolis.

Miss Martindale continua de secouer la tête.

— Vous saisissez mon problème, n'est-ce pas ? poursuivit Hardcastle. Vous me dites que miss Pebmarsh vous a téléphoné et a demandé que Sheila Webb se rende chez elle à 15 heures. Miss Pebmarsh nie avoir effectué une telle démarche. Sheila Webb se rend à la convocation. Elle tombe sur un cadavre.

Il attendit, plein d'espoir.

Miss Martindale le regarda d'un air décontenancé.

— Tout cela me semble éminemment improbable, conclut-elle sur ton désapprobateur.

Dick Hardcastle poussa un profond soupir et se leva.

— Vous avez de beaux bureaux, mondanisa-t-il. Cela fait longtemps que vous travaillez dans ce secteur d'activité ?

— Quinze ans. Nous avons connu une belle réussite. Partis de rien ou peu s'en faut, nous avons développé l'affaire au point que nous avons maintenant presque trop de travail. J'emploie huit jeunes filles à plein temps et elles ne chôment pas.

— Je vois que vous travaillez pas mal dans le domaine littéraire.

Hardcastle regardait les photos sur le mur.

— Oui, ce sont d'ailleurs les romanciers qui m'ont permis de fonder la firme. J'ai été de longues années la secrétaire particulière de Garry Gregson, le célèbre auteur de romans policiers. C'est grâce à l'argent qu'il m'a légué que l'Agence Cavendish a vu le jour. Il m'avait présentée à pas mal d'auteurs qui à leur tour m'ont recommandée à des amis à eux. Ma profonde connaissance des exigences que peuvent avoir les auteurs s'est révélée primordiale. Je suis en effet à même de régler leurs divers problèmes de recherches : dates, citations, points de droit, procédures policières, détails sur les effets de tel ou tel poison. Et mille et un renseignements du même ordre. Et puis des noms propres, des adresses, des noms de restaurants pour ceux qui situent leurs romans à l'étranger. Autrefois, les lecteurs se moquaient de la vraisemblance. Aujourd'hui, dès qu'ils repèrent une inexactitude, ils bombardent la maison d'édition de lettres incendiaires.

Miss Martindale marqua un temps.

— Je suis certain que vous avez toutes les raisons de vous féliciter de votre réussite, s'empressa de déclarer courtoisement Hardcastle.

Sur quoi il marcha vers la porte. Et je la lui ouvris.

Dans le bureau des dactylos, les trois filles s'apprêtaient à s'en aller. Elles avaient posé des housses sur les machines. La réceptionniste, Edna, semblait au comble de l'affliction. Debout derrière sa chaise, elle brandissait un talon aiguille dans une main et dans l'autre l'escarpin dont il avait été arraché.

— Ils m'auront fait à peine un mois, gémissait-elle. Et ils n'étaient pas donnés. C'est la faute de cette saleté de grille d'égout, près de la pâtisserie au coin de la rue. Mon talon s'est pris dedans et il s'est cassé net. Impossible de marcher, j'ai acheté deux petits pains aux raisins et je suis revenue ici mes chaussures à la main. Maintenant je me demande bien comment je vais pouvoir rentrer chez moi, ou même aller jusqu'au bus...

C'est à cet instant précis que notre présence fut remarquée. Edna cacha précipitamment l'escarpin offensant derrière son dos en glissant un regard coupable en direction de miss Martindale. À l'évidence, cette dernière n'était pas du genre à apprécier les escarpins et les talons aiguilles. Elle-même portait de fort sages richelieus impeccablement lacés.

— Merci, miss Martindale, la salua Hardcastle. Excusez-moi de vous avoir fait perdre un temps précieux. S'il vous revenait un détail auquel vous n'auriez pas songé...

— Cela va de soi, rétorqua miss Martindale en lui coupant assez sèchement la parole.

Dans la voiture, j'explosai enfin :

— En définitive — et en dépit de tes noirs soupçons —, l'histoire de Sheila Webb reflétait la stricte vérité.

— Bon, d'accord, d'accord, concéda Dick. Tu as gagné.

5

— M'man ! brailla Ernie Curtin, s'arrêtant un instant de promener de bas en haut et de haut en bas
un bolide miniature sur un des carreaux de la fenêtre
tout en l'accompagnant d'un tonitruant bruit de
moteur — mi-couinement, mi-vrombissement —
censé imiter le décolage d'une fusée pour la planète
Mars.

— M'man, qu'est-ce qui peut bien se passer ?

Fort occupée à faire la vaisselle, Mrs Curtin, créature au visage sévère, s'abstint de répondre.

— M'man, y a une bagnole de flics qui vient de se
garer devant la maison !

— Recommence pas avec tes menteries, Ernie,
gronda Mrs Curtin en balançant avec humeur tasses
et soucoupes sur l'égouttoir. Tu sais très bien ce que
je t'ai déjà dit et répété.

— Ben, elle est pas piquée des vers, celle-là !
s'étrangla Ernie, au comble de l'indignation. C'est
bien une bagnole de flics, même qu'il y a deux pou-
lets en civil qui en descendent.

Mrs Curtin fit volte-face pour affronter son
rejeton :

— Qu'est-ce que t'es encore allé manigancer ce
coup-ci ? Nous mettre dans les ennuis, c'est ça que
tu cherches !

— Parole que c'est pas vrai ! protesta Ernie. J'ai
rien fait, moi !

— Toujours à fréquenter Alf, fulmina Mrs Curtin.
Lui et sa bande. Une bande, je vous demande un
peu ! Nous deux ton père, on se tue à te répéter que
ces bandes, c'est voyous et compagnie. Et voilà où ça
mène. D'abord ce sera le tribunal pour enfants, et
puis y t'enverront en maison de correction vite fait
bien fait. Et moi je veux pas de ça, t'entends ?

— Ils arrivent à la porte, annonça Ernie.

Mrs Curtin abandonna l'évier et rejoignit sa progéniture à la fenêtre.

— Manquait plus que ça, murmura-t-elle.

Au même instant, le heurtoir entra en action. S'essuyant rapidement les mains à un torchon, Mrs Curtin gagna le corridor et s'en fut ouvrir la porte. Elle jeta un regard méfiant autant que belliqueux aux deux hommes qui se tenaient sur le seuil.

— Mrs Curtin ? salua le plus grand des deux, affable.

— C'est bien ça, oui.

— Je peux vous voir un instant ? Inspecteur Hardcastle.

Mrs Curtin s'effaça à regret. Elle ouvrit à la volée une porte à main droite et fit entrer l'inspecteur dans un petit salon. Proprette et bien rangée, la pièce donnait l'impression d'être rarement visitée. Et ce ne devait pas être qu'une impression.

Poussé par la curiosité, Ernie s'échappa de la cuisine et se coula dans le salon par l'entrebâillement de la porte.

— Votre fils ? s'enquit l'inspecteur Hardcastle.

— Oui, acquiesça Mrs Curtin. Et vous pourrez bien me dire tout ce que vous voudrez sur son compte, enchaîna-t-elle sur un ton de défi, je sais que c'est un bon garçon qui ferait jamais le mal.

— Mais j'en suis persuadé, acquiesça courtoisement l'inspecteur.

Le visage de Mrs Curtin se détendit quelque peu.

— Je suis venu vous poser quelques questions au sujet du 19, Wilbraham Crescent. Vous faites bien des ménages à cette adresse ?

— J'ai jamais dit le contraire, répliqua sèchement Mrs Curtin.

Mal remise de ses inquiétudes, elle éprouvait des difficultés à changer de registre.

— Pour miss Millicent Pebmarsh ?

— Oui, je travaille pour miss Pebmarsh. Une personne tout ce qu'il y a de comme il faut.

— Une aveugle, ajouta l'inspecteur Hardcastle.

— Oui, la pauvre. Mais on le dirait jamais. C'est pas croyable la façon qu'elle a de trouver tout ce qu'elle cherche et de circuler dans la maison comme elle veut. Avec ça qu'elle sort dans la rue, et qu'elle traverse toute seule aux passages cloutés. Et jamais un mot plus haut que l'autre ou une récrimination. Pas comme bien des gens que je connais.

— Vous allez chez elle le matin ?

— Oui. J'arrive vers 9 heures et demie — 10 heures, et je repars vers midi, ou alors quand c'est que j'ai terminé mon ouvrage.

Puis d'un ton brusque :

— Z'allez pas me dire que quelque chose aurait été *volé*, pas vrai ?

— Bien au contraire, la rassura l'inspecteur qui pensait aux quatre pendules.

Mrs Curtin le fixa, un tantinet perplexe :

— Mais alors quoi que c'est qui va pas ?

— Un cadavre a été découvert cet après-midi dans le salon du 19, Wilbraham Crescent.

Mrs Curtin en demeura comme deux ronds de flan. Quant au jeune Ernie Curtin, il faillit, au comble de l'excitation, laisser échapper un « oua-ouh ! » d'extase mais se ravisa en songeant qu'il valait mieux ne pas attirer l'attention sur lui.

— Un cadavre ? balbutia Mrs Curtin, incrédule.

Puis sur un ton scandalisé :

— Dans le salon ?

— Oui. Celui d'un homme. Qui avait été poignardé.

— Vous voulez dire qu'il s'agirait d'un *meurtre* ?

— Oui, d'un meurtre.

— Et qui c'est qui l'a assassiné ? voulut savoir Mrs Curtin.

— Nous n'en sommes hélas pas encore là. Nous pensions que vous pourriez peut-être nous aider.

— Moi, les meurtres j'y connais rien de rien, décréta Mrs Curtin sur un ton sans réplique.

— Sans doute, mais quelques détails nous intriguent. Un homme se serait-il présenté ce matin chez miss Pebmarsh, par exemple ?

— Pas que je me souvienne, non. Pas aujourd'hui. Quel genre d'homme ?

— Entre deux âges, la soixantaine, vêtu d'un costume sombre plutôt bon chic bon genre. Il aurait pu se présenter en tant qu'agent d'assurances.

— Je l'aurais pas laissé entrer. Pas plus un agent d'assurances qu'un représentant en aspirateurs ou un vendeur d'encyclopédie. Jamais de la vie. Miss Pebmarsh est contre le porte à porte et moi aussi.

— Le nom de cet homme, à en croire la carte de visite trouvée sur lui, était Curry. Mr Curry. Avez-vous déjà entendu ce nom-là ?

— Curry ? Curry ?

Mrs Curtin secoua la tête.

— À mon idée, ça fait hindou, conclut-elle, méfiante.

— Non, pas du tout, la détrompa Hardcastle, ce n'était pas un Hindou.

— Qui c'est qui l'a trouvé ? Miss Pebmarsh ?

— Une jeune femme, une sténodactylo, était arrivée sur les lieux parce que, suite à un malentendu, elle avait cru comprendre que miss Pebmarsh lui avait fixé rendez-vous pour un travail à effectuer sur place. C'est elle qui a découvert le corps. Miss Pebmarsh est rentrée chez elle pratiquement en même temps.

Mrs Curtin poussa un profond soupir :

— Quel micmac, non mais quel micmac !

— Il se pourrait bien qu'on vous demande à un moment quelconque de venir jeter un coup d'œil au corps, indiqua l'inspecteur Hardcastle, histoire de nous dire si vous n'aviez pas par hasard déjà croisé ce type sur Wilbraham Crescent ou s'il était jamais venu rendre visite à miss Pebmarsh. Elle-même nous affirme qu'il ne s'est jamais présenté chez elle. Maintenant il y a encore quelques points de détail que j'aimerais tirer au clair. Auriez-vous par exemple en tête le nombre de pendules qui se trouvent dans le salon ?

Mrs Curtin n'eut pas besoin de se creuser la cervelle :

— Il y a la grande horloge dans l'angle — une horloge de parquet qu'on appelle ça —, et puis le coucou suisse accroché au mur. Avec une bestiole qui en sort et qui vous couine « coucou » aux oreilles. Même que des fois ça me fait faire des bonds que je vous dis pas.

» Je les ai pas touchées ni l'une ni l'autre, ajouta-t-elle très vite. Je les touche jamais. Miss Pebmarsh préfère les remonter elle-même.

— Il n'y a pas de bobo en ce qui les concerne, la rassura l'inspecteur. Mais vous êtes sûre qu'il n'y avait que ces deux pendules-là ce matin dans le salon ?

— C'te bonne blague ! Comme si ça suffisait pas !

— Il n'y avait pas, par exemple, une pendulette en argent sur le bureau, ou une autre, plus petite et dorée, sur une étagère, ou une pendule en porcelaine à fleurs sur la cheminée, ou encore un réveil de voyage dans un étui en cuir avec le nom de « Rosemary » gravé dans un coin ?

— Bien sûr que non. Quelle idée !

— Sinon vous les auriez remarquées ?

— Ben ça va sans dire.

— Chacune de ces quatre pendules avançait d'une heure par rapport à l'horloge de parquet et au coucou.

— Elles devaient être étrangères, diagnostiqua Mrs Curtin. Nous deux mon mari, on a un jour fait un voyage organisé en Suisse et en Italie — eh bien les pendules y avançaient toutes d'une heure. 60 minutes montre en main. Ça doit tenir au Marché commun. Moi, je suis pas pour le Marché commun, et c'est pareil pour Mr Curtin. L'Angleterre sera toujours assez bien pour moi.

L'inspecteur Hardcastle refusa de la suivre sur le terrain glissant de la politique européenne :

— Pouvez-vous me dire à quelle heure au juste vous avez quitté la maison de miss Pebmarsh ce matin ?

— Midi et quart ou peu s'en faut.

— Miss Pebmarsh était chez elle ?

— Non, elle était pas encore rentrée. Elle revient généralement vers midi-midi et demi, ça dépend des fois.

— Et elle était sortie à quelle heure ?

— Avant que j'arrive. Moi, c'est 10 heures.

— Eh bien, je vous remercie, Mrs Curtin.

— C'est quand même bizarre, ces pendules, fit remarquer Mrs Curtin. Peut-être que miss Pebmarsh était allée à une vente aux enchères. C'était rien que de l'ancien, non ? D'après ce que vous en disiez, ça m'en a tout l'air.

— Miss Pebmarsh va souvent à ce genre de ventes ?

— Elle en a rapporté un tapis de crin, il y a de ça un couple de mois. En parfait état. Et, pour une bouchée de pain, à ce qu'elle m'a dit. Et puis aussi des rideaux en velours. Ils avaient besoin d'être raccourcis, mais ils étaient comme neufs.

— Mais ne lui arrive-t-il pas d'enchérir pour des lots de vieilleries ? Tableaux, porcelaine... vous voyez le genre.

Mrs Curtin secoua la tête :

— Pas à ma connaissance, mais vous savez ce que c'est. Il arrive qu'on se laisse emporter. Après ça, on rentre chez soi et on se demande : « Mais quoi que c'est-y que je comptais faire avec ce truc-là ? » Six pots de confiture, que je me suis comme ça payés une fois. Quand j'y repense, je me dis que j'aurais eu meilleur temps de la faire moi-même, et que ça me serait revenu moins cher. Et puis des tasses avec leurs soucoupes, que j'en aurais trouvé des mieux au marché à la vaisselle.

Elle secoua la tête d'un air sombre. Estimant qu'il n'en tirerait rien de plus pour l'instant, l'inspecteur Hardcastle prit congé.

Ernie en profita pour clamer aussitôt son opinion intime sur la question qui venait d'être abordée devant lui :

— Un meurtre ! Ouaouh !

Dans sa tête, la conquête de l'espace avait été brusquement supplantée par un sujet d'actualité autrement fascinant.

— Qu'est-ce que tu paries que c'est ta miss Pebmarsh qui lui a fait la peau ? suggéra-t-il d'un air gourmand.

— T'as pas fini de débiter des horreurs ? le gronda sa mère.

Là une pensée traversa l'esprit de la digne personne :

— Je me demande si j'aurais pas dû lui dire...

— Lui dire quoi, m'man ?

— Mêle-toi pas de ça, trancha Mrs Curtin. Bah ! c'était pas important, au fond.

6

RÉCIT DE COLIN LAMB

Après qu'on se fut envoyé deux bons steaks saignants arrosés de bière bien fraîche, Dick Hardcastle poussa un profond soupir de satisfaction et assura qu'il se sentait mieux :

— Au diable les cadavres d'agents d'assurances, les pendules en tout genre et les greluches vociférantes ! Parle-moi un peu de toi, Colin. Je croyais que tu en avais terminé avec ce patelin. Et je te retrouve en train d'errer dans les contre-allées de Crowdean. Il n'y a pas d'avenir pour un biologiste spécialiste des fonds marins à Crowdean, ça je peux te l'assurer.

— Il ne faut pas mépriser la biologie marine, Dick. C'est un sujet d'une portée insoupçonnée. La seule mention de son intitulé suffit pour plonger les gens dans un abîme d'ennui et pour qu'ils rentrent la tête dans les épaules de crainte que je leur fournisse des explications... ce qui fait que je n'ai jamais à leur en fournir.

— Ce qui t'évite le risque de te trahir, hein ?

— Tu oublies, répliquai-je d'un air digne, que je suis bel et bien diplômé en biologie marine. Et de l'université de Cambridge, s'il te plaît. D'accord, je n'ai pas été dans les premiers. Mais j'ai quand même décroché mon parchemin. C'est un sujet fascinant. Et je m'y remettrai un jour, tu verras.

— Il va de soi que je sais pertinemment sur quoi

tu travaillais ces derniers temps, rigola Hardcastle. Toutes mes félicitations. Le procès Larkin sort le mois prochain, si je ne m'abuse ?

— Tu ne t'abuses pas.

— Comment il a pu faire son compte pour passer sa camelote pendant si longtemps, voilà qui me laisse quand même pantois. C'est incroyable que personne n'a jamais rien soupçonné.

— Hé, oui... Quand tout le monde s'est bien fourré dans le crâne que quelqu'un est un brave type, il ne viendra jamais à l'esprit de personne qu'il pourrait en aller tout autrement.

— Il devait avoir oublié d'être bête, commenta Dick.

Je secouai la tête :

— Non, je ne pense pas. Je crois qu'il se contentait de faire ce qu'on lui avait dit de faire. Il avait accès à des documents de première importance. Il les fourrait dans sa poche au moment de sortir, on les photographiait avant de les lui rendre illico, et il les remettait bien gentiment à leur place l'après-midi même. Une organisation impeccable. Il avait pris l'habitude de déjeuner tous les jours dans un endroit différent. Nous pensons qu'il accrochait son pardessus à côté d'un pardessus exactement semblable... à ceci près que le propriétaire dudit pardessus identique n'était jamais le même. Il y avait échange de pardessus, mais l'homme qui les échangeait ne parlait jamais à Larkin, et Larkin ne lui adressait pas davantage la parole. On aurait bien aimé en savoir plus long sur leur façon d'opérer. Parce que c'était superbement orchestré, et surtout que le « timing » était remarquable. Il y a derrière tout ça quelqu'un qui ne manque pas de talent.

— Et voilà pourquoi tu traînes toujours tes basques du côté de l'arsenal de Portlebury.

— Oui. Nous connaissons les deux extrémités de la filière : d'un côté Londres, de l'autre l'arsenal et le port de guerre. Nous savons où, quand et comment Larkin touchait sa paye. Seulement ça laisse un blanc. Et dans ce blanc se cache la fine fleur de l'organisation. C'est là que nous concentrons actuellement nos efforts, parce que c'est là que niche le « cerveau ». Il y a *quelque part* un quartier général prodigieusement bien organisé, dont la piste d'accès est brouillée non pas une seule fois mais probablement à l'infini.

— Qu'est-ce qui motivait Larkin ? voulut savoir Hardcastle. Un idéal politique ? L'orgueil ? Ou tout bêtement l'argent ?

— Il n'avait rien d'un idéaliste. À mon avis l'argent.

— Et ça ne vous a pas permis de le coincer plus tôt ? Il en dépensait pas mal, non ? Il ne le planquait pas au fond de sa lessiveuse.

— Oh ! non, il le claquait au grand jour. En fait, nous étions prêts à l'épingler beaucoup plus tôt que nous ne voulons bien l'admettre.

Compréhensif, Hardcastle opina du bonnet :

— Vous avez fait mine de décrocher histoire de l'utiliser un petit moment, c'est ça ?

— En gros, oui. Le temps qu'on le perce à jour, il avait déjà passé des informations importantes. On lui a donc fourni à notre tour des documents qui offraient toutes les apparences de l'importance et du sérieux. Dans le domaine où nous travaillons, il ne faut jamais avoir peur d'être pris pour des imbéciles.

— Je ne suis pas sûr que j'aimerais être à ta place, mon vieux, murmura Hardcastle, pensif.

— Ce n'est pas aussi excitant qu'un vain peuple se l'imagine. C'est même souvent ennuyeux comme la pluie. Mais il y a pire. On a de nos jours l'impression qu'aucune information n'est vraiment protégée. On connaît *leurs* secrets, *ils* connaissent les nôtres, nos agents sont souvent *leurs* agents et vice versa. Au bout du compte, va donc savoir qui double qui. Ça devient une sorte de cauchemar ! J'ai parfois l'impression que tout le monde connaît les secrets de tout le monde et que l'humanité entière conspire à prétendre que c'est faux.

— Je vois ce que tu veux dire.

Dick me regarda d'un air intrigué :

— Que tu continues à traîner du côté de Portlebury, je comprendrais assez. Mais pourquoi à Crowdean, qui se trouve à 15 kilomètres de là ?

— Ce après quoi je cours en réalité, répondis-je, ce sont des « crescents ».

— Des « crescents » ?

Hardcastle avait l'air ahuri.

— Oui, des croissants, si tu préfères. Ou, alors des lunes. Des nouvelles lunes, des croissants de lune qui croissent et qui décroissent. Ma quête a débuté à Portlebury même. Il y a là un pub qui s'appelle *Le Croissant de Lune*. J'y ai perdu un temps fou. Ça m'avait pourtant l'air idéal. Puis il y a eu *La Lune et Les Etoiles*. *La Nouvelle Lune*, *La Belle Faucille*, *La Croix et le Croissant* — ça, c'était dans un patelin du nom de Seamede. Chou blanc sur toute la ligne. Alors j'ai abandonné la lune et attaqué les « crescents ». Il y a plusieurs « crescents » à Portlebury. Landbury Crescent, Aldridge Crescent, Livermead Crescent, Victoria Crescent.

Je pouffai de rire en voyant la tête de Dick :

— N'aie pas cet air effaré, mon vieux. J'avais mes raisons, un point de départ tangible.

Je sortis mon portefeuille et en tirai un papier que je lui tendis. Il s'agissait d'une feuille de papier à lettre à l'en-tête d'un hôtel sur laquelle un dessin rudimentaire avait été tracé :

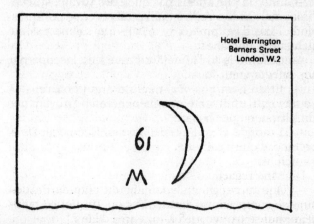

— Un dénommé Hanbury avait ça dans son porte-feuille. Hanbury a beaucoup travaillé sur l'affaire Larkin. C'était un type formidable, un de nos meilleurs éléments. Il a été tué par un chauffard à Londres. Personne n'a relevé le numéro de la voiture. Je ne connais pas la signification de ce papelard, mais c'est un truc que Hanbury a noté, ou copié, parce qu'il pensait que c'était important. Une idée qui lui serait venue ? Quelque chose qu'il aurait vu ou entendu ? Quelque chose qui aurait eu un rapport avec un croissant de lune, un croissant tout court, ou encore un « crescent », et auquel il conviendrait d'ajouter le numéro 61 ainsi que l'initiale M ? C'est moi qui ai pris le relais après sa mort. Je ne sais pas encore ce que je cherche, mais je suis certain qu'il nous a mis là sur une piste. J'ai tracé un rayon de quinze kilomètres au départ de Portlebury et passé toute la zone au peigne fin. Je me suis échiné trois semaines sans obtenir le moindre résultat. Crowdean est sur mon chemin. Voilà, je t'ai tout dit. Honnêtement, Dick, je n'attendais pas grand-chose de Crowdean. On n'y compte qu'un seul « crescent ». Et c'est Wilbraham Crescent. J'avais l'intention d'y faire un petit tour pour renifler le n° 61 avant de passer te demander si tu n'aurais pas quelques tuyaux susceptibles de m'aider. Voilà à quoi j'étais occupé cet après-midi... mais ce fameux n° 61, je n'ai même pas été fichu de le dénicher.

— Comme je te l'ai déjà dit, le 61 est occupé par un entrepreneur local.

— Et ce n'est pas vraiment ce que je cherche. À moins qu'il n'ait une aide-ménagère en provenance de l'étranger, par hasard ?

— Possible. C'est aujourd'hui assez courant. Dans ce cas, elle aura été déclarée chez nous. Je te dirai ça demain.

— Merci, Dick.

— À propos, j'effectue demain une enquête de routine chez les voisins immédiats du 19. Est-ce qu'ils n'auraient pas vu quelqu'un entrer dans la maison, etc. Je rendrai également visite aux bicoques situées *derrière* le 19. Si tu veux, tu peux m'accompagner.

Je bondis d'enthousiasme :

— Je serai ton brave sergent Lamb, et je prendrai des notes en sténo.

Nous nous donnâmes rendez-vous pour le lendemain matin 9 heures et demie au poste de police.

Quand j'arrivai le lendemain matin à l'heure pile, je trouvai mon ami hors de lui.

Une fois qu'il eut congédié le malheureux subordonné sur le dos duquel il était occupé à casser du sucre, je lui demandai, avec les précautions d'usage, ce qui s'était passé.

Pendant un instant il parut incapable d'articuler un mot. Puis il éclata :

— Ces foutues pendules !

— Toujours les pendules ? Qu'est-ce qu'elles t'ont encore fait ?

— Il en manque une.

— Pas possible ! Laquelle ?

— Le réveil de voyage, en cuir. Avec « Rosemary » gravé dans un coin.

J'émis un sifflement :

— Voilà qui n'est pas ordinaire. Explique-moi ça.

— Cette bande de crétins... et, ça m'embête, mais je suis bien obligé de me compter dans le lot... (Dick est l'honnêteté faite homme.) Si on oublie de leur mettre les points sur les *i*, tout part en eau de boudin ! Bon sang, hier, les pendules étaient toutes dans le salon. J'ai demandé à miss Pebmarsh de les tripoter pour voir si elles ne lui étaient pas familières. Elle ne les connaissait pas. Et puis les types sont venus pour embarquer le corps.

— Oui ?

— Je suis allé jusqu'à la grille pour superviser le transport, et quand je suis revenu dans la maison, j'ai échangé quelques mots avec miss Pebmarsh qui se trouvait dans la cuisine. Je lui ai dit qu'il me fallait emporter les pendules et que j'allais lui signer un reçu.

— Je m'en souviens, je t'ai entendu.

— Sur quoi j'ai annoncé à la fille qu'on allait la raccompagner et je t'ai demandé de l'escorter jusqu'à la voiture.

— Exact.

— J'ai donné le reçu à miss Pebmarsh bien qu'elle m'ait affirmé que cela n'était pas nécessaire vu que les pendules ne lui appartenaient pas. Puis je t'ai rejoint. J'ai dit à Edwards que je voulais qu'on emballe soigneusement les pendules du salon et qu'on les transporte jusqu'ici. Toutes sauf le coucou et, bien évidemment, l'horloge de parquet. Et c'est là que j'ai cafouillé. J'aurais dû préciser les *quatre* pendules. Edwards assure qu'il est aussitôt allé exécuter la consigne. Et il jure ses grands dieux qu'en dehors du coucou et de l'horloge il n'en a trouvé que trois à se mettre sous le bras.

— Le laps de temps disponible n'était pas considérable. Ce qui reviendrait à dire que...

— La Pebmarsh peut avoir fait le coup. Il lui suffisait de rafler le réveil dès que j'ai eu le dos tourné et de l'emporter en se rendant tout droit à la cuisine.

— Effectivement. Mais pourquoi ?

— Ça reste à éclaircir. Tu vois quelqu'un d'autre ? La fille aurait pu le faire ?

Je réfléchis :

— Je ne pense pas. Je...

Je m'arrêtai net car je venais de me rappeler un détail.

— C'est donc elle qui l'a fait, grinça Hardcastle. Vas-y. C'était quand ?

— On se dirigeait vers la voiture de police, concédai-je à regret. Elle avait oublié ses gants. Je lui ai dit : « Je vais vous les chercher. » Mais elle m'a répondu : « Non... je sais exactement où je les avais posés. Ça m'est égal de retourner dans le salon maintenant qu'ils l'ont emporté. » Et elle est partie en courant. Mais elle n'est restée qu'une minute dans la maison...

— Quand elle est revenue, elle les avait enfilés ou elle les tenait à la main ?

J'hésitai :

— Oui... oui, je crois qu'elle les avait enfilés.

— Donc elle ne l'avait pas fait, trancha Hardcastle, sans quoi tu n'aurais pas hésité.

— Elle les avait sans doute fourrés dans son sac.

— Le chiendent, reprit Hardcastle sur un ton accusateur, c'est que tu en pinces pour cette fille.

— Ne sois pas débile, protestai-je avec vigueur. Je l'ai vue hier après-midi pour la première fois, et ce n'était pas au cours de ce qu'il est convenu d'appeler un tête-à-tête romantique.

— Au contraire. On n'a pas tous les jours une fille qui vous tombe dans les bras en bêlant au secours dans le plus pur style victorien. Ça vous pousse un homme à enfourcher le blanc destrier du héros protecteur. Seulement compte sur moi pour y mettre le holà. Pour ce qu'on en sait, cette fille est peut-être bien impliquée dans ce meurtre jusqu'au cou.

— Tu ne me feras pas gober que ce petit bout de femme de rien du tout a poignardé un homme, qu'elle a ensuite caché l'arme du crime avec tant d'ingéniosité qu'aucun de tes sbires ne l'a encore retrouvée et qu'elle s'est ensuite précipitée en hurlant dans la rue à seule fin de me jouer la grande scène du II ?

— Tu serais surpris par ce que j'ai pu voir au cours de ma chienne d'existence, bougonna Hardcastle.

— Et moi, pour qui tu me prends ? répliquai-je, outré. Ma vie est remplie d'espionnes sublimes débarquées des quatre coins de la planète. Les plus tartes d'entre elles dotées de courbes de niveau à faire oublier à un privé américain le litron de tord-boyaux qu'il planque dans le classeur des affaires en attente. Je suis immunisé contre les femelles et leurs sortilèges, mon petit vieux.

— Chacun connaît un jour son Waterloo, répliqua Hardcastle. Il suffit que la femme ait la bonne pointure. À mon avis, Sheila Webb est ton type.

— Quoi qu'il en soit, je ne pige pas pourquoi tu tiens à lui coller ça sur le dos.

Hardcastle soupira :

— Je ne lui colle rien sur le dos... mais il faut bien que je prenne cette affaire par un bout. On a trouvé le corps chez la Pebmarsh. Donc la Pebmarsh est impliquée. Et ce corps, qui l'a découvert ? C'est la môme Webb. Inutile de te rappeler que la personne qui découvre le corps est souvent celle qui l'a vu en vie pour la dernière fois. Jusqu'à plus ample informé, je garde ces deux-là à l'œil.

— Quand j'ai pénétré dans cette pièce juste après 15 heures, l'homme était mort depuis au moins une demi-heure, probablement davantage. Qu'est-ce que tu dis de ça ?

— Entre 13 h 30 et 14 h 30, Sheila Webb était de sortie... pour aller déjeuner ?

Je lui jetai un regard exaspéré :

— Tu en es où, avec Curry ?

— Nulle part ! lança Hardcastle, redevenu brusquement maussade.

— Qu'est-ce que tu veux dire, avec ton « nulle part » ?

— Eh bien que son nom est inconnu... que ce type n'existe pas.

— Et la Compagnie d'Assurances Metropolis, qu'est-ce qu'elle en pense ?

— Rien. Pour l'excellente raison que la Compagnie d'Assurances Metropolis n'existe pas non plus. Quant à Mr Curry, de Denvers Street, eh bien il n'y a pas de Mr Curry, pas plus que de Denvers Street, n° 7 ou de tout autre numéro.

— Intéressant. Tu veux dire qu'il s'agissait de fausses cartes de visites avec un faux nom, une fausse adresse et une compagnie d'assurances fantôme ?

— Apparemment.

— Et tout ça dans quel but, à ton avis ?

Hardcastle haussa les épaules :

— Pour le moment, je joue aux devinettes. Escroquerie à l'assurance ? Moyen de s'introduire chez les gens pour pratiquer le vol à l'américaine ? Peut-être pratiquait-il encore le filoutage, le chapardage d'objets sans grande valeur. Ou alors c'était un détective privé. On n'en sait strictement rien.

— Mais tu ne tarderas pas à le savoir.

— Aucun doute là-dessus. On a envoyé ses empreintes au labo. Espérons qu'il a un casier, nous aurons alors fait un grand pas. Sinon, ce sera déjà plus coton.

— Un privé... rêvai-je. Ça me plairait assez. Ça nous ouvrirait de nouveaux horizons.

— Pour le moment il est plutôt bouché, l'horizon.

— Et l'enquête par-devant jury, c'est pour quand ?

— Après-demain. Une simple formalité, l'affaire sera renvoyée.

— Que dit le rapport médical ?

— Bof ! poignardé avec un instrument affilé. Quelque chose comme un couteau à légumes.

— Ça innocenterait plutôt miss Pebmarsh, non ? fis-je après réflexion. Je vois mal une aveugle poignarder un homme. Parce qu'elle est vraiment aveugle, je suppose ?

— Hé, oui. Nous avons vérifié. Ce qu'elle nous a dit sur son propre compte est parfaitement exact. Elle a enseigné les mathématiques dans le Nord du pays, puis elle a perdu la vue il y a environ seize ans, a appris le braille et a fini par décrocher un poste à l'Institut Aaronberg.

— Elle pourrait travailler du chapeau, tu crois pas ?

— Et faire une fixation sur les pendules et les agents d'assurances ?

— Devant un cas aussi extraordinaire, les mots vous manquent ! avouai-je en me laissant emporter par l'enthousiasme. On jurerait du Ariadne Oliver dans ses pires moments... ou du feu Garry Gregson au mieux de sa forme...

— Vas-y... rigole un bon coup ! Ce n'est pas toi le malheureux inspecteur chargé de l'enquête. Toi, tu n'as pas de comptes à rendre à un superintendant, au patron de la police du comté et à une kyrielle de gros bonnets du Yard !

— Bon, bon ! Peut-être les voisins nous en apprendront-ils davantage.

— J'en doute, s'assombrit Hardcastle décidément

de plus en plus pessimiste. Même si ce type s'était fait poignarder sur le trottoir et si deux individus masqués l'avaient transporté dans la maison, le quartier tout entier n'y aurait sans doute vu que du feu et nous n'aurions probablement pas de témoins. Manque de chance, nous ne sommes pas dans un village. Wilbraham Crescent est une rue bourgeoisement habitée, au cœur d'un quartier résidentiel. À 1 heure de l'après-midi, les femmes de ménage qui auraient pu voir quelque chose sont déjà rentrées chez elles. Il n'y a pas la moindre nurse poussant un landau à l'horizon.

— Ni de vieillard paralytique posté à sa fenêtre ?

— C'est ce qu'il nous faudrait, mais c'est ce que nous n'avons pas.

— Quid du n° 18 et du n° 20 ?

— Le 18 est occupé par Mr Waterhouse, premier clerc chez Gainsford & Swettenham, avoués, et par sa sœur, dont le passe-temps favori consiste à le faire tourner en bourrique. Tout ce que je sais du 20, c'est que la femme qui y habite élève une vingtaine de chats. Et j'ai une sainte horreur des chats.

Je convins bien volontiers avec lui que la vie de flic n'était pas une existence. Et sur ces bonnes paroles, nous nous mîmes en route.

7

Se dandinant nerveusement sur les marches du 18, Wilbraham Crescent, Mr Waterhouse se retourna pour jeter à sa sœur un regard inquiet :

— Tu es certaine que tout ira bien ?

Miss Waterhouse eut un reniflement indigné :

— Je ne vois vraiment pas ce que tu entends par là, James.

Mr Waterhouse prit un air contrit. Il lui fallait si

souvent jouer la contrition que c'était devenu chez lui une seconde nature :

— Mais enfin, ma chère, si l'on songe à ce qui s'est passé hier dans la maison d'à côté...

Mr Waterhouse s'apprêtait à partir pour l'étude d'avoués où il travaillait. Bien mis, épaules un peu voûtées, cheveux gris, visage tirant lui aussi vers le gris plutôt que vers le rose, il n'offrait cependant pas l'image d'un individu en mauvaise santé.

Miss Waterhouse, quant à elle, était grande et anguleuse. Elle appartenait à ce type de femmes qui se montrent volontiers peu indulgentes envers elles-mêmes et résolument intolérantes envers autrui.

— Comment peux-tu imaginer, James, que sous prétexte que quelqu'un a été assassiné dans la maison d'à côté, je risque à mon tour de subir le même sort aujourd'hui ?

— Mais, Edith, tout dépend, tu n'en disconviendras pas, de la personnalité de l'assassin.

— Tu penses en fait que quelqu'un arpente Wilbraham Crescent pour sélectionner une victime sous chaque toit ? Réellement, James, voilà qui relève du blasphème.

— Du blasphème ? balbutia Mr Waterhouse, au comble de la stupeur.

Jamais il ne lui serait venu à l'idée que sa timide remarque allât si loin.

— Cela évoque la Pâque ! s'écria miss Waterhouse. Qui, permets-moi de te le rappeler en passant, figure aux Saintes Écritures.

— C'est un peu tiré par les cheveux, Edith.

— Il ferait en tout cas beau voir que quelqu'un s'avise de venir ici pour essayer de me tuer, *moi* ! lança miss Waterhouse avec fougue.

Son frère réfléchit à part lui que la chose semblait, tout compte fait, hautement improbable. Eût-il dû lui-même choisir une victime qu'il n'aurait certainement pas jeté son dévolu sur sa sœur. Quiconque s'aviserait de mettre pareil projet à exécution courrait le risque de se faire assommer à coups de tisonnier ou de cale-porte en fonte avant que d'être remis à la police, humilié et baignant dans son sang.

— Je voulais simplement te rappeler, se défendit-il, la mine de plus en plus contrite, que des gens... euh... peu recommandables traînent dans les parages.

— Nous ne savons pas encore ce qui s'est passé au juste, répliqua miss Waterhouse. La rumeur va bon train. Mrs Head est arrivée ce matin avec un lot d'histoires insensées.

— Je m'en doute, je m'en doute, tenta d'éluder Mr Waterhouse en consultant sa montre.

Il n'avait guère envie d'entendre relater les commérages de leur intarissable femme de ménage. Sa sœur avait généralement tôt fait de tourner en dérision les élucubrations débridées de Mrs Head, ce qui ne l'empêchait pas d'y prendre un plaisir certain.

— Certains prétendent que cet homme était le trésorier ou un administrateur de l'Institut Aaronberg, qu'un trou avait été relevé dans la comptabilité et qu'il était venu se livrer à des investigations chez miss Pebmarsh.

— Raison pour laquelle miss Pebmarsh l'aurait assassiné ? pronostiqua Mr Waterhouse que cette version des faits intéressait modérément.

— Elle l'aurait étranglé en lui passant un fil de fer autour du cou. Il n'était pas sur ses gardes, mets-toi à sa place, une aveugle... Remarque, je n'en crois pas un mot. Miss Pebmarsh est une excellente personne. Je ne suis certes pas toujours d'accord avec elle sur bien des sujets, mais ce n'est pas une raison pour lui prêter des intentions criminelles. Je me contente de trouver que ses opinions relèvent souvent d'un fanatisme extravagant. Après tout, il n'y a pas que les problèmes d'éducation dans la vie. Ces lycées modernes tout en verre ne m'inspirent rien qui vaille. On jurerait des serres conçues pour y faire pousser concombres et tomates. Je suis sûre qu'au cours des mois d'été, c'est très mauvais pour les enfants. Mrs Head est allée jusqu'à me confirmer que sa petite Susan n'aimait pas ses nouvelles salles de cours. Elle prétend qu'avec toutes ces vitres, il est très difficile de se concentrer et de ne pas passer son temps à regarder par la fenêtre.

— Évidemment, évidemment, soupira Mr Waterhouse en regardant à nouveau sa montre. Mon Dieu, mon Dieu, je suis très en retard. À plus tard, ma chère. Fais bien attention à toi. Ne vaudrait-il pas mieux mettre la chaîne à la porte d'entrée ?

Miss Waterhouse y alla d'un second reniflement méprisant. Après avoir refermé la porte derrière son frère, elle s'apprêtait à monter au premier quand elle s'arrêta, réfléchit une seconde, se dirigea vers son sac de golf et en retira un club qu'elle disposa à un endroit stratégique près de la porte.

— Voilà, conclut-elle avec satisfaction.

Bien sûr, James disait n'importe quoi. Mieux valait néanmoins se tenir sur ses gardes. À une époque où on encourageait les fous à sortir des asiles sous prétexte de les laisser mener une vie normale, la société faisait courir de grands dangers aux innocents.

Miss Waterhouse était dans sa chambre quand Mrs Head apparut en haut de l'escalier, tout excitée. Mrs Head était petite et rondouillette, une vraie balle de caoutchouc. Toujours radieuse quoi qu'il arrive.

— Y a en bas deux messieurs qui veulent vous voir, trémola Mrs Head au comble du bonheur. Enfin, des messieurs... si qu'on veut... y sont d'la police.

Et elle tendit une carte à miss Waterhouse.

— Inspecteur Hardcastle, lut cette dernière à voix haute. Vous les avez fait entrer au salon ?

— Que non ! Dans la salle à manger. J'avais débarrassé la table du p'tit déjeuner et j'me suis pensé qu'ce serait mieux d'les y mettre. C'est qu'des policiers, si on va par là.

Miss Waterhouse, qui ne suivait pas bien le raisonnement de la brave femme, se contenta de signaler qu'elle allait descendre.

— Sûr que c'est pour vous causer d'miss Pebmarsh, haleta Mrs Head. Y vont vous demander si des fois vous auriez rien remarqué d'bizarre dans sa façon de faire. À c'qui paraîtrait qu'ce genre de folie

65

furieuse, ça peut vous tomber dessus d'un coup. Même qu'ça se voit pas faire. Mais à c'qui paraîtrait aussi qu'y a quand même des signes prémoniteurs, des trucs, quoi : dans leur façon de parler, et puis des lueurs, à c'qu'on dit, des lueurs au fond d'leurs yeux. Mais avec une aveugle, forcément...

Elle secoua la tête.

Miss Waterhouse descendit les marches d'un pas martial et pénétra dans la salle à manger, agréablement titillée par une curiosité qu'elle dissimula sous son agressivité coutumière :

— Inspecteur Hardcastle ?

— Bonjour, miss Waterhouse.

Hardcastle s'était levé. Il était accompagné d'un grand jeune homme brun que miss Waterhouse ne prit même pas la peine de saluer. Elle ne prêta non plus aucune attention au rapide et pratiquement inaudible « sergent Lamb » que bredouilla le ci-dénommé.

— J'espère que je ne vous dérange pas à cette heure matinale, s'excusa Hardcastle. Mais vous vous doutez certainement de ce qui m'amène. Vous avez dû entendre parler du drame qui s'est déroulé hier chez votre voisine.

— Un meurtre chez un voisin passe rarement inaperçu. J'ai même dû refermer ma porte au nez d'un ou deux reporters qui voulaient savoir si je n'avais rien remarqué.

— Vous les avez envoyés promener ?

— Évidemment.

— Vous avez bien fait. Ils cherchent toujours à se faufiler chez les gens mais il est manifeste que vous possédez l'art de gérer ce type de situation.

Devant ce compliment, miss Waterhouse s'autorisa à laisser paraître une certaine satisfaction.

— J'espère que vous ne nous en voudrez pas de vous poser des questions de même ordre, poursuivit Hardcastle. Et si vous aviez effectivement vu quelque chose qui pourrait nous être utile, nous vous serions très reconnaissants de nous le signaler. Je suppose que vous étiez chez vous quand ça s'est passé ?

— Je ne sais même pas quand le crime a été commis, accusa miss Waterhouse.

— D'après nous, entre 13 h 30 et 14 h 30.

— Dans ce cas j'étais ici, cela va de soi.

— Et votre frère ?

— Il ne rentre pas déjeuner. Mais qui a été assassiné ? Je n'ai rien lu à ce sujet dans le bref article du journal local.

— Nous ne le savons toujours pas.

— Un inconnu ?

— Il semble bien.

— Vous ne voulez tout de même pas dire que miss Pebmarsh ne le connaissait pas non plus ?

— Miss Pebmarsh nous a assuré qu'elle n'attendait pas cet encombrant visiteur et qu'elle n'avait par ailleurs pas la moindre idée de qui il pouvait bien s'agir.

— Comment peut-elle affirmer cela, elle qui n'y voit rien ?

— Nous lui en avons fait une description détaillée.

— Quel genre d'homme était-ce ?

Hardcastle sortit une photo d'une enveloppe et la lui tendit :

— Voilà l'individu en question. Avez-vous une idée de son identité ?

Miss Waterhouse se pencha sur le document :

— Non, non... je suis certaine de ne l'avoir jamais vu. Mon Dieu, mais il a tout l'air d'un homme très respectable.

— Il devait avoir en effet l'air éminemment respectable, reconnut l'inspecteur. On dirait un juriste ou un quelconque homme d'affaires.

— Absolument. Cette photo n'est pas du tout angoissante. On croirait qu'il dort.

Hardcastle ne lui confia pas que ce cliché-là avait été sélectionné parce qu'il était justement le moins dérangeant du lot :

— La mort est parfois plus douce qu'on ne le craint d'ordinaire. Je ne pense pas que cet homme avait la moindre idée qu'elle venait à lui quand elle s'est présentée.

— Et que dit miss Pebmarsh de tout ça ? voulut savoir miss Waterhouse.

— Elle est assez désorientée.

— C'est une histoire ahurissante, commenta Edith Waterhouse.

— Tout cela posé, pouvez-vous nous aider, miss Waterhouse ? Soyez assez bonne pour vous reporter à la journée d'hier. Vous est-il arrivé de regarder par la fenêtre ou vous seriez-vous par hasard trouvée dans votre jardin, mettons entre midi et demi et 1 heure ?

Miss Waterhouse se concentra :

— Oui, je suis effectivement descendue au jardin... Voyons voir, ça devait forcément être avant 1 heure. J'en suis remontée vers 1 heure moins 10, je me suis lavé les mains et me suis mise à table pour le déjeuner.

— Avez-vous vu miss Pebmarsh entrer ou sortir de chez elle ?

— Il me semble bien qu'elle est entrée — j'ai entendu la grille grincer — oui, un peu après midi et demi.

— Vous ne lui avez pas parlé ?

— Oh ! non. C'est juste le grincement de la grille qui m'a fait lever la tête. C'est généralement à cette heure-là qu'elle rentre. Après avoir fini de donner ses cours, j'imagine. Comme vous le savez certainement, elle est enseignante dans un institut pour enfants handicapés.

— Dans sa déposition, miss Pebmarsh a déclaré qu'elle était ressortie vers 1 heure et demie. Vous confirmez cette déclaration ?

— Eh bien, je ne pourrais pas vous donner l'heure exacte mais... oui, je me souviens de l'avoir vue passer devant le portail.

— Excusez-moi, miss Waterhouse, mais vous avez dit « passer devant le portail ».

— Absolument. J'étais au salon. Il donne sur la rue alors que la salle à manger où nous sommes en ce moment donne, comme vous le voyez, sur le jardin qui se trouve derrière la maison. Mais après déjeuner j'ai pris mon café au salon et je m'étais assise près de la fenêtre. Je lisais le *Times* et, à un moment donné, en tournant une page, j'ai vu miss Pebmarsh passer devant chez moi. Qu'y a-t-il d'extraordinaire à cela, inspecteur ?

— Rigoureusement rien, sourit l'inspecteur. Mais j'avais cru comprendre que miss Pebmarsh devait faire quelques courses ainsi qu'un saut à la poste, et je me faisais la réflexion que mieux aurait valu pour elle, dans ce cas, remonter le « crescent ».

— Tout dépend des magasins que vous fréquentez, dit miss Waterhouse. Bien sûr, pour les boutiques les plus proches, il vaut mieux passer comme vous dites, et il y a une poste dans Albany Road.

— Mais peut-être que miss Pebmarsh a l'habitude de passer devant chez vous à cette heure-là ?

— En vérité, je ne sais pas au juste à quelle heure miss Pebmarsh a l'habitude de sortir, ni la direction qu'elle prend. Loin de moi l'idée de surveiller mes voisins, inspecteur. Je suis une femme occupée. J'en connais trop qui passent le plus clair de leur temps à regarder par la fenêtre, à surveiller les allées et venues et à noter qui va chez qui. C'est bon pour les invalides ou les oisifs, qui ne songent qu'à alimenter les commérages.

Elle avait dit cela avec une telle animosité que l'inspecteur en conclut qu'elle avait quelqu'un de bien précis en tête.

— Bien sûr, bien sûr, s'empressa-t-il de la calmer. Elle a très bien pu aller téléphoner, enchaîna-t-il. Il n'y a pas une cabine publique de ce côté-là ?

— Si. En face du 15.

— Maintenant, venons-en à la question essentielle, miss Waterhouse : avez-vous vu entrer cet homme ? « L'homme mystérieux », comme l'appellent les journaux du matin ?

Miss Waterhouse secoua la tête :

— Non, je ne l'ai pas vu, ni lui ni un autre.

— Que faisiez-vous entre 13 h 30 et 15 heures ?

— J'ai passé environ une demi-heure sur les mots croisés du *Times* — inutile de vous dire que je ne les ai pas terminés. Puis je suis allée à la cuisine pour faire la vaisselle. Voyons... J'ai ensuite écrit une ou deux lettres, réglé des factures, puis je suis montée à l'étage pour trier du linge que je voulais emporter chez le blanchisseur. Je crois que c'est de ma chambre que j'ai entendu tout ce remue-ménage à côté. Quelqu'un hurlait et je me suis approchée de la fenêtre. Un jeune homme et une jeune fille se tenaient devant la grille. Il m'a semblé qu'il l'étreignait.

Mal à l'aise, le sergent Lamb se dandina d'un pied sur l'autre mais miss Waterhouse ne le regardait pas et était manifestement à mille lieues d'imaginer qu'il puisse être le jeune homme en question.

— Le garçon, je ne l'ai vu que de dos. Il semblait se disputer avec la fille. Finalement il l'a assise par terre, le dos contre le montant du portail. Les jeunes ont de ces idées ! Et puis il s'est précipité dans la maison en courant.

— Vous n'aviez pas vu rentrer miss Pebmarsh très peu de temps avant ?

Miss Waterhouse secoua la tête :

— Non. Je ne crois d'ailleurs pas que j'aurais jamais regardé par la fenêtre si je n'avais pas entendu ces vociférations. Quoi qu'il en soit, je n'ai pas prêté grande attention à tout ça. Les jeunes gens ont de nos jours un comportement si étrange — ils s'égosillent, ils se bousculent, ils gloussent, ils font toutes sortes de bruits d'animaux — que je n'avais aucune idée de la gravité de la situation. C'est seulement quand les voitures de police sont arrivées que j'ai commencé à m'inquiéter.

— Qu'avez-vous alors fait ?

— Eh bien, je suis naturellement sortie de la maison. Je suis restée un instant sur le perron, puis j'ai fait demi-tour pour me rendre dans le jardin. Je me demandais ce qui se passait, mais il n'y avait pas grand-chose à voir de ce côté-là non plus. Quand je suis revenue sur le devant, j'ai constaté qu'un attroupement était en train de se former. Quelqu'un m'a crié qu'il y avait eu un meurtre. Cela m'a semblé tout à fait insensé. Tout à fait insensé, répéta miss Waterhouse sur un ton hautement réprobateur.

— Rien d'autre ne vous revient à l'esprit ? Rien qui vaille selon vous la peine de nous être signalé ?

— Hélas, vraiment rien.

— Quelqu'un vous aurait-il récemment écrit pour vous proposer une police d'assurance ? Ou donné un rendez-vous dans ce but ?

— Non. Absolument pas. James et moi sommes assurés à la Mutuelle d'Entraide. Bien sûr, qui d'entre nous ne reçoit pas de la publicité ou des circulaires en tout genre ? Mais récemment, non, je ne vois pas.

— Pas de lettres signées d'un certain Curry ?

— Curry ? Non, absolument pas.

— Et le nom de Curry ne vous dit rien ?

— Non. Il le devrait ?

Hardcastle sourit :

— Non. Je ne le crois pas un instant. Tout au plus s'agit-il là du nom que s'était donné l'homme qu'on a assassiné.

— Ce n'était pas son vrai nom ?

— Nous avons des raisons de penser que ce ne l'était pas.

— Un quelconque escroc, si je comprends bien ?

— Nous ne pouvons l'affirmer avant d'en avoir la preuve.

— Oui, évidemment. Évidemment. Vous devez faire attention, je sais bien, dit miss Waterhouse. Ce n'est pas comme certains, par ici. Ils raconteraient n'importe quoi. À se demander comment ils ne sont pas tout le temps cités pour diffamation.

— Verbale. Pour diffamation verbale, précisa le sergent Lamb dont c'était les premières paroles.

Miss Waterhouse le regarda, surprise, comme si elle venait de réaliser qu'il était doté d'une vie propre et n'était pas seulement le nécessaire appendice de l'inspecteur Hardcastle.

— Croyez bien que je suis désolée de ne pas pouvoir vous aider. Vraiment désolée, se reprit-elle.

— Moi aussi, soupira Hardcastle. Une personne

de bon sens comme vous, intelligente et dotée d'un grand sens de l'observation aurait pu nous être très utile comme témoin.

— Je regrette *tellement* de n'avoir rien vu !

Sa voix avait maintenant des accents d'ingénue désenchantée.

— Et votre frère, Mr James Waterhouse ?

— Oh ! James n'a certainement rien remarqué, dit-elle d'un ton méprisant. Il ne voit jamais rien. Et puis de toute façon il était chez Gainsford & Swetten-ham, dans High Street. Oh ! non, James ne pourrait vous être d'aucune utilité : comme je vous l'ai dit, il ne rentre pas à midi.

— Où déjeune-t-il habituellement ?

— Il se contente d'un café et de sandwiches aux *Three Feathers*. Un établissement très bien. Ils se sont spécialisés dans les en-cas rapides pour les gens qui travaillent dans le quartier.

— Merci, miss Waterhouse. Bon, nous n'allons pas vous retenir plus longtemps.

Il se leva et miss Waterhouse les raccompagna. Dans le hall, Colin Lamb se saisit du club de golf posé près de la porte :

— Le beau club que voilà ! Et sa tête est impres-sionnante.

Il le soupesa :

— Je vois, miss Waterhouse, que vous êtes parée contre toute éventualité.

Miss Waterhouse perdit quelque peu contenance :

— Vraiment, je ne comprends pas comment ce club est arrivé ici.

Elle le lui arracha des mains et le remit dans le sac de golf.

— Vous avez quand même raison de prendre vos précautions, la consola Hardcastle.

Miss Waterhouse leur ouvrit la porte et la referma derrière eux.

— Eh bien, soupira Colin Lamb, nous n'en avons pas tiré grand-chose. Et tu n'as pourtant pas lésiné sur la pommade. C'est ta méthode habituelle ?

— Elle a souvent fait ses preuves. Ces viragos répondent généralement assez bien à la flatterie.

— Elle ronronnait comme une chatte face à une soucoupe de lait, grommela Colin. Malheureusement, ça n'a pas porté ses fruits.

— Non ? ironisa Hardcastle.

Colin lui jeta un rapide coup d'œil :

— Tu fais référence à quoi ?

— À un petit détail, peut-être sans importance : miss Pebmarsh est partie faire des courses et un saut à la poste, mais elle a tourné *à gauche* au lieu de tourner *à droite*. Or, d'après miss Martindale, le fameux coup de téléphone a été passé vers 2 heures moins 10.

Le regard de Colin se fit inquisiteur :

— Tu penses que, malgré ses dénégations, ce serait quand même elle qui aurait donné ce coup de fil ? Elle s'est pourtant montrée très catégorique.

— Oui, acquiesça Hardcastle. On ne peut plus catégorique.

Le ton employé avait été d'une parfaite neutralité.

— Mais si elle l'a réellement fait, pourquoi ?

— Oh ! les *pourquoi*, j'en ai plein le dos ! s'emporta Hardcastle. Pourquoi ci ? pourquoi ça ? *Pourquoi* tout ce cirque ? Si c'est miss Pebmarsh qui a donné ce coup de fil, pourquoi voulait-elle attirer cette fille sur les lieux ? S'il s'agissait de quelqu'un d'autre, pourquoi voulait-on impliquer miss Pebmarsh dans cette histoire ? Nous nageons dans le brouillard. Si la mère Martindale avait connu miss Pebmarsh, elle aurait su s'il s'agissait de sa voix ou non, ou en tout cas si on pouvait raisonnablement estimer qu'elle ressemblait à la sienne. Bon, d'accord, nous n'avons pas tiré grand-chose du n° 18. Voyons si le n° 20 nous réussira davantage.

8

Outre un numéro, le 20, Wilbraham Crescent, possédait un nom. Un nom passablement incongru : « Le Logis de Diane ». Histoire de contenir les intrus, un épais enchevêtrement de barbelés doublait la clôture. Et l'envahissante haie de lauriers hirsutes avait de toute évidence pour mission de décourager ceux qui n'auraient pas encore compris qu'il était malvenu de pousser la grille.

— Pourquoi diable « Le Logis de Diane » ? s'interrogea Colin Lamb. Si jamais baraque a mérité de s'appeler « Les Lauriers », c'est bien celle-ci.

Il regarda autour de lui. « Le Logis de Diane » ne faisait pas dans le style léché et les parterres de fleurs. Ses points forts étaient le buisson abandonné à lui-même et le relent ammoniacal — le pipi de chat dans toute sa splendeur. La bâtisse semblait au bord du délabrement et de sérieuses réparations n'auraient pas fait de mal aux gouttières. Seule preuve d'un entretien récent, la porte d'entrée, fraîchement laquée de bleu cru, soulignait encore la décrépitude de l'ensemble. Il n'y avait pas de sonnerie électrique mais une sorte de poignée que l'on était censé tirer. L'inspecteur s'exécuta et un faible tintement retentit à l'intérieur.

— On dirait un camp retranché, murmura Colin. Ou un château hanté.

Ils attendirent un bon moment, et puis des bruits se firent entendre. Des sons bizarres. Une sorte de roucoulement haut perché, de litanie mi-parlée mi-chantée.

— Que diable... commença Hardcastle.

La crooneuse-coloratura approchait apparemment et on commençait à percevoir des mots :

— Non, chéri-chéri. Par là, mon amour. 'tention, 'tention à ta queue-minette, mon Shah-Shah-Mimi de Perse à moi. Cléo, voyons... oooh ! nooon, Cléopâtre... Aaah ! minou-minouvroum-vroum. Ah ! minou-minou-lou-lou...

Des portes claquèrent. En fin de compte, la porte d'entrée s'ouvrit. Et ils se trouvèrent face à une créature en robe d'intérieur de velours vert mousse assez râpée. Ses mèches de cheveux filasse laborieusement érigées en échafaudage formaient une coiffure très à la mode une trentaine d'années plus tôt. Un tour de cou de fourrure rousse parachevait le tableau.

— Mrs Hemming ? s'enquit Hardcastle, dubitatif.

— Je suis Mrs Hemming. Doucement, Rayon de Soleil, doucement mon trésor à sa maman.

C'est à ce moment-là que l'inspecteur comprit que le tour de cou de fourrure rousse était un chat. Et qu'il ne s'agissait pas d'un chat isolé. Trois autres félins s'égrenaient dans le couloir, deux d'entre eux miaulant avec fureur. Ils foudroyaient maintenant les visiteurs en tournant doucement autour des jupes de leur maîtresse. Une pénétrante odeur de chat offensait les narines des deux hommes.

— Je suis l'inspecteur Hardcastle.

— J'espère que vous venez me voir au sujet de cet ignoble individu envoyé par la Prévention de la Cruauté envers les Animaux ! s'enflamma Mrs Hemming. Un scandale ! J'ai écrit pour le dénoncer. Prétendre que les conditions de vie de mes chats étaient préjudiciables à leur bonheur et à leur santé ! Ce qu'il ne faut pas entendre ! Je vis pour mes chats, inspecteur. Ils sont ma seule joie, mon seul plaisir dans l'existence. Je me mets en quatre pour eux. Shah-Shah-Mimi... Pas *là*, mon chéri.

Shah-Shah-Mimi ne prêta aucune attention à la main qui tentait de le refréner et sauta sur la console du couloir. Il s'y assit et commença à faire sa toilette en gardant un œil sur les visiteurs.

— Entrez, dit Mrs Hemming. Oh ! mon Dieu, non, pas dans cette pièce. J'avais oublié...

Elle poussa une autre porte sur la gauche. L'atmosphère y était encore plus épicée :

— Entrez, mes jolis minous, entrez, entrez.

Diverses brosses et peignes hérissés de poils de chat traînaient sur les chaises et les tables. Des coussins maculés jonchaient le sol. Et la pièce comptait au moins six chats supplémentaires.

— Je vis pour mes chéris, expliqua Mrs Hemming. Ils comprennent chaque mot de ce que je leur dis.

Non sans témérité, l'inspecteur Hardcastle s'avança. Malheureusement pour lui, il appartenait à cette catégorie d'êtres humains qui ne peuvent pas voir les chats en peinture. Comme toujours dans ces cas-là, les chats accoururent en troupe. L'un d'eux sauta sur ses genoux tandis qu'un autre se frottait affectueusement contre ses jambes de pantalon. L'inspecteur Hardcastle, qui était un homme courageux, serra les dents et prit son mal en patience.

— Je me demandais si vous accepteriez que je vous pose quelques questions, Mrs Hemming, c'est au sujet...

— Mais tout ce que vous voudrez, l'interrompit Mrs Hemmings. Je n'ai rien à cacher. Je peux vous montrer la nourriture que je leur donne, les lits où ils dorment, cinq dans ma chambre, et les sept autres en bas. Ils ne mangent que du poisson frais que je leur prépare moi-même.

— Ça n'a rien à voir avec les chats, rectifia Hardcastle en haussant la voix. Je suis venu vous parler de ce triste événement qui s'est produit dans la maison à côté et dont vous avez certainement entendu parler.

— À côté... Ah ! le chien de Mr Joshua ?

— Non, dit Hardcastle, pas du tout. Je parle du n° 19, où un homme a été trouvé mort hier.

— Vraiment ? dit Mme Hemming avec un intérêt poli mais sans plus.

Elle couvait toujours ses chats du regard.

— Puis-je vous demander si vous étiez chez vous hier après-midi ? Et plus précisément entre 13 h 30 et 15 h 30 ?

— Oh ! oui, bien sûr. J'ai l'habitude de faire mes courses très tôt le matin, ce qui me permet de rentrer de bonne heure préparer le déjeuner de mes chéris avant de les peigner et de leur faire leur toilette.

— Avez-vous remarqué une quelconque agitation ? Des voitures de police, une ambulance...

— Je n'ai pas regardé par les fenêtres côté rue. Je suis allée à l'arrière, dans le jardin, parce qu'Arabella chérie avec disparu. C'est une jeune chatte, voyez-vous, elle avait grimpé à un arbre et j'avais peur qu'elle n'arrive pas à redescendre. J'ai essayé de l'amadouer avec un bol de lait mais elle était effrayée, la pauvre petite. Il m'a fallu abandonner la partie et je suis rentrée dans la maison. Eh bien, vous me croirez si vous voulez, à peine avais-je passé le seuil qu'elle est redescendue et m'a suivie à l'intérieur.

Elle regarda alternativement les deux hommes comme si elle les estimait peu à même d'envisager phénomène à ce point hors du commun.

— Eh bien, figurez-vous que moi, je vous crois, dit Colin, incapable de garder le silence plus longtemps.

— Je vous demande pardon ?

Mrs Hemming le dévisagea, un peu décontenancée.

— Je raffole des chats, la renseigna Colin. Au point de m'être livré à une étude sur leur comportement. Ce que vous nous dites illustre parfaitement les conclusions auxquelles je suis parvenu et qui mettent en lumière le fait que les félins obéissent à des règles très précisément édictées par eux. De la même façon que vos chats se rassemblent autour de mon ami qui les exècre, ils ne me prêtent aucune attention alors que je ne cesse de leur faire des avances.

Si Mrs Hemming se posa des questions sur le langage de Colin qui n'était pas très adapté à sa fonction de sergent de police, son visage n'en laissa rien paraître.

— Rien ne leur échappe, à ces petits chéris, n'est-ce pas ? se contenta-t-elle de répondre dans un vague murmure.

Le beau persan gris qui s'était installé sur les genoux de Hardcastle leva les yeux vers lui dans un regard extatique, commença à lui pétrir la cuisse et y enfonça brusquement ses griffes comme s'il s'agissait d'une pelote où il convenait de planter des épingles. Aiguillonné par la douleur, Hardcastle sauta sur ses pieds :

— Je me demandais, madame, si nous ne pourrions pas jeter un œil au jardin, derrière chez vous ?

Colin s'autorisa un sourire en coin.

— Oh ! mais bien sûr, bien sûr. Tout ce que vous voudrez, s'empressa Mrs Hemming en se levant à son tour.

Le chat roux se déroula de son cou. Elle le remplaça distraitement par le persan. Puis elle ouvrit la marche vers le jardin.

— On s'est déjà rencontrés, confia Colin au chat roux. Ce que tu es beau, toi, ajouta-t-il à l'adresse d'un autre persan gris, posté sur une table près d'une lampe chinoise et qui remuait doucement la queue.

Il le caressa, le gratta derrière les oreilles et le chat gris condescendit à ronronner.

— Quand vous sortirez, n'oubliez pas de fermer la porte, Mr... euh... piaula Mrs Hemming depuis le couloir. Avec ce vent, je n'aimerais pas que mes chéris prennent froid. Et puis il y a ces effroyables garnements... ce n'est pas très sûr de laisser mes pauvres minous-minets se promener dans le jardin sans surveillance.

Au fond du corridor, elle ouvrit une porte latérale.

— À quels effroyables garnements faites-vous allusion ? lui demanda Hardcastle.

— Aux deux fils de Mrs Ramsay. Ils habitent dans la partie sud du « crescent ». Nos jardins sont dos à dos. Ce sont d'affreux petits voyous. Ils avaient une fronde, s'ils ne l'ont pas toujours. J'ai insisté pour qu'elle leur soit confisquée, mais je me méfie. Ils se cachent et dressent des embuscades. L'été, ils leur lancent des pommes.

— C'est monstrueux, compatit Colin.

Herbes folles, enchevêtrement de buissons, quelques thuyas lugubres et un contingent supplémentaire de lauriers, le jardin derrière la maison ressemblait à celui de devant. De l'avis de Colin, Hardcastle et lui perdaient leur temps. Un impénétrable barrage de lauriers, d'arbres et de ronces interdisait de voir ce qui pouvait bien se passer dans le jardin de miss Pebmarsh. On aurait pu décrire le « Logis de Diane » comme une maison entièrement détachée de son contexte. Du point de vue de ses occupants, elle n'aurait pas eu de voisins que cela n'aurait rien changé.

— Le n° 19, dites-vous ? murmura Mrs Hemming en s'arrêtant, perplexe, au milieu du jardin. Mais je croyais qu'il ne vivait qu'une seule personne dans cette maison, une aveugle.

— La victime n'habitait effectivement pas ici, déclara l'inspecteur.

— Ah ! bon, acquiesça Mrs Hemming d'un air distrait, il n'est donc venu là que pour se faire assassiner. Ce n'est quand même pas banal.

« Pour une fois, se dit pensivement Colin, voilà qui résume sacrément bien les données du problème. »

9

Ils descendirent Wilbraham Crescent, tournèrent à droite dans Albany Road, puis encore à droite pour remonter la « face cachée » de ce même Wilbraham Crescent.

— Simple comme bonjour, voulut faire constater Hardcastle.

— Une fois qu'on connaît le topo, admit Colin.

— Le 61 tourne en fait le dos à la maison de Mrs Hemmings... mais un des angles du terrain touche à celui du 19, c'est donc assez intéressant. Et puis voilà pour toi l'occasion d'approcher Mr Bland. Aucune aide-ménagère débarquée de l'étranger, à propos.

— Eh bien voilà encore une belle théorie qui tombe à l'eau.

Hardcastle gara la voiture et les deux hommes en sortirent.

— Mince, alors ! s'écria Colin. Ça, c'est un jardin ou je ne m'y connais pas !

C'était effectivement, à son échelle, un modèle du style paysagiste de banlieue. On y trouvait des parterres de géraniums et des plates-bandes de lobélies. Et aussi de gros bégonias couleur de steak cru, ainsi qu'un prodigieux assortiment d'ornements de jardin : grenouilles, champignons, nains hilares et lutins.

— Je suis persuadé que Mr Bland est la crème des hommes, un de ces types qui ne feraient pas de mal à une mouche, frissonna Colin. Sinon, d'où pourrait bien lui venir ce goût calamiteux ?

» Tu crois qu'il est chez lui comme ça, le matin ? ajouta-t-il tandis que Hardcastle pressait le bouton de sonnette.

— Je lui ai passé un coup de fil, le rassura Hardcastle. Et je me suis fait préciser que ça ne le dérangeait pas.

Une pimpante fourgonnette Traveller arriva à cet instant précis et s'engouffra dans un garage visiblement construit après la maison. Mr Josaiah Bland en sortit, claqua la portière et vint à leur rencontre. C'était un homme de taille moyenne, à la calvitie avancée et aux yeux bleus en boutons de bottines. Ses manières débordaient de cordialité :

— Inspecteur Hardcastle ? Mais entrez donc !

Il les conduisit au salon. Nombre d'éléments y proclamaient la prospérité du maître de céans. Il y avait des lampes à la décoration surchargée qui avaient dû coûter leur poids de bel argent, un bureau Empire, une paire de flambeaux en vermeil étincelant de mille feux sur la cheminée, une commode en marqueterie et une jardinière de fleurs en cloisonné sur le rebord de la fenêtre. Les fauteuils étaient modernes et somptueusement capitonnés.

— Asseyez-vous, invita Mr Bland. Vous fumez ? Ou vous n'avez pas le droit pendant le service ?

— Non, merci, dit Hardcastle.

— Vous ne buvez pas non plus, je suppose ? Tout compte fait, ça ne sera peut-être·pas plus mal pour nous deux. Et maintenant de quoi s'agit-il ? De cette histoire qui s'est passée au n° 19, j'imagine ? Nos jardins se touchent par un angle mais d'ici on ne voit pas grand-chose, il faut monter au premier. Pas piquée des hannetons, cette histoire... du moins d'après ce que j'en ai lu ce matin dans la gazette locale. J'ai été enchanté quand on m'a transmis votre message. L'occasion ou jamais d'avoir des tuyaux de derrière les fagots. Vous n'avez aucune idée des rumeurs qui circulent ! Et savoir qu'il y a un assassin en liberté, ça rend ma femme nerveuse. L'ennui, c'est qu'on laisse un tas de cinglés sortir des asiles d'aliénés. On les renvoie chez eux en liberté proba-toire, ou Dieu sait comment on appelle ça. Ils n'ont aussitôt rien de plus pressé que de faire la peau à quelqu'un d'autre, et on leur recolle la camisole pour un tour. Et, comme je vous l'ai dit, les rumeurs vont bon train ! Entre la femme de ménage, le laitier et le garçon qui apporte le journal, c'est à ne plus savoir à quel saint se vouer. L'un prétend que l'homme a été étranglé avec un fil de fer, l'autre qu'il a été poi-gnardé. Un troisième assure qu'il a été assommé. C'est bien d'un homme qu'il s'agit, au moins ? Ce ne serait pas la vieille qu'on aurait liquidée ? D'après les journaux, il s'agirait d'un inconnu.

Mr Bland interrompit enfin sa tirade.

Hardcastle sourit.

— L' « inconnu » avait quand même une carte de visite et une adresse dans sa poche, tint-il à rectifier.

— Alors autant pour ce bobard ! Mais vous savez comment sont les gens. Je ne sais pas où ils vont chercher tout ça.

— Puisque nous parlons de la victime, dit Hard-castle, vous pourriez peut-être jeter un coup d'œil à *ceci*.

Une fois encore, il tendit la photo sélectionnée par les services de l'identification.

— Alors c'est lui, hein ? dit Bland. Il a l'air d'un type tout ce qu'il y a d'ordinaire, vous ne trouvez pas ? Ni plus ni moins que vous ou moi. J'imagine que je ne suis pas censé vous demander s'il avait de bonnes raisons de se faire descendre ?

— Il est encore un peu tôt pour en parler. Ce que j'aimerais savoir, Mr Bland, c'est s'il ne vous serait pas arrivé de croiser cet individu.

Bland secoua la tête :

— Je vous garantis bien que non. Et j'ai une très bonne mémoire des visages.

— Il n'a jamais sonné chez vous pour vous placer une assurance, vous vendre un aspirateur ou une machine à laver... enfin quelque chose dans ce goût-là ?

— Non, non absolument pas.

— Nous devrions peut-être poser la question à Mrs Bland, suggéra Hardcastle. Après tout, s'il est venu ici, c'est elle qu'il aura rencontrée.

— Oui, c'est on ne peut plus exact. Cependant, je m'interroge... Valérie n'est pas très solide, comprenez-vous. Je ne voudrais pas que ça l'impressionne. Parce que, bon... après tout, cette photo est une photo de cadavre, non ?

— Exact, confirma Hardcastle. Mais ce n'est en rien une photo pénible.

— Non, non, pas du tout. On jurerait presque que ce type est en train de dormir.

— Tu parlais de moi, Josaiah ?

Une porte s'était ouverte et une femme entre deux âges fit son entrée. Hardcastle était sûr qu'elle avait écouté la conversation l'oreille collée au trou de serrure.

— Ah ! te voilà, ma chérie ! s'exclama Bland. Je croyais que tu t'étais recouchée après le petit déjeuner. Ma femme, Mr Hardcastle, inspecteur de police.

— Cet horrible assassinat... murmura Mrs Bland. J'en ai le frisson rien que d'y penser.

Elle s'assit sur le canapé avec une petite expiration douloureuse.

— Étends tes jambes, ma chérie, lui conseilla Bland.

Mrs Bland lui obéit. C'était une femme aux cheveux blond-roux et à la voix frêle, un peu nasale. Anémique, elle était de ces malades qui semblent tirer de leurs maux un certain plaisir. Pendant un instant, elle rappela quelqu'un à l'inspecteur Hardcastle. Il essaya de préciser cette impression sans y parvenir. Voix faible et plaintive, elle poursuivit :

— Je ne suis pas très bien portante, inspecteur, et mon mari essaie donc tout naturellement de m'éviter chocs et soucis. Je suis hyper-sensible. Vous parliez d'une photographie, je crois, du... de cet homme assassiné. Oh ! mon Dieu, c'est vraiment affreux. Je ne sais pas si je supporterai d'y jeter un œil.

« Elle en meurt d'envie », se dit Hardcastle. Puis d'une voix où perçait l'amusement :

— Dans ce cas, mieux vaut sans doute que vous ne la regardiez pas, Mrs Bland. Je me disais tout au plus qu'au cas où cet homme serait venu vous rendre visite, vous pourriez peut-être nous aider.

— Il faut bien faire son devoir, n'est-ce pas, fondit Mrs Bland avec un vaillant sourire empreint de douceur.

Elle tendit la main.

— Val, es-tu sûre que ce soit nécessaire ? Ça risque de te mettre dans tous tes états...

— Allons, Josaiah, ne sois pas stupide. Bien sûr qu'il faut que je voie cette photo.

Elle l'observa avec beaucoup d'intérêt et, de l'avis de l'inspecteur, une déception équivalente :

— Il a... vraiment, il n'a pas l'air mort du tout. Il ne donne absolument pas l'impression d'avoir été *assassiné*. A-t-il été... il n'a quand même pas été étranglé ?

— Non, poignardé, précisa l'inspecteur.

Mrs Bland ferma les yeux en frissonnant :

— Oh ! quelle horreur !

— Pensez-vous l'avoir jamais rencontré, Mrs Bland ?

— Non, admit-t-elle à regret, non, je suis sûre que non. Etait-ce un représentant ? Un homme qui... qui faisait du porte à porte ?

— Il semblerait qu'il ait été agent d'assurances, avança prudemment l'inspecteur.

— Oh ! je vois. Non, personne de ce genre ne s'est présenté ici. Tu ne te souviens pas que je t'aie parlé d'une visite de ce type, Josaiah ?

— Pas le moins du monde, dit Mr Bland.

— Était-ce un parent de miss Pebmarsh ? demanda Mrs Bland.

— Non, répondit l'inspecteur, elle ne l'avait jamais rencontré.

— C'est tout de même étrange, fit remarquer Mrs Bland.

— Vous connaissez miss Pebmarsh ?

— Oh ! oui. Je veux dire... nous la connaissons en tant que voisine bien sûr. Elle demande parfois l'avis de mon mari pour son jardin.

— Vous avez la main verte, j'ai l'impression ? sourit l'inspecteur.

— C'est beaucoup dire, c'est beaucoup dire, minimisa Bland. Et puis je n'ai pas le temps. Mais j'ai dégoté un type très bien, qui vient deux fois par semaine. Il veille aux plantations et à l'entretien. À mon humble avis, notre jardin est un des plus réussis du quartier, mais je n'ai rien d'un authentique jardinier comme mon voisin.

— Mr Ramsay ? interrogea Hardcastle, surpris.

— Non, non, plus loin. Le 63. Mr McNaughton. Lui, son jardin, c'est sa vie. Il y passe ses journées. Un fou du compost. En réalité, il casse même les pieds de tout le monde avec son éternelle saga sur le compost... mais j'imagine que vous n'êtes pas venu ici pour entendre parler de lui.

— Non, pas vraiment. Je me demandais simplement si quelqu'un — votre femme ou vous — s'était trouvé hier dans votre jardin. Après tout, il touche, si peu que ce soit, à celui du 19 et il existe une chance que vous ayez vu — ou entendu — quelque chose d'intéressant.

— Il s'agit de midi, n'est-ce pas ? Je parle de l'heure à laquelle le crime a été commis.

— Le laps de temps qui nous intéresse se situe entre 13 et 15 heures.

Bland secoua la tête :

— Alors je n'ai pas pu voir grand-chose. J'étais ici avec Valérie, nous étions en train de déjeuner et notre salle à manger donne sur la rue. On ne pouvait rien voir de ce qui se passait dans le jardin.

— Vous déjeunez vers quelle heure ?

— 1 heure et quelque. Parfois 1 heure et demie.

— Et vous n'êtes pas allés dans le jardin après le repas ?

Bland secoua de nouveau la tête.

— En fait, expliqua-t-il, ma femme va toujours se reposer après le déjeuner, et si moi-même je ne suis pas trop débordé, je somnole un moment dans ce fauteuil. J'ai dû quitter la maison aux alentours de... oh ! de 3 heures moins le quart, j'imagine, mais malheureusement je n'ai pas mis le pied au jardin.

— Bah ! soupira Hardcastle, c'était la question qu'il nous faut poser à tout le monde.

— Je m'en doute, je m'en doute. Et je regrette de ne pas avoir pu vous aider.

— C'est gentil, chez vous, commenta l'inspecteur. Vous n'avez lésiné sur rien, si je peux me permettre.

Bland eut un rire jovial :

— C'est vrai que nous aimons les belles choses. Ma femme a beaucoup de goût. Et puis il nous est tombé dessus un héritage inattendu, l'année dernière. Un oncle de ma femme lui a laissé pas mal d'argent. Elle ne l'avait pas revu depuis vingt-cinq ans. Vous parlez d'une surprise ! Et ça nous a changé la vie, je ne vous dis que ça. Ça a mis pas mal de beurre dans les épinards et on va pouvoir s'offrir une croisière d'ici la fin de l'année. C'est très éducatif, à ce qu'il paraît. La Grèce et tout et tout. Avec des professeurs qui donnent des conférences. Bon, moi, je me suis fait tout seul, je n'ai jamais vraiment eu le temps de m'intéresser à ce genre de trucs, mais maintenant ça va changer. Ce type qui est parti déterrer les ruines de Troie, il me semble bien que c'était un épicier. Drôlement romanesque, non ? L'idée d'aller dans des pays étrangers, ça me plaît. Je n'ai jamais eu beaucoup l'occasion de voyager, un ou deux week-ends pour faire le « gai Paris » et puis voilà. J'ai caressé l'idée de tout vendre et d'aller m'installer en Espagne ou au Portugal... ou même dans les Caraïbes. Plein de gens font ça. On paie moins d'impôts, minute ! Mais ma femme n'est pas trop tentée.

— J'aime bien voyager, mais de là à vivre hors de l'Angleterre il y a de la marge, intervint Mrs Bland. Nos amis sont ici, ma sœur aussi, tout le monde nous connaît. Si on allait s'installer ailleurs, on deviendrait des étrangers. Et puis nous avons ici un très bon médecin qui comprend vraiment mes problèmes de santé. Je ne consulterais jamais, au grand jamais, un médecin étranger, je n'aurais pas confiance.

— Nous verrons bien ! lança joyeusement Mr Bland. On va aller faire cette croisière, et peut-être que tu tomberas amoureuse d'une île grecque.

Tout dans l'attitude de Mrs Bland indiquait que les probabilités étaient minces.

— Tu crois qu'ils auront un bon médecin anglais à bord ? demanda-t-elle d'un air dubitatif.

— Oh ! mais certainement, lui garantit son mari.

Il raccompagna Hardcastle et Colin jusqu'à la porte d'entrée, et répéta une fois de plus qu'il était désolé de n'avoir pu les aider.

— Bon, conclut Hardcastle. Qu'est-ce que tu en penses ?

— Ce n'est pas à lui que je m'adresserais si je devais faire construire, répondit Colin. Et que veux-tu que je fasse par ailleurs d'un petit entrepreneur véreux ? Je cherche un homme d'envergure, moi. En ce qui concerne ton meurtre, ce n'est pas l'idéal non plus. Maintenant, imaginons que Bland donne un jour de l'arsenic à sa femme ou la pousse dans la mer Égée pour toucher l'héritage et épouser une blonde avec des seins gros comme ça...

— On en parlera en temps utile. En attendant, continuons notre enquête sur ce *meurtre-ci*.

10

— Plus que deux jours ! Deux jours...

Au n° 62, Wilbraham Crescent, Mrs Ramsay essayait de prendre son mal en patience.

Elle écarta une mèche de cheveux de son front en sueur. Un fracas épouvantable retentit dans la cuisine. Mais Mrs Ramsay éprouvait une indicible répugnance à aller constater l'étendue des dégâts. Si seulement elle pouvait prétendre n'avoir rien entendu... Bah ! *Plus que deux jours*. Elle traversa le couloir, ouvrit à la volée la porte de la cuisine et s'enquit d'une voix beaucoup moins menaçante qu'elle ne l'aurait fait trois semaines auparavant :

— Qu'est-ce que vous avez *encore* démoli ?

— On l'a pas fait exprès, m'man, s'excusa son fils Bill. On faisait juste quelques passes avec ces boîtes de Coca et puis, j'sais pas, elles sont allées cogner dans le bas du placard à vaisselle.

— On l'visait pas du tout, le bas du placard à vaisselle, précisa obligeamment son petit frère Ted.

— Vous allez me faire le plaisir de tout remettre à sa place. Et de balayer la porcelaine cassée et de la mettre à la poubelle.

— Oh ! m'man, pas *maintenant* !

— Illico.

— Ted peut le faire, décréta Bill.

— Ah ! elle est bonne, celle-là ! s'enflamma Ted. C'est toujours sur moi que ça retombe ! On le fait tous les deux ou pas du tout.

— Manquerait plus que ça !

— Tu verras ce que tu verras.

— Je t'obligerai.

— Aaargh !

Les deux garçons s'empoignèrent en un violent corps à corps. Ted fut acculé contre la table de la cuisine et un bol d'œufs se balança dangereusement.

— Oh ! sortez de la cuisine ! vociféra Mrs Ramsay en poussant les deux garçons dehors.

Elle referma la porte derrière eux, ramassa les boîtes de Coca-Cola et la vaisselle cassée.

« Deux jours, se répétait-elle. Deux jours et ils repartiront en pension. Quelle divine, quelle prodigieuse perspective pour une mère ! »

Elle se rappela vaguement le papier d'humeur d'une éditorialiste : « *Il n'y a que six journées d'absolue béatitude dans l'année d'une femme : le premier et le dernier jour des trois périodes de grandes vacances.* » Cette femme avait bien raison, se dit Mrs Ramsay en ramassant les débris de son plus joli service de table. Avec quel bonheur, avec quelle émotion n'avait-elle pas attendu le retour de ses rejetons ? C'était il y a cinq semaines à peine. Et maintenant ? « Après-demain, se répéta-t-elle, après-demain Bill et Ted seront repartis. J'ose à peine y croire ! Vivement qu'ils s'en aillent ! »

Quel délicieux émoi, il y a cinq semaines, quand elle était allée les attendre à la gare. Avec quelle fougue ils s'étaient jetés dans ses bras ! Et puis la façon dont ils avaient parcouru la maison de la cave au grenier à la vitesse d'une tornade avant de se ruer dans le jardin... Le bon gâteau qu'elle leur avait confectionné pour le thé... Et maintenant... à quoi rêvait-elle ? Une journée de repos complet. Pas de repas pantagruéliques à préparer. Pas de ménage et de rangement permanents. Elle adorait les garçons, bien sûr. Elle en était fière. Mais ils étaient épuisants. Leur appétit, leur vitalité, le *vacarme* qu'ils faisaient...

À cet instant, des cris rauques retentirent. Inquiète, elle tourna brusquement la tête. Rien de grave. Ils n'avaient fait que sortir dans le jardin. C'était beaucoup mieux pour eux. Ils avaient beaucoup plus d'espace dehors. Mais ils allaient probablement pousser les voisins hors de leurs gonds. Elle pria pour qu'ils laissent les chats de Mrs Hemming tranquilles. Non, il fallait bien l'admettre, qu'elle se souciât des chats. Mais parce que la clôture de barbelés qui entourait le jardin de Mrs Hemming risquait d'être fatale à leurs shorts. Elle jeta un coup d'œil distrait à la trousse de première urgence, à portée de main sur le buffet. En réalité, les inévitables accidents que pouvaient déclencher des gamins pleins de fougue ne l'inquiétaient pas trop, non. En cas de bobo, elle commençait inévitablement par s'écrier :

— Je vous ai déjà dit mille fois de ne pas venir saigner au salon mais d'aller directement à la cuisine où le linoléum est plus facile à nettoyer !

Un hurlement terrifiant qui venait de l'extérieur et s'était arrêté net fut suivi d'un silence si profond que Mrs Ramsay sentit le cœur lui manquer. Vraiment, ce silence était des plus étranges. Elle s'immobilisa, le ramasse-poussière plein de vaisselle brisée à la main. La porte s'ouvrit et Bill parut. Son visage rayonnait d'extase mêlée de crainte, expression des plus inhabituelles chez un garçon de 11 ans :

— M'man, *il y a là un inspecteur de police avec un autre monsieur.*

— Ah ! bon, soupira Mrs Ramsay, soulagée. Qu'est-ce qu'il veut, mon chéri ?

— Te parler. Je pense que c'est au sujet du meurtre, tu sais, hier chez miss Pebmarsh.

— Je ne vois vraiment pas pourquoi il voudrait me parler de ça, déclara Mrs Ramsay, contrariée.

Décidément, ça n'arrêtait pas, songea-t-elle. Un inspecteur à une heure pareille. Juste au moment où elle allait se mettre à éplucher les pommes de terre pour le ragoût.

— Oh ! bon, gémit-elle, il vaut sans doute mieux que j'y aille.

Elle jeta la vaisselle brisée dans la poubelle sous l'évier, se rinça les mains au robinet, se lissa les cheveux et se prépara à suivre Bill qui commençait à s'impatienter :

— Viens, m'man, *viens* !

Mrs Ramsay se dirigea vers le salon et Bill s'empressa de lui emboîter le pas. Deux hommes l'attendaient, surveillés par son fils cadet Ted qui les couvait d'un regard admiratif.

— Mrs Ramsay ?

— Bonjour.

— Ces jeunes gens vous ont probablement déjà dit que je suis l'inspecteur Hardcastle.

— Vous tombez mal. Vous tombez très mal, ce matin, se plaignit Mrs Ramsay. Vous en aurez pour longtemps ? Je suis débordée.

— Quelques minutes de rien du tout, tenta de la rassurer Hardcastle. Pouvons-nous nous asseoir ?

— Oui, oui, faites donc.

Elle-même s'assit sur le coin d'une chaise, la mine crispée. Elle se doutait bien que cela allait prendre nettement plus que quelques minutes de rien du tout.

— Il n'est pas indispensable que vous restiez, dit Hardcastle aux garçons sans animosité aucune.

— On s'en va pas, affirma Bill.

— Non, on s'en va pas, répéta Ted en écho.

— On veut entendre ce qui s'est passé, décréta Bill.

— Il y a intérêt ! renchérit Ted.

— Il y avait beaucoup de sang ? demanda Bill.

— C'était un cambrioleur ? enchaîna Ted.

— Tenez-vous tranquilles, les interrompit Mrs Ramsay. Vous avez entendu l'ins... Mr Hardcastle dire qu'il ne voulait pas que vous restiez ici.

— N'empêche qu'on reste, s'obstina Bill. On veut écouter.

Hardcastle se leva, alla ouvrir la porte et foudroya les garçons du regard :

— Dehors.

Un mot, un seul, prononcé calmement, avec une autorité contenue. Les garçons s'inclinèrent et sortirent de la pièce en traînant les pieds.

« Fabuleux, songea Mrs Ramsay. Mais pourquoi est-ce que je n'arrive pas à en faire autant ? »

Puis elle réfléchit qu'elle était la mère des garçons. Elle savait par ouï-dire qu'en dehors de la maison, ils se comportaient de façon totalement différente. C'étaient toujours les mères qui avaient la plus mauvaise part. Mais après tout, peut-être cela valait-il mieux ainsi. Avoir à la maison de gentils petits garçons bien élevés qui se conduiraient comme des voyous dans le monde et y seraient mal jugés serait infiniment pire... oui, infiniment pire. Quand l'inspecteur revint s'asseoir, la raison de sa visite revint en mémoire de Mrs Ramsay.

— Si c'est au sujet de ce qui s'est passé au n° 19 hier, dit-elle, tendue, je ne vois pas en quoi je pourrais vous aider, inspecteur. Je ne sais rien de cette histoire. Je ne connais même pas les gens qui habitent là.

— La maison est occupée par une certaine miss Pebmarsh. Elle est aveugle et travaille à l'Institut Aaronberg.

— Ah ! oui, ça me dit quelque chose. Mais je ne connais pratiquement personne dans les numéros inférieurs du « crescent ».

— Est-ce que vous étiez chez vous hier entre midi et demi et 3 heures de l'après-midi ?

— Oh ! oui, j'avais le dîner à préparer, tout ça. Mais je suis sortie avant 3 heures. J'ai emmené les enfants au cinéma.

L'inspecteur sortit la photographie de sa poche et la lui tendit :

— J'aimerais que vous me disiez si vous avez déjà vu cet homme.

L'intérêt de Mrs Ramsay sembla se réveiller :

— Non, non, je ne pense pas. Mais si je l'avais vu, je ne suis pas non plus sûre que je m'en souviendrais.

— Il n'est jamais venu ici sous un prétexte quelconque ? Pour essayer de vous placer une police d'assurance ou quelque chose dans ce goût-là ?

Mrs Ramsay secoua la tête.

— Non, fit-elle, plus catégorique cette fois. Non, ça j'en suis certaine.

— Nous avons des raisons de croire qu'il s'appelait Curry. Mr R. Curry.

Il la regardait d'un air interrogateur. Elle secoua de nouveau la tête.

— Je suis désolée, s'excusa-t-elle, mais j'ai l'impression de n'avoir tristement ni le temps ni l'occasion de voir ou de remarquer *quoi que ce soit* pendant les vacances.

— Ça doit représenter du plein emploi, compatit l'inspecteur. Vous avez des garçons sympathiques. Pleins de vitalité, très actifs. Un peu trop parfois, non ?

Un sourire s'épanouit sur les lèvres de Mrs Ramsay :

— Oui. Et c'est assez épuisant. Mais ils sont adorables, au fond.

— Je n'en doute pas. De braves gosses, tous les deux. Des garçons ouverts, à l'esprit vif. Avec votre permission, je leur dirai deux mots avant de partir. Les enfants remarquent souvent des détails qui échappent aux adultes.

— Je ne vois pas très bien comment ils auraient pu remarquer quoi que ce soit, objecta Mrs Ramsay. Nous ne sommes même pas voisins.

— Vos jardins se touchent.

— Oui, bien sûr, mais ils sont isolés l'un de l'autre.

— Vous connaissez Mrs Hemming, au n° 20 ?

— Oui, enfin si on veut. À cause des chats et d'un ou deux motifs de bisbille.

— Vous n'aimez pas les chats ?

— Oh ! ce n'est pas la question. Mais nous sommes l'objet de plaintes répétées de la part de Mrs Hemming.

— Ah ! Des plaintes répétées. Et à quel sujet ?

Mrs Ramsay rougit :

— Voyez-vous, quand les gens hébergent autant de chats — elle en a 14 —, ça devient chez eux une obsession. Et ça crée pas mal de problèmes. J'aime les chats. Autrefois nous en avions un. Un tigré. Très bon chasseur de souris. Mais cette femme ne pense qu'à ses bêtes, elle leur cuisine des petits plats, les laisse à peine mettre le nez dehors, les empêche de vivre leur vie. Bien sûr, les chats essaient de s'échapper. Moi-même, à leur place je n'hésiterais pas. Quant aux garçons, ils ont un bon fond, pour rien au monde ils ne voudraient tourmenter un chat... Ce que je veux dire, c'est que les chats savent très bien se débrouiller tout seuls. Ce sont des animaux rai-

sonnables, les chats, enfin si on se conduit raisonnablement avec eux.

— Vous êtes certainement dans le vrai, acquiesça
l'inspecteur. Vous ne devez pas chômer avec ces garçons à nourrir et à distraire pendant les vacances.
Quand retournent-ils en pension ?

— Après-demain, dit Mrs Ramsay.

— J'espère qu'ensuite vous pourrez vous reposer.

— J'ai l'intention de m'accorder pas mal de temps
libre.

L'autre jeune homme, qui avait silencieusement
pris des notes, lui adressa brusquement la parole et
elle fut un peu surprise par cette intervention :

— Vous devriez prendre une étrangère. Une de ces
« filles au pair », comme on appelle ça, qui viennent
chez nous prêtes à faire des ménages et à donner des
coups de main pourvu qu'elles apprennent l'anglais
en échange.

— Oui, il faudrait que j'essaie une solution de ce
genre, réfléchit Mrs Ramsay, encore qu'à mon avis
les étrangers puissent se montrer sources de problèmes. Mon mari se moque de moi. Mais c'est vrai
qu'il en sait plus que moi sur le sujet. Je n'ai jamais
voyagé hors d'Angleterre autant qu'il l'a fait.

— Il est absent en ce moment, non ? demanda
Hardcastle.

— Oui... il lui a brusquement fallu partir pour la
Suède début août. Il est ingénieur des travaux
publics. Ça tombait mal qu'il ait dû s'éloigner à ce
moment-là — précisément au début des vacances. Il
est sensationnel avec les enfants. D'ailleurs, les trains
électriques le fascinent encore plus que ses fils. Il
arrive que les rails, les gares de triage et tout le bazar
traversent le couloir et continuent dans l'autre pièce.
C'est un vrai problème de ne pas se prendre les pieds
dedans.

Elle secoua la tête.

— Les hommes sont de grands enfants, conclut-
elle avec indulgence.

— Quand sera-t-il de retour ?

— Ça, je ne le sais jamais, soupira-t-elle. Ce qui rend la vie assez... difficile.

Sa voix avait tremblé. Colin lui jeta un regard pénétrant :

— Nous n'allons pas vous retenir plus longtemps, Mrs Ramsay.

Hardcastle sauta sur ses pieds :

— Vos garçons pourraient peut-être nous faire visiter le jardin ?

Bill et Ted, qui attendaient dans le couloir, tombèrent immédiatement d'accord.

— Bien sûr, s'excusa Bill, ce n'est pas un très *grand* jardin.

On s'était livré à quelques efforts pour entretenir le jardin du 62. Il y avait un massif de dahlias et de marguerites d'automne. Et une petite pelouse inégalement tondue. Les allées avaient besoin d'être sarclées. Modèles réduits d'avions et pistolets de science-fiction étaient éparpillés un peu partout et avaient visiblement survécu à des intempéries. Au fond du jardin s'élevaient un poirier et un pommier porteur de belles pommes rouges.

— C'est là, dit Ted en montrant du doigt l'espace entre les deux arbres d'où l'on voyait très bien le jardin de miss Pebmarsh. C'est le n° 19, la Maison du Crime.

— Vous avez une assez belle vue sur la bâtisse, hein ? apprécia l'inspecteur. Et on doit y voir encore mieux des fenêtres du premier.

— C'est juste, acquiesça Bill. Si on avait été en haut hier, on aurait peut-être vu quelque chose. Seulement on n'y était pas.

— On était au cinéma, soupira Ted.

— Il y avait des empreintes ? s'enquit Bill.

— Qui ne nous serviront pas à grand-chose. Est-ce que vous avez joué un moment dans le jardin, hier ?

— Oui, on a passé notre temps à rentrer et sortir, dit Bill. Enfin, pendant la matinée. Mais on n'a rien entendu. Et on n'a rien vu non plus.

— Si on avait passé l'après-midi dans le jardin, on

aurait peut-être entendu des cris, regretta Ted d'une voix désolée. Il a dû crier comme un putois.

— La dame qui habite la maison... miss Pebmarsh, vous la connaissez de vue ?

Les garçons se regardèrent et hochèrent la tête.

— Elle est aveugle, dit Ted, mais elle se déplace très bien dans son jardin. Elle a pas besoin de canne ni rien. Un jour, elle nous a même renvoyé une balle. Même qu'elle a été vachement gentille, cette fois-là.

— Et hier vous ne l'avez pas vue ?

Les garçons secouèrent la tête.

— Le matin, on pouvait pas la voir, elle est jamais chez elle, expliqua Bill. Quand elle sort dans le jardin, c'est après le thé.

Colin suivait la piste d'un tuyau d'arrosage relié à un robinet dans la maison : il courait le long d'une allée et aboutissait dans un coin près du poirier.

— J'ignorais que les poiriers avaient à ce point besoin d'être arrosés, s'étonna-t-il.

— Ah ! ça... fit Bill.

Il paraissait un peu embarrassé.

— D'un autre côté, poursuivit Colin, si on grimpe dans cet arbre...

Il se tourna vers les garçons et eut un brusque sourire :

— ... On est particulièrement bien placé pour arroser un chat, qu'est-ce que vous en pensez ?

Les deux garçons traînèrent un peu des pieds sur le gravier en évitant le regard de Colin.

— C'est bien comme ça que vous procédez, hein ? insista Colin.

— Oh ! bon, dit Bill, ça leur fait pas de mal.

Puis il ajouta :

— C'est pas comme une fronde.

— Je suppose que vous avez déjà essayé la fronde ?

— On savait pas bien s'y prendre, intervint Ted. On n'a jamais rien touché.

— Enfin bref, vous vous amusez de temps en temps avec ce tuyau, et Mrs Hemming sort de la maison et vient se plaindre, c'est ça ?

— Elle arrête pas de se plaindre, grogna Bill.

— Vous avez déjà pénétré dans son jardin en passant à travers la clôture ?

— Non, pas à travers la clôture, dit Ted dans un moment d'inattention.

— Mais il vous arrive de vous introduire dans son jardin, d'accord ? Comment vous faites ?

— Eh bien, il suffit de se faufiler chez miss Pebmarsh. Et un peu plus loin à droite, vous passez à travers la haie et vous y êtes, parce qu'il y a un trou dans le grillage.

— Tu peux pas te taire, crétin ! fulmina Bill.

— Je suppose que depuis le meurtre vous êtes partis à la chasse aux indices ? dit Hardcastle.

Les garçons s'entre-regardèrent.

— Quand vous êtes rentrés du cinéma et que vous avez appris ce qui s'était passé, je parie que vous êtes allés mettre votre nez là-bas.

— Eh bien... commença prudemment Bill.

— Il n'est pas impossible, dit Hardcastle le plus sérieusement du monde, que vous ayez trouvé des indices qui nous ont échappé. Si vous avez... ramassé quelque chose, je vous serais très reconnaissant de nous le montrer.

Bill n'hésita pas longtemps :

— Va les chercher, Ted.

Ted obtempéra et partit aussitôt ventre à terre.

— Ce qu'on a trouvé n'est peut-être pas du tonnerre, l'avertit Bill. On ne faisait que... on faisait seulement semblant, quoi !

Il regardait Hardcastle d'un air anxieux.

— Je comprends, dit l'inspecteur. C'est notre lot à tous, dans la police. Les déceptions font partie du métier.

Bill parut soulagé.

Ted revint en courant et tendit à Hardcastle un mouchoir sale noué aux quatre coins et qui tintait. Un des garçons à sa droite, l'autre à sa gauche, Hardcastle le dénoua et en étala le contenu par terre.

Il y avait une anse de tasse, un fragment de porcelaine à motifs bleus, un déplantoir cassé, une fourchette rouillée, une pièce de monnaie, une pince à linge, un morceau de verre irisé et la moitié d'une paire de ciseaux.

— Intéressante récolte, décréta l'inspecteur sur un ton solennel.

Il eut pitié des visages pleins d'espoir des garçons et se saisit du morceau de verre :

— Je prends ça. On ne sait jamais, ça pourrait éventuellement confirmer un soupçon.

Colin, qui avait pris la pièce de monnaie, l'examinait attentivement.

— Elle est pas anglaise, signala Ted.

— Non, confirma Colin, elle n'est pas anglaise.

Il se tourna vers Hardcastle :

— On la prend.

— Pas un mot de tout ceci à qui que ce soit, ordonna Hardcastle avec un air de conspirateur.

Fous de joie, les garçons donnèrent leur parole.

11

— Ramsay... murmura pensivement Colin.

— Eh bien quoi, Ramsay ?

— Celui-là me plairait assez. Il voyage à l'étranger, ses voyages se décident en un clin d'œil... D'après sa femme, il est ingénieur des travaux publics, mais elle n'a pas l'air d'en savoir plus.

— C'est une femme charmante, dit Hardcastle.

— Oui, et pas très heureuse.

— Un peu fatiguée, voilà tout. C'est épuisant, les mômes.

— À mon avis, il y a autre chose.

— Tu crois vraiment que le genre d'énergumène que tu cherches irait s'encombrer d'une femme et de deux gosses ? interrogea Hardcastle, sceptique.

— Va savoir. Tu serais surpris de ce que certains de nos gars s'inventent comme couverture. Et une veuve fauchée avec deux enfants à charge pourrait très bien marcher dans ce genre de combine.

— Je n'aurais jamais été lui imaginer ce genre de mœurs ! protesta Hardcastle d'un air guindé.

— Mais, très cher, je n'ai jamais été imaginer non plus qu'elle vivait dans le péché. Elle a très bien pu accepter d'être Mrs Ramsay histoire de lui offrir une famille bourgeoise. Il lui aura naturellement raconté des bobards. Du genre « je fais de l'espionnage pour le compte du gouvernement ». Le tout assorti d'un couplet sur la patrie et le drapeau.

Hardcastle secoua la tête :

— Toi et tes semblables, vous vivez dans un monde étrange, Colin.

— C'est le moins qu'on puisse dire. Tu sais, je crois qu'un de ces quatre il faudra que je me sorte de là... On finit par ne plus savoir qui est qui ni où on en est. La moitié de ces gens sont des agents doubles et ils finissent par ne même plus savoir eux-mêmes de quel bord ils sont vraiment. Les repères tendent à s'effacer et... Mais, bon, si nous revenions à nos moutons ?

— Je suis d'avis de continuer avec les McNaughton, dit Hardcastle en s'arrêtant devant le n° 63. Un bout de son jardin touche le n° 19, tout comme celui de Bland.

— Qu'est-ce que tu sais des McNaughton ?

— Pas grand-chose. Ils sont arrivés il y a environ un an. Un couple âgé... lui est professeur à la retraite, je crois bien. Il jardine.

Dans le jardin devant la maison poussaient des rosiers touffus, et un épais parterre de safran officinal s'étendait sous la fenêtre.

Une jeune femme avenante dans son tablier fleuri leur ouvrit la porte :

— Fous quoi fouloir ?

« L'aide étrangère de tes rêves »,, murmura Hardcastle à l'adresse de Colin entre ses dents serrées tout en tendant sa carte à la jeune femme.

— La Polizei ! s'étrangla cette dernière.

Elle recula d'un pas et regarda Hardcastle comme s'il était le diable en personne.

— J'aimerais parler à Mrs McNaughton.

— Mrs McNaughton être là.

Elle les conduisit dans le salon qui donnait sur le jardin de derrière. Il était vide.

— Le haut de l'escalier elle est, dit la jeune femme qui semblait avoir définitivement perdu sa bonne humeur.

Elle sortit dans le hall et appela :

— Mrs McNaughton ! Mrs McNaughton !

Une voix lointaine répondit en écho :

— Oui ? De quoi s'agit-il, Gretel ?

— C'est la police. Deux polices. Dans le salon je les ai mis.

Un trottinement précipité se fit entendre à l'étage supérieur, et un « mon Dieu, mon Dieu, que se passe-t-il encore ? » voleta jusqu'à eux. Suivit un bruit de pas menus dévalant l'escalier. Et Mrs McNaughton s'engouffra dans le salon, l'air catastrophé. Air catastrophé, ne tarda pas à conclure Hardcastle, qui devait être l'expression coutumière de la digne personne.

— Mon Dieu, répéta-t-elle, mon Dieu, inspecteur... euh... comment est-ce, déjà ?...

Elle consulta la carte :

— ... Hardcastle. C'est ça. Mais pourquoi donc voulez-vous nous voir *nous* ? Nous ne savons absolument rien sur la question. Parce qu'il s'agit bien du meurtre, n'est-ce pas ? Vous ne venez pas pour la taxe sur l'audiovisuel ?

Hardcastle la rassura sur ce point.

— C'est à peine croyable, lança Mrs McNaughton brusquement rassérénée. Et qui plus est en plein milieu de la journée. Quelle heure insensée pour venir cambrioler chez les gens ! Au moment précis où ils sont généralement chez eux. C'est affreux tout ce qu'on peut lire sur ce qui se passe aujourd'hui. Et le tout au grand jour. Figurez-vous que des amis à nous... ils étaient sortis pour le déjeuner, eh bien une camionnette de déménageurs est arrivée, les hommes sont entrés et ont embarqué leurs meubles jusqu'au dernier. Toute la rue a assisté à la scène, mais personne n'est intervenu, bien sûr, comment voulez-vous qu'ils aillent imaginer ce qui se passait ? Vous savez, il me semble bien avoir entendu des cris, hier, mais Angus m'affirme qu'il s'agissait des petits Ramsay, des gamins insupportables. Ils courent dans tous les sens en imitant le bruit du décollage de fusées spatiales, l'impact de torpilles ou l'explosion de bombes atomiques. C'en est parfois terrifiant, je vous jure !

Une fois de plus, Hardcastle sortit sa photographie :

— Avez-vous déjà vu cet homme, Mrs Mc-Naughton ?

Mrs McNaughton fixa le cliché avec avidité :

— Je suis quasi certaine de l'avoir déjà rencontré. Oui. Oh ! oui, j'en suis pratiquement sûre. Mais où cela pouvait-il bien être ? Était-ce cet individu qui voulait que je lui achète une nouvelle encyclopédie en quatorze volumes ? À moins que ce ne soit celui qui tenait à me vendre un aspirateur dernier modèle... Je n'ai rien voulu savoir alors il est allé casser les pieds à mon mari dans le jardin, devant la maison. Angus plantait des oignons de tulipes, vous savez, et il a horreur qu'on le dérange quand il jardine, et cet homme n'arrêtait pas de lui expliquer tout ce dont son appareil était capable. Vous voyez ça d'ici : comment il pouvait monter et descendre le long des rideaux, nettoyer les paillassons, les tapis d'escalier, les coussins et même exécuter le grand nettoyage de printemps du haut en bas de la maison. Tout, il expliquait qu'il pouvait tout faire. Sur quoi Angus a relevé le nez pour lui demander : « Est-ce qu'il sait planter les oignons de tulipe ? » Alors, là, je dois avouer que je n'ai pas pu m'empêcher d'éclater de rire, parce que ce malheureux en est resté médusé et qu'il a aussitôt filé sans demander son reste.

— Et vous croyez réellement que c'était l'homme de la photo ?

— Eh bien... non. Non, pas vraiment. Parce que c'était quelqu'un de beaucoup plus jeune, maintenant que j'y repense. Ce qui n'empêche pas que j'ai bel et bien déjà vu cette tête-là. Plus je le regarde et plus je me dis qu'il est venu ici pour essayer de me vendre quelque chose.

— Il ne vous a pas proposé de contrat d'assurance ?

— Non, de ce côté là nous sommes parés. Mais tout de même, plus je regarde cette photo...

Hardcastle resta de marbre. Il avait, dans sa vie, interrogé plus d'une Mrs McNaughton. C'était le genre de femme qui ne rêvait rien tant que d'avoir rencontré une personne mêlée à un meurtre. Plus elle fixerait la photo, plus elle serait convaincue que le cliché lui rappellerait quelqu'un qui lui ressemblait comme deux gouttes d'eau.

Il soupira.

— Il conduisait une camionnette, je crois bien, poursuivit Mrs McNaughton. Mais vous dire où et quand... une camionnette de boulanger ou quelque chose comme ça.

— Vous ne l'avez pas vu hier ?

L'excitation de Mrs McNaughton retomba. Elle rejeta en arrière une mèche de cheveux gris permanentée qui s'échappait de sa coiffure en désordre :

— Non. Non, pas hier. Enfin... je ne pense pas.

Puis elle reprit espoir :

— Peut-être mon mari s'en souviendra-t-il.

— Il est là ?

— Oui, dans le jardin.

Elle montra du doigt un vieil homme qui poussait une brouette dans une allée.

— Nous pourrions peut-être aller lui poser la question ?

— Mais bien sûr. Suivez-moi.

Elle les fit sortir par la porte de derrière et ils se retrouvèrent dans le jardin. Mr McNaughton était en sueur.

— Angus, ces messieurs sont de la police, dit sa femme hors d'haleine. Ils viennent au sujet du meurtre chez miss Pebmarsh. Ils ont une photo du cadavre de la victime. Tu sais, je suis certaine de l'avoir vu quelque part. Ce ne serait pas cet homme qui est venu la semaine dernière pour nous demander si par hasard nous n'avions pas des antiquités à lui vendre ?

— Voyons. Pouvez-vous tenir la photo pour moi ? demanda Mr McNaughton à Hardcastle, j'ai les mains pleines de terre.

Il y jeta un bref coup d'œil :

— Je n'ai jamais rencontré ce type de ma vie.

— On m'a raconté que vous adoriez jardiner, enchaîna Hardcastle.

— Qui vous a dit ça ? Mrs Ramsay ?

— Non, Mr Bland.

Angus McNaughton eut un reniflement de mépris :

— Bland ne sait pas ce que jardiner veut dire. Dépoter et repiquer, c'est tout ce qu'il sait faire. Il creuse un trou et hop ! il y fourre les géraniums, les bégonias et les lobélies pour les bordures de parterres. On dirait qu'il travaille pour un parc public. Vous intéressez-vous aux arbustes, inspecteur ? Bien sûr, ce n'est pas le meilleur moment de l'année pour les plantes, mais vous seriez surpris de ce que je suis arrivé à acclimater ici même. Des arbustes réputés ne pousser que dans le Devon et en Cornouailles.

— Mes connaissances dans ce domaine restent théoriques, je ne pratique guère, répondit Hardcastle.

McNaughton le considéra de l'air d'un artiste à qui son interlocuteur lui avoue ne rien connaître en art mais posséder néanmoins des goûts personnels.

— Malheureusement, ce qui m'amène est nettement moins fascinant que les plantes.

— Je m'en doute. Vous venez pour cette histoire d'hier. Figurez-vous que, quand ça s'est passé, j'étais dans le jardin.

— Vraiment ?

— Enfin, j'étais ici quand la fille s'est mise à hurler.

— Et qu'avez-vous fait ?

— Rien du tout, avoua Mr McNaughton d'un air penaud. J'ai cru que c'était encore un coup des gamins Ramsay. Ils n'arrêtent pas de crier, de brailler, d'émettre des sons bizarres.

— Vous n'avez pas repéré que ce cri avait changé de direction ?

— Si, mais ces fichus gosses ont la bougeotte, ils ne restent jamais dans leur jardin. Ils passent à travers haies et clôtures et persécutent les chats de cette pauvre Mrs Hemming. Le problème c'est qu'il n'y a personne pour les tenir. Leur mère leur passe tout. Mais bon, quand il n'y a pas d'homme à la maison, il est normal que les enfants n'en fassent qu'à leur tête.

— J'ai cru comprendre que Mr Ramsay était souvent absent.

— Oui, je crois qu'il est ingénieur des travaux publics, dit Mr McNaughton d'un air vague. Il construit des barrages. Toujours au diable. Mais non, ma chérie, je ne jure pas, assura-t-il à sa femme. Je parlais de construction de barrages à l'étranger, à moins que ce ne soit des puits de pétrole ou des pipe-lines, je ne sais plus trop. Il y a un mois, il a dû prendre l'avion pour la Suède en coup de vent, juste le temps de faire ses valises. Avec tout ce qu'elle a à faire — cuisine, ménage et tout ce qui s'ensuit —, la mère est débordée et il est normal que les gosses aient la bride sur le cou. Ce ne sont pas de mauvais bougres, remarquez, mais il n'y a personne pour leur tenir la dragée haute.

— Vous n'avez rien remarqué de particulier — à part ce cri, veux-je dire ? Vous l'avez entendu à quelle heure, au fait ?

— Aucune idée, répondit Mr McNaughton. J'enlève toujours ma montre avant de descendre au jardin. Je l'avais gardée un jour pour promener le tuyau d'arrosage et ça a été tout un cirque pour la faire réparer. Il était quelle heure, chérie ? Tu l'as entendu toi aussi, ce cri ?

— Il devait être environ 2 heures et demie... on avait fini de déjeuner depuis une bonne demi-heure.

— Je vois. Vous déjeunez à quelle heure ?

— Avec un peu de chance, vers 1 heure et demie, déclara Mr McNaughton. Notre Danoise a une notion du temps assez élastique.

— Et après... vous faites la sieste ?

— Parfois. Mais aujourd'hui, par exemple, je n'ai pas dormi. Je voulais finir ce que j'avais commencé. J'ai arraché pas mal de mauvaises herbes que je suis allé jeter sur mon compost, bref...

— C'est formidable de faire son terreau soi-même, approuva Hardcastle avec le maximum de solennité.

Le visage de Mr McNaughton s'illumina :

— Je vous crois ! Rien de tel que le terreau domestique. Ah ! j'en ai converti, des gens ! Les engrais chimiques ! Du suicide ! Laissez-moi vous montrer...

Il entraîna Hardcastle par le bras et, tout en poussant tant bien que mal sa brouette, lui fit remonter l'allée jusqu'à la clôture qui séparait son jardin de celui du n° 19. Caché par un massif de lilas, le tas de compost s'étalait dans toute sa gloire. Mr McNaughton roula sa brouette jusqu'à une cabane où toutes sortes d'outils étaient soigneusement alignés.

— Voilà ce que j'appelle des outils bien rangés, remarqua Hardcastle.

— Le bon jardinier se reconnaît à l'état de ses outils, proféra McNaughton, sentencieux.

Hardcastle jeta un regard songeur vers le n° 19. De l'autre côté de la barrière, une pergola où courait un rosier grimpant menait à la maison.

— Pendant que vous vous trouviez devant votre compost, vous n'avez vu personne dans le jardin ou à la fenêtre du n° 19 ?

McNaughton secoua la tête :

— Rien ni personne. Désolé de ne pouvoir vous aider, inspecteur.

— Tu sais, Angus, intervint sa femme, je crois bien que j'ai aperçu une silhouette... quelqu'un qui s'introduisait furtivement dans le jardin du n° 19.

— Je pense au contraire que tu n'as rien vu, ma chérie, décréta le mari d'un ton ferme. Ni moi non plus.

— Cette femme aurait admis avoir vu *n'importe quoi*, grommela Hardcastle quand ils remontèrent en voiture.

— Tu ne crois pas qu'elle a reconnu le type de la photo ?

Il secoua la tête :

— J'en doute. Tout ce qu'elle cherche, c'est à se persuader qu'elle l'a déjà rencontré. Je ne connais que trop bien ce genre de témoin. Quand je l'ai mise au pied du mur, elle s'est aussitôt défilée.

— Exact.

— Il n'est bien évidemment pas impossible qu'elle se soit trouvée un beau jour en face de lui dans un bus, je te l'accorde. Mais si tu veux mon avis, elle prend ses désirs pour des réalités. Qu'est-ce que tu en penses ?

— Comme toi.

— Conclusion, la récolte est plutôt maigre, soupira Hardcastle. Bien sûr, il y a quand même des trucs qui paraissent bizarres. Par exemple que Mrs Hemming — si obnubilée soit-elle par ses chats — en sache aussi peu sur sa plus proche voisine, miss Pebmarsh. Qu'elle n'éprouve pas plus d'intérêt pour ce qui se passe à sa porte et que le meurtre ne lui inspire que des réflexions plus ou moins fumeuses.

— Elle-même est assez fumeuse et à côté de ses pompes.

— Elle est siphonnée, oui ! Et c'est vrai que quand une bonne femme a une araignée au plafond, peu lui importe qu'on cambriole, qu'on fiche le feu ou qu'on s'entre-tue chez le voisin.

— Les barbelés de sa clôture l'isolent du reste du monde et ses lauriers lui bouchent la vue.

Hardcastle arrêta sa voiture devant le poste de police et sourit à son ami :

— Sergent Lamb, vous avez quartier libre.

— Plus de visites ?

— Pas pour le moment. Je dois encore en faire une tout à l'heure, mais pour celle-là je ne te prends pas sous mon aile.

— En tout cas merci pour cette charmante matinée. Est-ce que je peux te donner mes notes à taper ?

Il lui tendit quelques feuillets :

— L'enquête du coroner est pour après-demain, c'est ça ? À quelle heure ?

— 11 heures.

— Parfait. Je serai rentré.

— Tu t'en vas ?

— Oui, je dois filer à Londres. Je rends mon rapport demain.

— Je crois deviner à qui.

— Rien ne t'y autorise.

Hardcastle sourit de toutes ses dents :

— Mes amitiés à notre ami.

— Je profiterai aussi de l'occasion pour passer voir un spécialiste.

— Un spécialiste ? Tu es malade ? Qu'est-ce que tu as ?

— Rien, juste la comprenette un peu rouillée. Figure-toi que je ne parlais pas d'un ORL ni d'un cardiologue mais plutôt d'un spécialiste dans ton genre.

— Scotland Yard ?

— Non. Un détective privé, ami de mon auguste paternel, et aussi ami à moi par la même occasion. Ton histoire va le passionner. Ça lui remontera le moral, et j'ai dans l'idée qu'il a besoin de se le faire remonter.

— Comment s'appelle-t-il ?

— Hercule Poirot.

— J'ai entendu parler de lui. Mais je le croyais mort.

— Il n'est pas mort. Mais je crois qu'il s'ennuie. Ce qui est bien pis.

Hardcastle lui jeta un regard intrigué :

— Tu es un drôle de type, Colin. Tu fréquentes les gens les plus invraisemblables.

— Je te compte dans le lot, répliqua Colin en souriant.

12

Après avoir congédié Colin, l'inspecteur Hardcastle vérifia une adresse soigneusement notée dans son agenda qu'il remit dans sa poche en hochant la tête. Puis il s'attaqua aux affaires courantes, car les dossiers s'accumulaient sur son bureau.

C'était décidément une journée chargée. Il envoya chercher du café et des sandwiches, et jeta un coup d'œil aux rapports du sergent Cray. Aucune piste intéressante. Personne dans les gares ou dans les terminaux d'autobus n'avait reconnu Mr Curry. Quant aux analyses du laboratoire, elles n'avaient pratiquement rien donné. Le complet veston était de bonne coupe, mais le nom du tailleur avait été enlevé. Désir de Mr Curry de préserver son incognito ? Ou précautions du meurtrier ? L'état des dents et de la mâchoire avait été communiqué aux services concernés et c'était jusqu'à présent l'élément de piste le plus fiable : ce type d'enquête exigeait pas mal de temps mais donnait généralement d'excellents résultats. À moins, bien sûr, que Mr Curry n'ait été étranger. Hardcastle envisagea un instant cette éventualité. Et si le mort était français ? Oui, mais ses vêtements ne l'étaient en tout cas pas. Et on n'avait trouvé aucune trace de pressing.

Hardcastle ne manifestait nulle impatience. L'identification était une tâche qui prenait souvent du temps. Mais l'étau se resserrerait inexorablement. Un pressing, un dentiste, un médecin, une concierge... la photo du cadavre ferait le tour des commissariats et postes de police, serait reproduite dans les journaux. Tôt ou tard, on percerait à jour la véritable identité de Mr Curry.

En attendant, il y avait du pain sur la planche, et pas seulement en ce qui concernait le dossier Curry. Hardcastle travailla sans discontinuer jusqu'à 5 heures et demie de l'après-midi. Quand il consulta sa montre, il se dit que le moment était venu d'aller faire la visite qu'il avait prévue.

Le sergent Gray lui avait précisé que Sheila Webb avait déjà repris son travail à l'Agence Cavendish, qu'elle avait rendez-vous à 5 heures avec le Pr Purdy à l'hôtel *Curlew* et que, selon toute vraisemblance, elle n'en ressortirait pas avant 6 heures et demie ou 7 heures dans le meilleur des cas.

Comment s'appelait sa tante, déjà ? Lawton... Mrs Lawton. 14, Palmerston Road. Il renonça à la voiture de police et préféra effectuer le bref trajet à pied.

Palmerston Road était une rue sinistre qui avait, comme on dit, connu des jours meilleurs. Hardcastle remarqua que les maisons avaient été pour la plupart converties en appartements ou en duplex. Quand il tourna le coin, une jeune fille qui venait à sa rencontre hésita un instant. L'esprit ailleurs, l'inspecteur crut un instant qu'elle allait lui demander un renseignement. Mais quelle qu'ait été son intention, la jeune fille changea d'avis et poursuivit son chemin. Il se demanda pourquoi une idée de chaussures lui passait brusquement par la tête. Des chaussures... Non, une chaussure. Le visage de la jeune fille lui était vaguement familier. Qui cela pouvait-il bien être ? Quelqu'un qu'il avait croisé récemment... Peut-être l'avait-elle reconnu et avait-elle songé un instant à lui parler ?

Il s'arrêta une seconde, se retourna. Elle pressait le pas, maintenant. Le problème, c'est qu'elle avait un de ces visages difficiles à reconnaître à moins d'avoir une bonne raison de le faire. Un visage banal : yeux bleus, teint clair, la bouche perpétuellement entrouverte. Sa bouche. Ça aussi, cela lui rappelait quelque chose. Qu'avait-elle donc fait avec sa bouche ? Parlé ? Remis du rouge à lèvres ? Non. Hardcastle s'adressa d'amers reproches. Il se targuait d'avoir la mémoire des visages. Il disait souvent qu'il n'oubliait jamais un visage entrevu au banc des accusés ou à la barre des témoins, mais après tout, les lieux de rencontre ne se limitaient pas au tribunal. Il y avait de fortes chances pour qu'il ne se rappelle pas toutes les serveuses des restaurants où il avait dîné dans sa vie, toutes les receveuses des bus dans lesquels il avait pu monter. Il chassa cette préoccupation de son esprit.

Il était arrivé devant le n° 14. La porte était entrouverte et il y avait quatre boutons de sonnette à côté de quatre noms. Mrs Lawton, nota-t-il, avait un appartement au rez-de-chaussée. Il traversa le hall et sonna à la première porte à gauche. On tarda un peu à lui répondre. Finalement, il entendit des pas et un petit bout de femme lui ouvrit. Cheveux en bataille et enveloppée d'un tablier de cuisine, elle semblait un peu hors d'haleine. Une odeur d'oignons frits émanait du fond du corridor.

— Mrs Lawton ?

— Oui ? fit-elle en le regardant d'un air mi-agacé, mi-interrogateur.

Il lui donna 45 ans au bas mot. Elle était brune, et de type plutôt noiraud.

— Qu'est-ce que c'est ?

— Vous avez une minute ?

— C'est à quel sujet ? Je suis occupée.

Puis elle ajouta d'un ton sec :

— Vous n'êtes pas journaliste, au moins ?

— J'imagine qu'ils n'ont pas arrêté de venir vous embêter ? compatit Hardcastle.

— Comme vous dites. Et que je te sonne, et que je te frappe à la porte et que je te pose toutes sortes de questions idiotes.

— Je sais combien c'est désagréable, Mrs Lawton, et croyez bien que j'aimerais vous épargner tout ça. Je suis l'inspecteur Hardcastle, au fait, chargé de mener l'enquête sur cette affaire qui vous vaut d'être ennuyée par les journalistes. Nous aimerions mettre un frein à ces pratiques, mais, comme vous le savez, nous n'en avons pas le pouvoir. La presse a ses droits.

— C'est une honte d'embêter ainsi les gens sous prétexte qu'on doit informer le public, protesta Mrs Lawton. Tout ça pour imprimer un tissu de mensonges, comme d'habitude. Ils inventeraient n'importe quoi. Mais entrez, je vous en prie.

Elle s'effaça, l'inspecteur franchit le seuil et elle

referma derrière lui. Une ou deux lettres avaient été glissées sous la porte. Mrs Lawton voulut les ramasser mais l'inspecteur se baissa avant elle et les lui tendit après avoir jeté un coup d'œil rapide aux adresses.

— Merci.

Elle les posa sur la table de l'entrée.

— Installez-vous au salon... c'est cette porte. Je... Si vous le permettez, je reviens tout de suite, j'ai quelque chose qui bout sur le feu.

Elle battit précipitamment en retraite vers la cuisine. Hardcastle regarda les lettres de plus près. L'une était adressée à Mrs Lawton et les deux autres à miss R. S. Webb. Il entra dans la pièce qu'on lui avait indiquée. Petite, chichement meublée et assez mal tenue, il en ressortait, à l'examen, une ou deux taches de couleur et quelques objets inattendus. Une sorte de sculpture en verre aux formes abstraites, probablement du verre de Murano, deux coussins en velours de couleurs vives, un plat de terre cuite empli de coquillages exotiques. Une des deux femmes qui habitaient là était portée à l'originalité.

Mrs Lawton réapparut, encore un peu plus essoufflée que précédemment.

— Voilà, maintenant ça devrait aller, dit-elle sans grande conviction.

L'inspecteur se confondit de nouveau en excuses :

— Pardonnez-moi cette visite à une heure tardive mais il se trouve que je passais par là, et je voulais vérifier un ou deux points concernant cette affaire dans laquelle votre nièce a été malencontreusement impliquée. À propos comment va-t-elle ? Bien, j'espère ? Elle a dû être traumatisée par toute cette histoire.

— Oui, bien sûr. Quand elle est rentrée, elle était dans tous ses états. Mais, ce matin, elle se sentait beaucoup plus calme et elle a décidé d'aller travailler.

— C'est ce qu'on m'a rapporté. Je savais aussi qu'elle avait rendez-vous avec un client cet après-midi et comme je ne voulais pas l'interrompre dans sa tâche, j'ai préféré passer ici pour pouvoir bavarder tranquillement avec elle sous son toit. Elle n'est pas là ?

— Non et elle risque de ne pas rentrer de bonne heure. Elle travaille pour un certain Pr Purdy et, d'après Sheila, il a une notion du temps toute relative. Ce ne serait pas la première fois qu'il lui dirait « autant en terminer tout de suite, ça ne nous prendra pas plus de dix minutes ». Et, trois quarts d'heure après, ils y sont encore. Mais comme il est très gentil, il se répand ensuite en excuses. Il l'a même invitée une ou deux fois à rester dîner, et il semblait confus d'avoir oublié l'heure. Il n'en demeure pas moins que c'est parfois ennuyeux. Est-il quelque renseignement que je puisse vous fournir, inspecteur ? Au cas où Sheila serait retenue.

— Oh ! pas vraiment, dit l'inspecteur en souriant. Encore que nous ayons à peine pris le temps de noter les détails, l'autre jour, et que je ne sois même pas sûr d'en avoir correctement enregistré la totalité.

Il affecta de consulter ses notes :

— Voyons voir. Miss Sheila Webb... c'est son nom complet ou bien est-ce qu'elle a un deuxième prénom ? Nous sommes contraints de nous montrer précis, voyez-vous, dans les documents fournis lors de l'enquête par-devant jury.

— Cette enquête a bien lieu demain, n'est-ce pas ? Elle a reçu une convocation.

— Oui, il ne faut surtout pas que ça la tourmente, elle devra simplement raconter comment elle a découvert le cadavre.

— Vous ne savez toujours pas qui est cet homme ? s'inquiéta Mrs Lawton.

— Non, il est hélas encore un peu tôt pour connaître son identité avec certitude. Il avait une carte de visite dans sa poche et nous en avons déduit un peu trop vite qu'il était agent d'assurances. Mais il semble plus probable que cette carte lui ait été remise par un tiers. Peut-être avait-il lui-même l'intention de souscrire à une assurance.

— Oui, je comprends.

Tout cela ne semblait guère l'intéresser.

— Bien, revenons au nom de Sheila. Faut-il que je l'inscrive sous le nom de miss Sheila Webb ou de miss Sheila R. Webb ? Je ne me souviens plus de son second prénom. C'était Rosalie, je crois bien ?

— Rosemary, rectifia Mrs Lawton. Elle a été baptisée Rosemary Sheila, mais elle a toujours trouvé que Rosemary faisait un peu trop sophistiqué. En pratique, on l'a toujours appelée Sheila.

— Je comprends.

Rien dans le ton de Hardcastle ne trahissait sa satisfaction de voir une de ses intuitions se révéler exacte. Il nota également que ce prénom de Rosemary n'éveillait rien de particulier chez Mrs Lawton. Pour elle, Rosemary était simplement un prénom que sa nièce refusait de porter.

— Eh bien, voilà une bonne chose de faite, dit l'inspecteur en souriant. Si j'ai bien compris, quand votre nièce a été engagée par l'Agence Cavendish, il y a de cela dix mois environ, elle arrivait de Londres. Vous vous souvenez de la date exacte ?

— Je ne saurais dire. C'était en novembre... vers la fin novembre, je crois.

— Ça n'a pas vraiment d'importance. Avant d'entrer chez Cavendish, elle n'habitait pas avec vous ?

— Non, elle vivait à Londres.

— Avez-vous son adresse à Londres ?

— Je devrais pouvoir la retrouver.

Mrs Lawton jeta autour d'elle le regard désemparé des gens désordonnés :

— Je n'ai aucune mémoire. C'était quelque chose comme Allington Grove, du côté de Fulham Road. Elle partageait un appartement avec deux autres jeunes filles. Les appartements, à Londres, sont affreusement chers pour les jeunes.

— Vous souvenez-vous de l'établissement pour lequel elle travaillait là-bas ?

— Ça, oui. Hopgood & Trent. Ce sont des agents immobiliers, sur Fulham Road.

— Bien, voilà qui est parfaitement clair. Si j'ai bien compris, miss Webb est orpheline ?

— Oui, dit Mrs Lawton.

Elle parut mal à l'aise et détourna le regard vers la cuisine :

— Excusez-moi, j'en ai pour trente secondes.

— Je vous en prie.

Il lui ouvrit la porte et elle s'éclipsa. Il se demanda s'il avait raison d'estimer que sa dernière question l'avait gênée. Jusque-là, elle avait répondu sans réticence aucune. Il était plongé dans ses pensées quand Mrs Lawton reparut :

— Excusez-moi mais vous savez ce que c'est quand on cuisine. Enfin, maintenant nous ne devrions plus être dérangés. Avez-vous d'autres questions à me poser ? Ah ! oui, je viens de me rappeler qu'il ne s'agissait pas d'Allington Grove. C'était Carrington Grove, au n° 17.

— Merci. Je crois que je vous demandais de me confirmer que miss Webb était orpheline.

— Oui, elle est orpheline. Ses parents sont morts.

— Il y a longtemps ?

— Quand elle était enfant.

Il décela une note de défiance dans sa voix.

— Elle était la fille de votre frère ou de votre sœur ?

— De ma sœur.

— Bien. Et quelle était la profession de Mr Webb ?

Mrs Lawton marqua une pause. Elle se mordait la lèvre. Elle finit par se décider :

— Je ne sais pas.

— Vous ne le savez pas ?

— Je veux dire que je ne m'en souviens pas, c'était il y a si longtemps.

Hardcastle attendit, certain qu'elle n'en resterait pas là. Elle reprit effectivement :

— Pourrais-je vous demander ce que tout cela a à voir avec l'affaire qui vous occupe ? Quelle importance pour vous de savoir qui étaient son père et sa mère, et ce que faisait son père, et d'où il venait, et j'en passe...

— Cela n'a effectivement pas grande importance,

de votre point de vue du moins. Mais comprenez-moi, les circonstances sont assez particulières.

— Que voulez-vous dire par là ? En quoi les circonstances sont-elles assez particulières ?

— Et bien nous avons toutes les raisons de croire que si miss Webb s'est rendue dans cette maison c'est parce qu'on avait spécifié son nom à l'Agence Cavendish. Il semblerait donc que quelqu'un désirait sa présence à cet endroit-là et à cet instant précis. Peut-être quelqu'un... (Il hésita :) Quelqu'un qui lui en voulait.

— J'ai du mal à imaginer qu'on puisse en vouloir à Sheila. C'est une gentille fille. Charmante et affectueuse.

— Oui, dit Hardcastle d'une voix douce. C'est exactement l'impression que j'en ai eu moi-même.

— Et j'ai horreur d'entendre qui que ce soit insinuer le contraire, lança Mrs Lawton d'un ton agressif.

— Je vous comprends. (Hardcastle prolongea son sourire pour essayer de détendre l'atmosphère :) Mais vous devez comprendre, Mrs Lawton, que tout tend à démontrer qu'on s'est servi de votre nièce. On l'a placée dans l'œil du cyclone, comme on dit dans les films. *Quelqu'un* a délibérément choisi de la faire pénétrer dans une maison où un homme venait de mourir de mort violente. Quand vous y réfléchissez, il s'agit d'un acte particulièrement malveillant.

— Vous voulez dire... vous voulez dire que quelqu'un a essayé de faire croire que c'était Sheila qui l'avait tué ? Oh ! j'ai du mal à le croire.

— C'est effectivement difficile à concevoir, acquiesça l'inspecteur, mais je suis là pour tirer les choses au clair et je dois en avoir le cœur net. Serait-il possible, par exemple, qu'un jeune homme soit tombé amoureux de votre nièce et que, de son côté, elle n'en ait pas voulu... Il arrive que des jeunes gens acceptent terriblement mal qu'on repousse leurs avances. Pour peu qu'ils souffrent de quelque déséquilibre affectif, ils sont parfois capables d'actes de vengeance inimaginables.

114

— Je ne crois pas qu'il puisse s'agir de quoi que ce soit de ce genre, murmura Mrs Lawton, les yeux plissés sous l'effet de la concentration. Sheila a bien eu un ou deux flirts, mais rien de sérieux. Personne avec qui elle soit sortie régulièrement.

— Oui, mais quand elle vivait à Londres ? insista l'inspecteur. Après tout, je ne pense pas que vous sachiez grand-chose de ses fréquentations là-bas.

— Non, non, vous avez sans doute raison... Bah ! il va falloir que vous lui posiez la question vous-même, inspecteur. Mais je lui ai jamais entendu mentionner des ennuis avec un garçon.

— Peut-être s'agit-il d'une jalousie féminine. Pourquoi pas une des filles avec lesquelles elle partageait l'appartement ?

— Je croirais effectivement plus volontiers qu'une fille ait pu avoir envie de lui jouer un mauvais tour, convint Mrs Lawton d'un air néanmoins dubitatif. Mais de là à l'impliquer dans un meurtre...

Cette évaluation de la situation sembla très sensée à Hardcastle qui nota que Mrs Lawton était loin d'être bête. Il dit très vite :

— Je sais que tout cela peut paraître invraisemblable, mais cette affaire dans son ensemble est bel et bien invraisemblable.

— Ce ne peut être que l'œuvre d'un fou.

— Même la folie a sa logique. Le fou le plus fou a besoin d'un déclic pour passer à l'acte. Et voilà pourquoi, poursuivit Hardcastle, je vous posais des questions sur le père et la mère de Sheila Webb. Vous n'avez pas idée du nombre de fois où les motifs des actes délictueux remontent loin dans le passé. Le père et la mère de miss Webb sont morts quand elle était très jeune, elle ne peut naturellement rien m'en dire. Voilà pourquoi je fais appel à vous.

— Oui, je vois, mais...

Dans sa voix, il nota à nouveau le trouble et l'incertitude.

— Ont-ils été tués en même temps, dans un accident, ou bien alors... ?

— Non, il n'y a pas eu d'accident.

— Ils sont tous les deux morts de mort naturelle ?

— Je... euh... oui, je veux dire... en réalité, je l'ignore.

— Je suis certain que vous en savez plus que ce que vous voulez bien m'en dire, Mrs Lawton. (Il hasarda au petit bonheur :) Ils étaient peut-être... divorcés ? Séparés ?

— Non, ils n'étaient pas divorcés.

— Allons, Mrs Lawton ! Vous devez savoir... vous devez forcément savoir de quoi votre sœur est morte ?

— Je ne vois pas ce que... enfin, je ne peux pas... c'est tellement difficile. Remuer le passé... Ça n'apporte jamais rien de bon, de remuer le passé.

Le désespoir, dans ses yeux, le disputait à la perplexité.

Hardcastle lui jeta un regard pénétrant.

— Sheila serait-elle... une enfant illégitime ? l'interrogea-t-il avec une infinie douceur.

Un mélange de consternation et de soulagement se peignit aussitôt sur le visage de Mrs Lawton.

— Elle n'est pas *ma* fille, tint-elle à préciser.

— L'enfant illégitime de votre sœur, alors ?

— Oui. Mais Sheila ne le sait pas elle-même. Je ne le lui ai jamais dit. Je lui ai raconté que ses parents étaient morts très jeunes. Et voilà pourquoi... Enfin, comprenez-vous...

— Oh ! oui, très bien. Et je vous assure, à moins que l'enquête ne débouche sur une piste dans cette direction, que je ne poserai aucune question à miss Webb sur ce sujet.

— Vous garderez le secret ?

— Je vous en donne ma parole. Sauf, encore une fois, si cela avait un lien avec l'affaire, ce qui me semble improbable. J'aimerais cependant que vous me disiez tout ce que vous savez, Mrs Lawton, et je vous promets de faire de mon mieux pour que cela reste entre nous.

— Ce n'est pas de ces événements que l'on souhaite, commença lentement Mrs Lawton, et je dois vous avouer qu'à l'époque, la nouvelle m'a beaucoup perturbée. Ma sœur, voyez-vous, avait toujours été le phénix de la famille. Elle était professeur et sa carrière s'annonçait brillante. On l'estimait beaucoup et tout lui réussissait. Il ne me serait vraiment jamais venu à l'idée qu'elle...

— Eh oui, intervint l'inspecteur avec tact, c'est souvent comme ça. Mais elle a fait la connaissance de cet homme, ce Webb...

— Je n'ai même jamais su son prénom. Je ne l'ai jamais rencontré. Mais un beau jour, elle est venue tout me raconter. Qu'elle attendait un enfant et que cet individu ne pouvait pas, ou ne voulait pas — je n'ai jamais su au juste — l'épouser. Elle était ambitieuse, et si cela s'était su, elle aurait dû quitter son travail. C'est donc tout naturellement que je me suis proposée de... de l'aider.

— Et où est maintenant votre sœur, Mrs Lawton ?

— Je n'en ai aucune idée. Absolument aucune idée, dit-elle sur un ton emphatique.

— Mais elle est vivante ?

— Je le suppose.

— Vous n'êtes pas restée en contact avec elle ?

— C'est elle qui en a décidé ainsi. Elle a pensé que ce serait mieux pour elle et pour l'enfant, elle a préféré une rupture nette. Nous touchions toutes deux une petite rente qui nous venait de notre mère. Ann m'a fait transférer la sienne pour élever l'enfant. Elle a simplement précisé qu'elle continuerait à enseigner. Elle avait le projet de partir pour l'étranger dans le cadre d'un échange temporaire avec un professeur. Pour l'Australie, je crois bien. C'est tout ce que je sais, inspecteur Hardcastle, et je n'ai vraiment rien à ajouter.

Il la regarda d'un air songeur. Était-ce réellement tout ce qu'elle savait ? Difficile de répondre avec certitude à cette question. En tout cas elle ne lui en dirait pas davantage. Et il n'était après tout pas sûr qu'elle lui cache quelque chose. Du peu que Mrs Lawton avait dit de sa sœur, Hardcastle la voyait comme une forte personnalité, une battante, prompte à prendre la mouche. Du genre qui était bien décidée à ne pas gâcher sa vie pour un moment de faiblesse. Elle avait froidement arrangé l'éducation de sa fille de la façon qui lui paraissait la meilleure pour elle et pour l'enfant. À partir de là elle avait coupé les ponts pour refaire sa vie ailleurs.

Il comprenait son attitude vis-à-vis de l'enfant. Mais pas envers sa sœur.

Il suggéra d'une voix douce, pour ne pas la brusquer :

— Ne trouvez-vous pas bizarre qu'elle ne soit pas restée en contact avec vous pour savoir comment se portait l'enfant ?

Mrs Lawton secoua la tête :

— Si vous connaissiez Ann, vous ne me poseriez pas cette question. Elle a toujours pris des décisions tranchées. Et puis nous n'avions pas beaucoup d'affinités. J'étais beaucoup plus jeune qu'elle, nous avions douze ans de différence. Non, nous n'avons jamais été très proches.

— Et que pensait votre mari de cette adoption ?

— À ce moment-là, j'étais déjà veuve. Je me suis mariée très jeune et mon mari est mort à la guerre. Je tenais une petite confiserie.

— Où cela ? Pas ici, à Crowdean.

— Non. Nous vivions dans le Lincolnshire, à l'époque. Je suis venue une fois ici passer des vacances et je m'y suis tellement plu que j'ai déménagé après avoir vendu la boutique. Par la suite, quand Sheila a été un peu plus grande, j'ai commencé à travailler chez Roscoe & West, les marchands de tissus. D'ailleurs, je suis toujours employée chez eux. Ce sont des gens très sympathiques.

— Eh bien, Mrs Lawton, je vous remercie pour votre franchise, dit Hardcastle en se levant.

— Vous ne soufflerez mot de rien à Sheila ?

— Non, à moins que cela ne soit absolument nécessaire, c'est-à-dire s'il était prouvé que les causes du meurtre du 19, Wilbraham Crescent remontent à cette époque. Ce qui me paraît peu vraisemblable.

Il sortit de sa poche la photo qu'il avait fait voir à tellement de monde et la tendit à Mrs Lawton :

— Avez-vous une idée de l'identité de cet homme ?

— Ils me l'ont déjà montrée, dit Mrs Lawton. (Elle la réexamina néanmoins avec attention.) Non, conclut-elle. Non, je suis absolument certaine de n'avoir jamais rencontré cet homme. Il n'est sûrement pas d'ici ou alors je m'en souviendrais. Bien sûr...

Elle se concentra encore sur la photo, resta un instant silencieuse et ajouta de façon inattendue :

— Il m'a tout l'air d'avoir été un homme de bien, oui, un « monsieur », vous ne trouvez pas ?

Le terme employé était un peu démodé mais venait très naturellement aux lèvres de Mrs Lawton. « Élevée à la campagne », songea-t-il. « Dans les trous perdus, on parle encore comme ça. » À son tour, il regarda la photo et s'aperçut, un peu surpris, qu'il n'avait jamais envisagé la victime sous cet angle. Un homme de bien, Curry ? Jusqu'à présent, il s'était persuadé du contraire. Manœuvre inconsciente ou conviction établie à partir de la carte de visite avec un faux nom et une fausse adresse trouvée dans sa poche ? Mais finalement l'explication qu'il venait de fournir à Mrs Lawton était peut-être la bonne : un pseudo-agent d'assurances aurait fourré cette fausse carte dans la poche du cadavre. Si c'était vrai — il ressentit un pincement au cœur —, cela rendait l'affaire encore plus complexe. Il consulta à nouveau sa montre :

— Je ne vais pas vous empêcher plus longtemps de préparer votre souper. Puisque votre nièce n'est pas encore rentrée...

Mrs Lawton consulta la pendule sur la cheminée.

« Dieu merci, une pendule seulement dans cette pièce », se dit l'inspecteur.

— Oui, elle est en retard, constata-t-elle. C'est même étonnant. Heureusement qu'Edna ne l'a pas attendue.

» C'est une de ses collègues de bureau, ajouta-t-elle devant le visage perplexe de Hardcastle. Elle était venue pour voir Sheila, elle l'a attendue un peu et puis elle est repartie parce qu'elle avait un rendez-vous. Elle a dit qu'elle la verrait demain.

La lumière se fit dans l'esprit de l'inspecteur. La fille qu'il avait croisée dans la rue ! Voilà pourquoi elle était associée dans son esprit à des chaussures. Mais oui, la fille qui l'avait reçu au siège de l'Agence Cavendish. En sortant du bureau de miss Martindale, il l'avait surprise avec un talon aiguille à la main, en train de se demander avec désespoir comment elle allait rentrer chez elle sur un pied. Il se rappe-lait maintenant une fille assez indéfinissable, pas très attirante, et qui suçait sans arrêt des bonbons. En le croisant, elle l'avait reconnu. Lui pas. Il se demanda vaguement ce qu'elle lui voulait. Lui expli-quer pourquoi elle se rendait chez Sheila Webb ? À moins qu'elle ne se soit attendue à ce qu'il lui dise quelque chose ?

— C'est une amie intime de votre nièce ? demanda-t-il.

— Non, pas particulièrement. Elles travaillent dans le même bureau, rien de plus. C'est une fille assez terne, pas très intelligente. Sheila et elle ne se fréquentent pas beaucoup. En vérité, je me demande bien pourquoi elle tenait tellement à voir Sheila ce soir. Elle m'a dit qu'il y avait quelque chose qu'elle ne comprenait pas et qu'elle voulait en parler à Sheila.

— A-t-elle précisé de quoi il s'agissait ?

— Non, elle a ajouté que ça pouvait attendre et que ça n'avait pas d'importance.

— Je vois. Bien, je vous laisse.

— C'est bizarre, murmura Mrs Lawton, que Sheila n'ait pas téléphoné. Quand elle est retenue par le professeur et qu'elle dîne avec lui, elle ne manque pas de me passer un coup de fil. Elle va certainement rentrer d'un moment à l'autre. Il y a parfois la queue pour prendre l'autobus et l'hôtel *Curlew* est à l'autre bout de l'Esplanade. Désirez-vous laisser un message pour Sheila ?

— Non, ce n'est pas la peine, dit l'inspecteur. (Sur

le seuil, il interrogea :) À propos, Rosemary et Sheila, les prénoms de votre nièce, qui les a choisis ? Votre sœur ou vous ?

— Sheila était le nom de notre mère. Rosemary a été choisi par ma sœur. Drôle de nom, en vérité. Très fantaisiste et romantique. Or, ma sœur n'était ni fantaisiste ni sentimentale.

— Sur ce, bonsoir, Mrs Lawton.

— Rosemary... marmonna tout bas l'inspecteur en sortant dans la rue. Hum... Rosemary, romarin... « Du romarin, c'est pour le souvenir », ajouta-t-il, citant ses classiques.

Un souvenir romantique ? À moins, bien au contraire, qu'il ne s'agisse de tout autre chose...

13

RÉCIT DE COLIN LAMB

Je remontai Charing Cross Road et bifurquai dans cet entrelacs de rues qui serpentent entre New Oxford Street et Covent Garden. On trouve là toutes sortes de boutiques hétéroclites : magasins d'antiquités, clinique de poupées, magasin de chaussons de danse et épiceries fines approvisionnées en produits étrangers.

Je résistai aux sortilèges de la clinique de poupées avec son choix infini d'yeux bleus et bruns de rechange et atteignis enfin mon objectif. Il s'agissait d'une petite librairie poussiéreuse dans une ruelle étroite juste à côté du British Museum. Les habituels éventaires étaient disposés à l'extérieur. S'y entassaient pêle-mêle vieux romans, manuels anciens, ouvrages de bric et de broc étiquetés 3 pence, 6 pence, 1 shilling, et parfois même le dessus du panier : des livres auxquels ne manquait pas une page ou dont la reliure était intacte.

Je me glissai de biais par la porte. S'y glisser de biais était impératif car les livres, entassés de façon précaire, empiétaient chaque jour un peu davantage sur l'allée centrale. Une fois à l'intérieur, on comprenait tout de suite que c'était l'imprimé qui régnait sur la boutique et non l'inverse. Se multipliant un peu partout et sans aucun contrôle apparent, les ouvrages avaient pris possession de leur habitat et profité de l'absence d'une main ferme qui, seule, aurait pu mettre le holà à cette reproduction sauvage. La distance d'un rayonnage à l'autre était si étroite que la librairie en devenait difficilement praticable. Les livres s'empilaient en équilibre précaire sur les tables et les étagères. Acculé dans un recoin, un vieillard au visage de poisson-lune et au chapeau de rapin était recroquevillé sur un tabouret. S'il avait autrefois tenté de faire barrage à cet océan de papier, la marée avait manifestement gagné la partie. Et n'ayant su ordonner aux flots de se retirer, force avait été à cet infortuné roi Canut de la galaxie Gutenberg de faire contre mauvaise fortune bon cœur. Il s'agissait de Mr Solomon, propriétaire des lieux. Il me reconnut, ses yeux globuleux s'éclairèrent un instant et il hocha la tête.

— Vous avez quelque chose pour moi ? lui demandai-je.

— Montez voir vous-même, Mr Lamb. Vous vous intéressez toujours à la documentation sur les algues et la flore sous-marine ?

— C'est cela même.

— Eh bien, vous savez où ça se trouve. Biologie marine, fossiles, Antarctique — deuxième étage. J'ai reçu un colis avant-hier. J'ai commencé à le déballer mais je n'ai pas encore tout classé. Vous trouverez ça là-haut dans un coin.

Je hochai la tête et me faufilai vers un petit escalier crasseux autant que branlant, au fond de la boutique. Au premier étage — celui de l'Orientalisme, des livres d'art, de médecine, et des classiques français —, se trouvait un petit cabinet délimité par des rideaux. Inconnu des clients ordinaires mais accessible aux experts, on y arrachait au sommeil les ouvrages dits « curieux », voire même « singuliers ». Je le laissai sur ma gauche et montai au second.

Là des livres d'archéologie, d'histoire naturelle, et autres matières scientifiques et respectables étaient vaguement classés par sujets. Je me frayai un chemin au milieu des pasteurs, des étudiants et des colonels à la retraite, tournai à l'angle d'un rayonnage, enjambai des ouvrages encore à moitié empaquetés et tombai sur deux étudiants de sexe opposé perdus dans une étreinte qui les isolait du reste du monde. Mon irruption les laissa pantelants.

— Excusez-moi, leur dis-je en les écartant d'une main ferme.

Puis je soulevai un rideau qui masquait une porte, pris une clef dans ma poche, la glissai dans la serrure et entrai dans une sorte d'antichambre aux murs fraîchement repeints et ornés de lithographies à la gloire du bétail des Highlands. Face à moi, une seconde porte se dressait, avec un heurtoir en cuivre soigneusement astiqué. Je l'actionnai discrètement et une vieille dame vint m'ouvrir. Cheveux gris, nez chaussé de lunettes d'un genre particulièrement démodé, elle portait une jupe noire et un chemisier à rayures vert menthe assez inattendu.

— Ah ! vous voilà, me lança-t-elle d'entrée de jeu. Il parlait de vous pas plus tard qu'hier. Il n'est pas content du tout.

Elle secoua la tête avec des mines de bonne d'enfants déçue par le garnement dont elle a la garde :

— Il va falloir vous amender et obtenir des résultats.

— Oh ! lâchez-moi les basques, Nounou.

— Et cessez de m'appeler Nounou, grinça la digne personne. C'est de l'impertinence. Je vous l'ai déjà dit cent fois.

— C'est votre faute, protestai-je. Vous n'avez qu'à pas me parler comme à un gamin.

— Ça viendra quand vous vous comporterez en

adulte. En attendant, vous feriez mieux d'aller vous expliquer.

Elle décrocha le téléphone placé sur son bureau et enclencha une touche :

— Mr Lamb. Oui, je vous l'envoie.

Elle raccrocha et me fit un signe du menton.

Je franchis la porte à l'autre bout de l'antichambre et pénétrai dans une pièce tellement enfumée qu'on n'y voyait goutte. Après que mes yeux irrités se furent accoutumés à la fumée de cigare, j'avisai mon chef, spécimen humain d'éléphantesques proportions vautré dans un vieux fauteuil à oreillettes déglingué dont l'accoudoir était équipé d'un pupitre de lecture monté sur pivot.

Le colonel Beck ôta ses bésicles, repoussa le pupitre sur lequel était posé un imposant volume relié et me toisa d'un air réprobateur :

— Ah ! Vous voilà enfin.

— Oui, monsieur, articulai-je.

— Du nouveau ?

— Non, monsieur.

— Ah ! Eh bien, ça ne peut pas continuer comme ça, Colin, mon garçon, vous m'entendez ? Ça ne peut pas continuer comme ça. Des Croissants, je vous demande un peu !

— Je m'obstine à penser...

— D'accord. Vous vous obstinez à penser. Mais nous ne pouvons pas attendre jusqu'à ce que mort s'ensuive que vous ayez fini de penser.

— Bien sûr, balbutiai-je, je reconnais qu'il ne s'agissait que d'une intuition...

— Rien de tel que suivre ses intuitions, décréta le colonel Beck.

C'était la contradiction faite homme :

— Nos résultats les plus spectaculaires, c'est grâce à l'intuition que nous les avons obtenus. Seulement il se trouve que la vôtre ne mène à rien. Vous en avez terminé avec les pubs ?

— Oui, monsieur. Comme je vous l'ai dit, j'ai commencé à répertorier les Croissants. J'entends par là les maisons dans les « Crescents ».

— Je n'imaginais pas un instant que vous écumiez les boulangeries à la recherche de croissants français. Encore qu'à bien y songer, pourquoi pas. Certains gougnafiers se haussent du col jusqu'à produire des croissants français qui n'en sont pas. Ils les surgèlent, de nos jours, comme tout le reste. C'est la raison pour laquelle plus rien aujourd'hui n'a de goût.

J'attendais de voir si le cher vieux débris allait continuer longtemps sur ce sujet qui lui soutirait d'ordinaire des trésors d'éloquence. Mais, devinant que je le guettais au tournant, le colonel Beck passa à autre chose :

— Vous avez fini d'écumer la région ?

— Presque.

— Vous avez encore besoin de temps, c'est ça ?

— J'ai besoin de temps, c'est exact. Mais pas pour pousser dans l'immédiat les investigations ailleurs. Il s'est produit un événement qui pourrait peut-être — j'ai bien dit *peut-être* — nous mettre sur la voie.

— Arrêtez de tourner autour du pot. Aux faits !

— Sujet d'investigation : Wilbraham Crescent.

— Et vous vous y êtes cassé le nez ! Ou bien je me trompe ?

— Je n'en suis pas sûr.

— Précisez, mon petit, précisez.

— Coïncidence ou pas, un homme a été assassiné à Wilbraham Crescent...

— Qui ça ?

— Il n'a pas encore été identifié. Il avait bien une carte avec un nom et une adresse dans sa poche mais c'étaient des faux.

— Hmm... Oui... Joli début. Prometteur. Cela se raccorde-t-il ?

— Pas que je sois parvenu à le déterminer, monsieur. Pourtant...

— Je sais, je sais. Pourtant... Bon, vous êtes venu me voir pourquoi ? Pour que je vous accorde la permission de continuer à fouiner dans Wilbraham Crescent, quel que soit l'endroit où puisse se situer ce croissant au nom absurde ?

— Il se trouve au cœur d'une petite ville du nom de Crowdean. À 15 km de Portlebury.

— D'accord, d'accord. Un endroit épatant. Mais qu'est-ce que vous faites ici ? Venir me demander une autorisation ne vous ressemble pas. Vous n'en faites d'ordinaire qu'à votre tête... à votre fichue tête de cochon.

— C'est exact, monsieur, force m'est de le reconnaître.

— Bon, alors, de quoi s'agit-il ?

— Il y a quelques personnes dont j'aimerais connaître les antécédents.

Le colonel Beck poussa un soupir, tira à lui le pupitre pivotant, prit un stylo-bille dans sa poche, souffla dessus et leva les yeux :

— Oui ?

— La maison s'appelle « Le Logis de Diane ». Il s'agit en fait du 20, Wilbraham Crescent. Y vivent une Mrs Hemming et une bonne douzaine et demie de chats.

— Diane ? Hmm ! se pourlécha le colonel Beck. La déesse de la Lune ! Le Logis de Diane... Bien. Que fait-elle, cette Mrs Hemming ?

— Rien, précisai-je. Elle se consacre à ses chats.

— Une sacrée bonne couverture, dites-moi, commenta Beck d'un air gourmand. Ça pourrait bien être une piste. Autre chose ?

— Oui. Mr Ramsey. Il vit au 62, Wilbraham Crescent. Se prétend ingénieur des travaux publics. Et va beaucoup à l'étranger.

— Ah ! voilà qui me plaît beaucoup ! Vraiment beaucoup ! Vous voulez quelques renseignements sur son compte ? Accordé.

— Il a une femme, ajoutai-je. Une femme charmante. Et deux enfants intenables... des garçons.

— Bah ! ce n'est pas incompatible, estima le colonel. Il y a des précédents. Vous vous souvenez de Pendleton ? Il avait une femme et des enfants. Ravissante, sa femme. Et la créature la plus totalement stupide qu'il m'ait jamais été donné de rencontrer. Elle croyait dur comme fer que son mari était un respectable spécialiste en livres orientaux. Maintenant que j'y pense, Pendleton avait aussi une épouse allemande, qui lui avait donné quelques filles. Il avait également convolé en justes noces avec une Suissesse. Je ne sais pas au juste à quoi ses femmes lui servaient : camouflage ou incontinence sexuelle ? Il soutenait bien évidemment que c'était pour les besoins de la cause. Pour en revenir à vous, vous désirez des informations sur Mrs Ramsay. Quoi d'autre ?

— J'hésite. Il y a un couple au 63. Un professeur à la retraite. Mr McNaughton. Écossais. Âgé. Passe son temps à jardiner. Aucune raison de penser que sa femme et lui ne sont pas blanc-bleu, mais bon...

— Très bien. Nous vérifierons. Ils vont faire un petit tour par la machine juste pour le cas où. Mais qui sont tous ces gens, à propos ?

— Ce sont des voisins dont les jardins jouxtent ou à tout le moins touchent par un bout le jardin de la maison où le crime a été commis.

— On dirait une devinette de la méthode Machin-chouette pour l'apprentissage des langues : « Où est le cadavre de mon oncle ? — Dans le jardin du cousin de ma tante. » Mais parlez-moi du n° 19 proprement dit.

— Il est occupé par une aveugle anciennement professeur de lycée qui travaille dans un institut pour non-voyants. La police locale m'a donné un rapport complet sur elle.

— Elle vit seule ?

— Oui.

— Et quelle est votre opinion sur tous ces gens du voisinage ?

— M'est avis, dis-je, que si un meurtre était commis par l'un des proches voisins dans l'une des maisons que je vous ai mentionnées, il serait très facile — encore qu'un peu risqué — de transporter le cadavre jusqu'au n° 19 à condition de bien choisir son moment. Notez qu'il s'agit là d'une simple éventualité. D'autre part, j'aimerais vous montrer... *ceci.*

Beck prit la pièce oxydée que je lui tendais.

127

— Un haller tchèque ? Où l'avez-vous trouvé ?

— Je n'y suis pour rien, mais il a été découvert dans le jardin du n° 19.

— Intéressant. Votre obsession des croissants et autres nouvelles lunes finira peut-être un jour par nous mener quelque part. Il y a un pub, le *Clair de Lune*, dans la rue parallèle à celle-ci, ajouta-t-il d'un air songeur. Pourquoi n'iriez-vous pas y jeter un coup d'œil ?

— C'est déjà fait.

— Vous avez décidément réponse à tout, fit remarquer le colonel Beck. Un cigare ?

Je secouai la tête :

— Pardonnez-moi, mais je n'ai pas le temps aujourd'hui.

— Vous retournez à Crowdean ?

— Oui, je dois assister à l'enquête du coroner.

— Elle sera ajournée. Vous êtes sûr que vous ne poursuivez pas une fille de Crowdean de vos assiduités ?

— Alors là, pas du tout, répondis-je sèchement.

Le colonel Beck émit un gloussement aussi joyeux qu'inattendu :

— Faites attention où vous mettez les pieds, mon garçon ! Voilà que le désir sexuel relève encore une fois son front hideux. Cela fait combien de temps que vous la connaissez ?

— Il n'y a rien de... enfin, bon... il y a effectivement la fille qui a découvert le corps.

— Et qu'a-t-elle fait quand elle l'a découvert ?

— Elle s'est mise à hurler.

— Pas mal. Pas mal du tout. Après quoi elle s'est précipitée sur vous comme la pauvreté sur le monde, a sangloté sur votre épaule et vous a tout raconté. C'est ça ?

— Je ne vois pas de quoi vous voulez parler, dis-je d'un ton glacial. Tenez, jetez un coup d'œil à ces photos.

Je lui tendis quelques-uns des clichés pris par la police.

— Qui est-ce ? s'enquit le colonel Beck.

— Le cadavre.

— Dix contre un que cette fille qui vous plaît tant est l'assassin. Cette histoire m'a tout l'air de sentir très mauvais.

— Vous ne l'avez pas entendue, protestai-je. Je ne vous l'ai pas encore racontée !

— Inutile, trancha le colonel Beck en agitant son cigare. Allez à votre enquête judiciaire, mon garçon, et tenez cette fille à l'œil. Est-ce que par hasard elle ne s'appellerait pas Diane ? Ou Artémise ? N'aurait-elle pas un je ne sais quoi de croissantesque ou de lunaire ?

— Pas du tout.

— N'oubliez jamais que cela pourrait cependant bien être le cas.

14

RÉCIT DE COLIN LAMB

Cela faisait pas mal de temps déjà que je ne m'étais rendu à Whitehaven Mansions. Il y a quelques années, cet immeuble flambant neuf était considéré comme l'un des plus imposants de la ville. Il était maintenant de part et d'autre flanqué de buildings encore plus modernes et impressionnants. En traversant le hall, je remarquai qu'on avait tenté de lui faire subir une cure de jouvence. Les murs étaient fraîchement repeints dans des tonalités pastel à dominante jaune et verte.

Je pris l'ascenseur et sonnai à la porte n° 203. Laquelle me fut ouverte par l'impeccable George, le plus stylé des valets de chambre. Dès qu'il me reconnut, son visage s'éclaira :

— Mr Colin ! Cela fait bien longtemps qu'on ne vous avait vu.

— Oui, je sais. Comment allez-vous, George ?

— Ma santé est fort bonne, monsieur, je me plais à le reconnaître.

Je baissai la voix :

— Et lui, comment va-t-il ?

George m'imita, encore que cela n'ait pas été nécessaire car son ton était toujours discrètement feutré :

— Je crains, monsieur, qu'il ne soit parfois un peu déprimé.

Je hochai la tête d'un air compatissant.

— Si vous voulez bien me suivre, monsieur.

Il prit mon chapeau.

— Annoncez-moi sous le nom de Colin Lamb, s'il vous plaît.

— Bien, monsieur.

Il ouvrit la porte du salon et annonça d'une voix claire :

— Mr Colin Lamb, qui est venu voir Monsieur.

Puis il s'effaça pour me laisser passer et je pénétrai dans la pièce.

Mon ami Hercule Poirot, selon son immuable habitude, était assis bien droit dans son grand fauteuil cubique devant la cheminée. Je remarquai qu'une des rampes du radiateur électrique rectangulaire rougeoyait déjà. Nous n'étions encore qu'en septembre, il faisait chaud, mais Poirot était le tout premier à pressentir les vents coulis annonciateurs de l'automne et à prendre ses précautions en conséquence. De part et d'autre de son fauteuil se dressait une pile de livres au carré. Sans compter ceux qui étaient posés sur la petite table à sa gauche. Il tenait une tasse fumante à la main : très certainement de la tisane. Il adorait les tisanes et insistait toujours pour que j'en prenne. Mais je les trouvais à vomir et d'une odeur insoutenable.

— Restez assis, lui dis-je, mais il s'était déjà levé.

Il s'avança vers moi, les pieds emprisonnés dans ses éternelles bottines vernies noires et me tendit les bras :

— Aaah ! ainsi c'est *vous*, c'est bien *vous*, mon très cher ami ! Mon jeune ami Colin ! Mais pourquoi vous faire appeler Lamb ? Qu'est-ce que cet Agneau vient faire entre nous ? Laissez-moi réfléchir... *Le Mouton qui voulait se faire passer pour Agneau*. Non, ce n'est pas cela. Cette fable-là concerne les vieilles coquettes qui essaient de se rajeunir. Cela ne peut en rien vous concerner. Aaah ! j'y suis. *Le Loup déguisé en Agneau !* J'ai vu juste ?

— Pas du tout, affirmai-je. Simplement, vu la carrière que j'ai choisie, j'ai estimé qu'il valait mieux éviter d'utiliser mon nom qui ramènerait inévitablement à mon père. D'où ce Lamb. Court. Simple. Facile à mémoriser. Convenant, je m'en flatte, à mon heureuse personnalité.

— Sur ce dernier point, on ne saurait jurer de rien, répliqua Poirot. Mais comment se porte cet excellent ami qu'est pour moi votre cher père ?

— Le vieux est en pleine forme. Très occupé à planter des roses trémières — à moins qu'il ne s'agisse de chrysanthèmes. Les saisons se courent après, si vite que je ne sais jamais dans laquelle on se trouve.

— Donc il s'occupe en jardinant.

— Il semblerait qu'à la fin, on en passe tous par là.

— Pas moi, décréta Hercule Poirot. Il fut un temps fort bref où j'ai cultivé des courges... eh bien, on ne m'y reprendra jamais plus. Quand on veut les plus belles des fleurs, pourquoi ne pas se rendre tout bonnement chez le fleuriste ? Mais je croyais que ce cher superintendant comptait écrire ses mémoires ?

— Il a commencé, dis-je, mais quand il s'est rendu compte qu'il était obligé d'en censurer la moitié, il a trouvé que cela ne présentait plus grand intérêt.

— La discrétion est souvent de rigueur, en effet, déplora Poirot. Et c'est bien dommage, parce qu'il aurait eu des choses intéressantes à raconter. Je l'ai toujours beaucoup admiré. Ses méthodes de travail me fascinaient. Il allait droit au but et avait poussé l'art de la simplicité à un degré rarement atteint. Quand il tendait un piège, c'était toujours cousu de fil blanc. Le gibier se disait « c'est trop énorme, ça ne prend pas »... et se précipitait droit dedans !

— Je sais qu'il n'est pas à la mode aujourd'hui d'admirer ses père et mère, dis-je en riant. Tout fils qui se respecte se doit de tremper sa plume dans le vitriol, de recenser toutes les horreurs possibles et imaginables sur le compte de ses géniteurs et de coucher le tout sur le papier avec délectation. Mais j'ai personnellement une énorme admiration pour mon vieux paternel. Et j'espère bien arriver un jour à l'égaler. Encore que nos secteurs d'activité soient assez différenciés.

— Mais connexes ! se récria Poirot. Si lui a travaillé sur le devant de la scène, vous œuvrez en coulisses. Les liens sont donc étroits. (Il toussota :) J'imagine que je dois vous féliciter pour le succès spectaculaire que vous avez récemment remporté. Car l'affaire Larkin, c'est bien vous, n'est-ce pas ?

— Les premiers résultats ne sont pas trop mauvais. Mais il y a encore beaucoup à faire pour que le dossier soit proprement ficelé. Cela dit, ce n'est pas de ça que je suis venu vous parler aujourd'hui.

— Bien sûr, bien sûr, susurra aussitôt Poirot.

Il me désigna un siège et me proposa de la tisane que je refusai sur-le-champ. George entra au moment opportun avec un carafon de whisky, un verre et un siphon qu'il posa sur la table à portée de ma main.

— À propos, que faites-vous de votre temps en ce moment ? demandai-je à Poirot. (Je jetai un coup d'œil aux piles d'ouvrages qui l'environnaient :) Vous vous livrez à des recherches ?

Poirot soupira :

— Si l'on veut, oui. D'une certaine façon, cela définit assez bien ce à quoi je m'occupe. J'ai récemment éprouvé le besoin impérieux de résoudre une énigme. Et peu m'importait sa nature. Un problème comme s'en posait ce bon Sherlock Holmes, par exemple, avec la vitesse à laquelle le persil s'enfonce dans le beurre maître d'hôtel. Ce qu'il me fallait, en bref, c'est que problème il y ait. Moi, ce ne sont pas mes muscles que j'ai besoin d'entretenir, mais bien mes petites cellules grises.

— Histoire de rester dans le bain, je comprends très bien.

— Seulement les problèmes, mon tout bon, encore faut-il les rencontrer. Il est vrai que, jeudi, j'ai eu la bonne fortune d'en voir surgir un. L'apparition inattendue de trois pelures d'orange séchées dans mon porte-parapluies. Comment étaient-elles arrivées là ? Mystère. Moi-même, je ne mange jamais d'oranges. J'imagine mal George allant déposer des pelures dans le porte-parapluies. Ni un visiteur débarquant ici avec ses trois pelures d'orange. Oui, c'était une véritable énigme.

— Mais vous l'avez résolue.

— Je l'ai résolue, en effet, confirma Poirot.

Il avait prononcé ces mots avec plus de mélancolie que de fierté :

— Ce n'était, au bout du compte, pas très fascinant. Notre femme de ménage habituelle était partie en vacances et sa remplaçante, contrevenant ainsi aux instructions, avait amené son fils avec elle. Cela n'a l'air de rien, mais il m'a fallu détecter de façon assez pointue toute une série de mensonges, dissimulations et j'en passe... Disons que la solution était satisfaisante mais le problème un peu trivial.

— Et ça vous a laissé sur votre faim.

— Hé, oui, geignit Poirot. Sans vouloir paraître vaniteux, j'ai toujours regretté d'avoir à utiliser une épée pour couper une ficelle.

Je hochai la tête d'un air solennel.

— Ces derniers jours, poursuivit Poirot, j'ai réfléchi à des énigmes dont nul n'a encore trouvé la solution et j'y ai appliqué mes propres méthodes.

— Vous voulez parler d'affaires célèbres du type Charles Bravo, Adelaïde Bartlett, etc.

— Voilà. Mais d'une certaine façon, c'était trop facile. Pour moi, l'auteur du meurtre de Charles Bravo ne fait aucun doute. Sa compagne était peut-être impliquée, mais elle n'était certainement pas la tête pensante du complot. Et puis il y a le cas de

Constance Kent, cette malheureuse adolescente. Le motif qui l'a poussée à étrangler son petit frère, qu'elle aimait beaucoup par ailleurs, est toujours resté un mystère. Sauf pour moi. J'ai compris toute l'affaire au seul énoncé du problème. Quant à Lizzie Borden, on aimerait bien pouvoir poser quelques questions supplémentaires à certaines personnes impliquées dans ce meurtre. Je suis à peu près sûr de connaître leurs réponses. Hélas, tout le monde est mort à l'heure actuelle.

Je me fis une fois de plus la réflexion que la modestie n'était décidément pas le fort d'Hercule Poirot.

— Et qu'ai-je fait ensuite ? m'interrogea le cher homme.

Je subodorai que ses interlocuteurs n'avaient pas dû être légion ces derniers temps et qu'il avait pris l'habitude de faire les demandes et les réponses et de s'écouter parler :

— Lassé de la réalité, je suis passé à la fiction. Vous me voyez ici avec, à ma droite et à ma gauche, différents exemples de fiction policière. J'ai commencé mon étude en remontant dans le passé. Ceci... (Il prit le volume qu'il avait posé sur l'accoudoir de son fauteuil lorsque j'étais entré :) Ceci, mon cher Colin, fit-il en me tendant l'ouvrage, c'est *Le Crime de la 5ᵉ Avenue*.

— Là, pour ce qui est de remonter dans le passé, commentai-je, vous n'y êtes pas allé de main morte. Il me semble bien avoir entendu mon père mentionner qu'il avait lu ça quand il était tout gosse. J'ai moi-même dû le lire je ne sais quand. Aujourd'hui, ça doit faire passablement daté.

— C'est admirable ! protesta Poirot. On savoure l'atmosphère de l'époque, on admire les ressorts du mélodrame exploités sans complexe. Ah ! ces somptueuses descriptions de la blondeur éblouissante d'Eleanor, la beauté crépusculaire de Mary !

— Il faudra que je le relise. J'ai oublié tous ces portraits de jolies filles.

— Et la servante Hannah, plus vraie que nature...

134

et le personnage du meurtrier, une excellente étude psychologique !

Je compris que j'étais bon pour une conférence et m'installai en conséquence.

— Passons maintenant aux *Aventures d'Arsène Lupin*. On entre là dans le domaine de la fantaisie pure, on n'y croit pas une seconde, non, mais quelle vitalité, quelle force, quel entrain ! L'absurdité des situations renforce le panache du personnage. Et quel humour, par-dessus le marché !

Il reposa *Les Aventures d'Arsène Lupin* et se saisit d'un autre livre :

— Ah ! *Le Mystère de la Chambre Jaune*. Voilà ce que j'appellerai un *classique* ! J'y adhère totalement, du début jusqu'à la fin. La logique en est irréprochable. L'intrigue a été critiquée à l'époque, je m'en souviens, on l'a taxée de malhonnêteté. Mais il n'y a pas tricherie, mon cher Colin, non, non, pas du tout. On la frise peut-être bien de fort peu, mais on l'évite. La vérité est là tout au long du livre, magistralement dissimulée derrière des mots choisis avec un art extrême. On devrait tout comprendre à l'instant suprême où les hommes se rencontrent au point d'intersection des trois corridors.

Il reposa le livre avec révérence :

— En conclusion, un chef-d'œuvre, quasiment oublié de nos jours, me semble-t-il.

Poirot sauta une vingtaine d'années pour se pencher sur des auteurs plus récents :

— J'ai également lu certains des premiers ouvrages de Mrs Ariadne Oliver. Il se trouve qu'elle est de mes amies, et la vôtre aussi, je crois bien. Je suis cependant loin d'approuver globalement son œuvre. Les événements y relèvent parfois de l'improbable. Elle joue en outre un peu trop des coïncidences. Et elle a commis une erreur de jeunesse en faisant de son détective un Finlandais alors qu'il est clair qu'elle ne connaît strictement rien à la Finlande et aux Finlandais — sauf, à la rigueur, la musique de Sibelius. Mais bon, elle a un tour d'esprit original, il lui arrive parfois de faire des déductions astucieuses et elle a, ces dernières années, beaucoup appris sur des sujets qu'elle maîtrisait mal. La procédure policière, par exemple. Et les armes à feu, au sujet desquelles elle devient un peu plus crédible. D'autre part, elle s'est sans doute liée d'amitié avec un avocat ou un juge car elle a fait des progrès en matière de droit, là où le bât blessait le plus.

Il repoussa Mrs Ariadne Oliver et prit un autre livre :

— Voici Mr Cyril Quain. Ah ! c'est un maître de l'alibi, ce Mr Quain.

— Si ma mémoire est bonne, il est ennuyeux à périr.

— Je vous accorde, me concéda Poirot, que ce qui se passe dans ses romans n'a rien de bien exaltant. Il y a un cadavre, cela va de soi. À l'occasion, plusieurs. Mais ce qui prime toujours, c'est l'alibi, l'horaire des trains, les trajets d'autocar, l'enchevêtrement des routes de campagne et autres chemins vicinaux. J'avoue m'amuser à cet emploi maniaque de l'alibi. Rien ne me divertit plus que de prendre Mr Cyril Quain en défaut.

— Et je suppose que vous y parvenez à tous les coups.

Poirot fit preuve d'honnêteté.

— Non, reconnut-il. Non, pas toujours. Bien sûr, au bout d'un certain temps, on se rend compte que chaque nouveau roman est plus ou moins calqué sur le précédent. Sans être tout à fait les mêmes, les alibis s'y ressemblent néanmoins étrangement. Vous savez, Colin, mon très cher, lorsque j'imagine ce Cyril Quain à son bureau, je me le représente fumant la pipe comme on le voit faire sur toutes ses photos, avec autour de lui l'indicateur des chemins de fer, les horaires d'avion, les brochures de location de voiture, bref tous les horaires possibles et imaginables. Même ceux des transatlantiques. Vous me rétorquerez ce que vous voudrez, Colin, mais voilà un homme qui travaille avec ordre et méthode.

Il reposa Mr Quain et se saisit d'un autre ouvrage :

— Nous en arrivons maintenant à Mr Garry

Gregson, un prodigieux auteur de romans policiers. Il en a, semble-t-il, écrit soixante-quatre au bas mot. Il se situe à l'extrême opposé de Mr Quain. Si dans les livres de Mr Quain il ne se passe pas grand-chose, dans ceux de Garry Gregson, au contraire, les événements se bousculent. De façon aussi peu plausible que faire se peut et dans la plus absolue confusion. Tout cela très haut en couleur. Du mélodrame mené tambour battant. Sang au litre, cadavres, indices et frissons comme s'il en pleuvait. Le tout passablement glauque et n'ayant que peu à voir avec la réalité quotidienne. Pas vraiment ma tasse de thé, comme vous dites, vous autres Anglais. Il n'a d'ailleurs rien à voir avec une tasse de thé. Il évoquerait plutôt ces ignobles cocktails américains dont le moindre des composants est éminemment suspect.

Poirot marqua une pause, poussa un soupir et reprit son exposé :

— La liaison étant ainsi faite, tournons-nous vers les États-Unis.

Il s'empara d'un livre de la pile de gauche :

— Florence Elk, tiens. Nous y trouvons de l'ordre, de la méthode et des événements pittoresques, mais tout à fait bien amenés. C'est à la fois vivant et enlevé. Elle a de l'esprit, cette dame, encore qu'elle soit, comme la plupart des écrivains américains, un peu trop obsédée par la boisson. Moi-même, comme vous ne l'ignorez d'ailleurs pas, mon tout bon, je suis connaisseur en vin. Et je trouve fort plaisant qu'on introduise dans une histoire un bordeaux ou un bourgogne pour peu qu'ils soient accompagnés de précisions sur leur cru et de leur millésime dûment authentifié. En revanche la quantité de rye et de bourbon qu'ingurgite le détective à chaque page d'un roman policier américain me semble dénuée du moindre intérêt. Qu'il en avale une « pinte » ou une « demi-pinte » sortie du tiroir supérieur du tiroir censé abriter ses faux cols ne me paraît pas de nature à affecter le cours de l'action. Ce leitmotiv de la boisson dans les romans américains ressemble beaucoup au rôle que jouait la tête du roi Charles pour le pauvre Mr Dick quand il a essayé d'écrire ses mémoires. Impossible de l'esquiver.

— Et l'école du roman noir ? lui demandai-je.

Poirot balaya l'école du roman noir d'un revers de main comme il l'aurait fait d'une mouche ou d'un moustique importun :

— La violence pour la violence ? Depuis quand cela présente-t-il de l'intérêt ? J'en ai eu tout mon soûl au début de ma carrière dans la police. Pouah ! autant lire un manuel de médecine légale. Cela dit, je place assez haut la littérature criminelle américaine. Je la trouve plus ingénieuse, plus imaginative que l'anglaise. Moins tributaire de l'atmosphère et moins engluée par elle que ne l'est la grande majorité des romans d'auteurs français. Prenons Louisa O'Malley, par exemple. (Il plongea à nouveau sur la pile :) Voilà un excellent modèle d'écriture érudite et pourtant quelle fièvre, quelle angoisse sans cesse croissante elle fait naître chez le lecteur. Ces *brownstones* de New York... Encore que je n'aie jamais su ce qu'était un *brownstone* ! Ces appartements luxueux, cette vie mondaine, superficielle et sans âme, tandis que dans les entrailles de la ville l'hydre hideuse du crime étend insidieusement ses tentacules mortels. Cela *pourrait* se passer ainsi... et c'est en fait ainsi que cela se passe. Elle est très bien, cette Louisa O'Malley, elle est vraiment très bien.

Il soupira, se laissa aller contre le dossier de son fauteuil et finit sa tisane :

— Et il y a enfin... nos vieux auteurs favoris.

Une fois encore il effectua une plongée dans ses livres.

— *Les Aventures de Sherlock Holmes*, murmura-t-il avec adoration avant de se laisser aller à articuler, au comble de l'extase : Le *Maître* !

— Qui ça ? Sherlock Holmes ? lui demandai-je.

— Mais non, voyons, mais non, pas Sherlock Holmes ! C'est devant l'auteur, sir Arthur Conan Doyle, que je me prosterne. Ces histoires de Sherlock Holmes sont en réalité tirées par les cheveux, bourrées d'erreurs et d'invraisemblances, et les artifices sautent aux yeux. Oui, mais quelle maîtrise de l'écriture... ah ! voilà qui fait toute la différence. Le bonheur d'expression... Et, par-dessus tout, la création du merveilleux personnage de Watson. Ah ! si jamais triomphe fut mérité...

Il soupira, secoua la tête et murmura, guidé par une association d'idées bien naturelle :

— Ce cher Hastings. Mon ami Hastings dont vous m'avez si souvent entendu parler. Voilà bien longtemps que je n'ai eu de ses nouvelles. Quelle ineptie que d'aller s'enterrer en Amérique du Sud, où les gens passent leur temps à faire des révolutions.

— Oh ! c'est un phénomène qui n'est pas l'apanage exclusif de l'Amérique du Sud, fis-je remarquer. De nos jours, faire la révolution est une mode qui tend à essaimer d'un bout à l'autre de la planète.

— N'abordons surtout pas le sujet de la Bombe ! s'effaroucha Hercule Poirot. Si on la fabrique, on la fabrique, mais je refuse qu'on l'évoque en ma présence.

— En fait, le rassurai-je, ce n'est pas du tout ce sujet-là que je suis venu aborder avec vous.

— Ah ! Vous êtes sur le point de vous marier, c'est cela ? Vous m'en voyez ravi, mon tout bon, ravi.

— Mais où diable êtes-vous allé pêcher une idée aussi farfelue, Poirot ? Il n'en a jamais été question.

— Ce sont pourtant des choses qui arrivent, se justifia Poirot. Qui arrivent tous les jours.

— Peut-être, répondis-je d'une voix ferme, mais pas à moi. Ce qui m'amène en réalité, c'est un joli petit problème d'assassinat sur lequel je suis par hasard tombé.

— Vraiment ? Un joli petit problème d'assassinat, dites-vous ? Et vous me l'apportez à *moi* ? Pourquoi cela ?

— Eh bien...

J'étais un peu embarrassé :

— Je... je me disais que cela pourrait vous faire plaisir.

Poirot me regarda d'un air songeur. Il se lissa amoureusement la moustache et déclara enfin :

— Un maître est souvent gentil envers son chien. Il va dans le jardin et jette une balle à la brave bête. Un chien peut lui aussi faire preuve de gentillesse envers son maître. Il tue un lapin ou un rat et vient le déposer à ses pieds. Puis il remue la queue.

Je ne pus m'empêcher de rire :

— Je remue la queue ?

— J'en ai bien l'impression, mon bon ami. Oui, j'en ai bien l'impression.

— Soit, acquiesçai-je. Et que dit le maître ? Veut-il voir le rat que lui a apporté le gentil chienchien ? Veut-il que je lui explique l'affaire ?

— Mais bien sûr ! Mais naturellement ! Il s'agit d'un crime dont vous pensez qu'il peut m'intéresser ? Je ne me trompe pas ?

— C'est une histoire, tins-je à préciser, qui n'a pas le sens commun.

— Impossible, intervint Poirot. Tout a un sens. Absolument tout.

— Eh bien, arrangez-vous pour trouver ce que celle-ci veut dire. Personnellement, je déclare forfait. D'autant qu'elle ne me concerne en rien. Je m'y suis trouvé mêlé par le plus grand des hasards. Remarquez que toute l'affaire se révélera peut-être d'une banalité écœurante une fois qu'on aura identifié le cadavre.

— Votre discours pèche par un sérieux manque d'ordre et de méthode, me réprimanda Poirot. Puis-je vous prier de m'exposer les faits. Vous m'avez bien dit qu'il s'agissait d'un meurtre, c'est cela ?

— Sans conteste possible, lui affirmai-je. Et pour ce qui est du reste, eh bien, allons-y.

Je lui décrivis dans le détail les événements qui s'étaient déroulés au 19, Wilbraham Crescent. Hercule Poirot s'était laissé aller contre le dossier de son fauteuil. Les yeux fermés, il m'écoutait tout en tapotant son accoudoir de l'index. Quand je m'arrêtai, il resta un instant silencieux. Puis, sans ouvrir les yeux, il s'enquit en français :

— *Sans blague* ?

— Puisque je vous le dis.

— *Épatant*, décréta-t-il dans la même langue.

Le mot lui plut et il s'en gargarisa, détachant les syllabes :

— *É-pa-tant.*

Puis il continua de tapoter l'accoudoir du fauteuil en dodelinant de la tête.

— Eh bien, m'énervai-je quand j'eus l'impression d'avoir suffisamment lanterné, qu'est-ce que vous en dites ?

— Mais que diable voulez-vous que je vous en dise ?

— Je veux que vous me donniez la solution. Vous avez toujours réussi à me persuader qu'il suffisait de se carrer dans son fauteuil et de s'y creuser un tantinet la cervelle pour trouver réponse à ses questions. Qu'aller interroger les gens et courir à la chasse aux indices ne présentait pas le plus petit intérêt.

— Je l'ai en effet maintenu contre vents et marées.

— Je vous prends donc au mot, insistai-je. Je vous ai donné les faits, j'attends maintenant l'explication.

— Rien que ça, hein ? Mais c'est qu'il nous faut encore en apprendre bien davantage, mon cher et excellent ami. Nous n'en sommes ici qu'à répertorier la toute première moisson de faits.

— Je n'en exige pas moins que vous donniez une indication quelconque.

— Comme vous voudrez.

Il réfléchit un instant.

— Une chose est sûre, déclara-t-il enfin avec solennité. Ce crime doit être d'une extrême simplicité.

— D'une extrême... simplicité ? m'écriai-je non sans quelque étonnement.

— Cela va de soi.

— Et pourquoi donc ?

— Parce qu'il paraît compliqué. Et si l'on s'est efforcé de le compliquer à ce point, ce ne peut être que pour l'excellente raison qu'il est simple. Vous comprenez ?

— Je n'en jurerais pas.

— C'est une histoire curieuse que vous m'avez racontée là, poursuivit Poirot d'un ton rêveur. Je crois bien... oui, il y a là un élément qui m'est familier. Mais quand... et où... suis-je déjà tombé sur quelque chose de...

Il se tut.

— Votre mémoire, commentai-je, doit être un immense réservoir à crimes. Mais vous ne pouvez raisonnablement pas vous souvenir de tout ça, j'imagine.

— Hélas, non, déplora Poirot. Mais de temps en temps certaines réminiscences me sont fort utiles. Je me souviens d'un très prospère fabricant de savon, à Liège. Il avait empoisonné sa femme pour épouser sa blonde secrétaire. Le meurtre obéissait à un schéma bien précis. Plus tard, longtemps après, je me retrouvai un beau jour face à un canevas similaire. Je le reconnus aussitôt. Cette fois-là, il s'agissait du kidnapping d'un chien pékinois, mais le *schéma* était le même. Je n'avais plus qu'à chercher l'équivalent de la blonde secrétaire et du fabricant de savon, et le tour était joué. Or, dans ce que vous venez de me confier, j'éprouve là encore cette sensation de me retrouver en terrain familier.

— Des pendules ? suggérai-je plein d'espoir. De faux agents d'assurances ?

— Non, non, dit Poirot en secouant la tête.

— Des femmes aveugles ?

— Non, non, non. Ne m'embrouillez pas l'esprit.

— Vous me décevez, Poirot, me lamentai-je. Moi qui étais persuadé que vous alliez me résoudre ça en un clin d'œil.

— Mais, mon bon ami, vous ne m'avez jusqu'à plus ample informé présenté qu'un *schéma*. Or il reste bien d'autres éléments à découvrir. Cet homme sera vraisemblablement identifié. La police excelle en ce domaine. Ils ont leurs archives criminelles, ils peuvent faire circuler et publier la photo de la victime, ils ont accès aux listes de personnes disparues, il y a l'examen scientifique des vêtements du cadavre, etc. Ils disposent en outre d'une kyrielle de procédés annexes pour y parvenir. Aucun doute là-dessus, cet homme finira par être identifié.

— Il n'y a donc rien à faire pour le moment. C'est là votre point de vue ?

— Il y a toujours à faire, répliqua sévèrement Hercule Poirot.

— Par exemple ?

Il brandit un index emphatique :

— Parler aux voisins, mon bon.

— J'ai déjà fait ça. J'accompagnais Hardcastle quand il est allé les interroger. Ils ne savent rien d'utile.

— Pfff, pfff, pfff ! c'est ce que *vous* imaginez. Mais je vous garantis bien que c'est invraisemblable. Si vous vous précipitez leur demander : « Est-ce que vous n'auriez pas vu quelque chose de suspect ? », il va de soi qu'ils vous répondront que non... et que vous conclurez en toute bonne foi qu'il n'y a rien à en tirer. Mais ce n'est pas à cela que je pense quand je vous dis d'aller leur parler. D'aller *bavarder* avec eux, si vous préférez. Et de les laisser s'épancher dans votre giron. De leurs confidences, je vous fiche mon billet qu'il ressortira toujours quelque chose. Qu'ils parlent de leur jardin, de leurs animaux de compagnie, de leur façon de se coiffer, de leur couturière, de leurs intimes ou de leurs plats préférés, un moment viendra forcément où ils prononceront le mot d'où jaillira la lumière. Vous prétendez qu'il n'y avait rien d'utile dans ces conversations. Et moi, je vous soutiens que c'est impossible. Si seulement vous pouviez me les répéter mot pour mot...

— Ça, c'est précisément du domaine du réalisable ou peu s'en faut. J'ai endossé le rôle d'assistant de l'officier de police et noté toutes ces conversations en sténo. Puis j'ai demandé qu'on me les transcrive et qu'on me les tape, et je vous les ai apportées. Les voilà.

— Ah ! mais vous êtes après tout un bon petit, un très bon petit en vérité ! Vous vous êtes comporté à merveille ! C'est bien ainsi qu'il fallait faire. Comme nous le disons de l'autre côté de la Manche : *je vous remercie infiniment*.

En bon Anglais, je me sentis gêné.

— Vous n'avez pas d'autres suggestions ? lui demandai-je.

— Mais si, je n'en manque jamais. Cette fille... Vous pourriez lui parler à elle aussi. Allez la voir. Vous êtes déjà bons amis, non ? Ne l'avez-vous pas serrée dans vos bras puissants quand elle s'est enfuie de la maison du crime en hurlant de terreur ?

— La prose de Garry Gregson a déteint sur vous : votre style en devient mélodramatique.

— Vous avez sans doute raison, admit Poirot. Il arrive effectivement qu'on se laisse contaminer par les lectures auxquelles on s'adonne.

— Quant à la fille...

Je marquai une pause et Poirot me jeta un regard inquisiteur :

— Oui ?

— Je ne voudrais pas que... je n'ai aucune envie...

— Ah ! je vois. Au fond, au fond, vous pensez qu'elle est impliquée dans l'affaire.

— Alors, ça, pas du tout. Elle se trouvait là par le plus grand des hasards.

— Non, non, mon bon ami, il ne s'agissait pas du plus grand des hasards. Vous le savez fort bien. Vous le savez d'autant mieux que c'est vous-même qui me l'avez dit. Elle avait été demandée par téléphone. Nommément et spécialement demandée.

— Mais elle ne sait pas pourquoi.

— Qui vous dit que c'est vrai ? Selon toute probabilité, elle le sait parfaitement mais a choisi de se taire.

— Ça m'étonnerait, m'obstinai-je.

— Et à supposer même qu'elle l'ignore vraiment, il n'est pas exclu pour autant que vous ne découvriez pas le pot aux roses en bavardant avec elle.

— Je ne vois pas très bien comment... je veux dire... je la connais à peine...

Hercule Poirot ferma à nouveau les yeux :

— Il est toujours un bref moment, au cours du processus d'attraction mutuelle entre deux personnes de sexe opposé, où une telle affirmation se doit d'être prise au pied de la lettre. Elle est jolie fille, j'imagine ?

— Euh... oui, acquiesçai-je. Très jolie fille.

— Étant donné que vous êtes déjà amis, vous irez lui parler, ordonna Poirot. Et puis vous retournerez voir cette aveugle sous un prétexte quelconque. Et vous lui parlerez *à elle aussi*. Et puis vous vous rendrez à cette agence de secrétariat en tout genre pour y faire, par exemple, taper un document. Vous vous arrangerez pour sympathiser avec une des autres filles qui y travaillent. Vous bavarderez avec tout ce petit monde, et puis vous reviendrez me raconter tout ce qu'on vous aura dit.

— Pitié ! implorai-je.

— Pas question, décréta Poirot. Cela va d'ailleurs beaucoup vous distraire.

— Vous n'avez pas l'air de vous rendre compte que j'ai mon propre boulot à abattre.

— Vous n'en travaillerez que mieux pour vous être bien détendu, affirma Poirot.

Je me levai en riant :

— Bon ! C'est vous le docteur ! D'autres conseils avisés ? Que pensez-vous de cette étrange histoire de pendules ?

Poirot ferma les yeux et se renversa à nouveau dans son fauteuil. Les mots qu'il prononça étaient pour le moins inattendus :

« Le temps est venu, dit le Morse,
De parler de diverses choses :
De chaussures, de bateaux, de cire à cacheter,
De choux et de rois.
Et de se demander pourquoi la mer est bouillante
Et si les cochons, ma foi, ont des ailes. »

Il rouvrit les yeux et dodelina de la tête :

— Est-ce que vous me comprenez ?

— Vous me citez là un extrait du « Morse et le Charpentier », tiré de *De l'autre côté du miroir*.

— Exact. C'est pour le moment, mon très cher, le maximum que je puisse faire pour vous. Imprégnez-vous-en bien.

15

L'enquête du coroner avait attiré la foule des grands jours dans l'ancienne Halle au Grain. Survoltée par cette histoire de meurtre, Crowdean s'était réveillée avec une violente soif de révélations fracassantes. Mais la procédure se déroula avec un maximum de sobriété. Sheila Webb avait eu bien tort de redouter l'épreuve. Son cas fut expédié en quelques minutes :

L'Agence Cavendish avait reçu un appel téléphonique demandant qu'elle se rende au 19, Wilbraham Crescent. Elle s'était exécutée et avait, selon la consigne, pénétré dans le salon. Elle y était tombée sur un cadavre, avait hurlé et s'était ruée hors de la maison pour appeler à la rescousse. Il n'y eut pas de questions et on n'alla pas plus loin. L'interrogatoire de miss Martindale, qui déposait elle aussi, fut encore plus bref. Elle avait reçu un coup de téléphone d'une personne s'annonçant sous le nom de miss Pebmarsh et lui demandant d'envoyer une sténodactylo, de préférence miss Sheila Webb, au 19, Wilbraham Crescent, le tout assorti de quelques directives. Elle avait noté l'heure exacte du coup de fil : 13 h 49. *Exit* miss Martindale.

Appelée dans la foulée, miss Pebmarsh démentit formellement avoir demandé à l'Agence Cavendish qu'une secrétaire, quelle que puisse être son patronyme, lui soit envoyée ce jour-là. L'inspecteur Hardcastle fit une déposition sèche et succincte. Suite à un appel au poste de police, il s'était rendu au 19, Wilbraham Crescent, où il avait découvert le cadavre d'un homme.

— Avez-vous été en mesure d'identifier la victime ? lui demanda alors le coroner.

— Pas encore, monsieur. C'est la raison pour laquelle je vous demanderai d'ajourner l'enquête.

— Bien entendu.

Puis ce fut au tour du médecin légiste. Après déclinaison de son identité et de ses qualités, le Dr Rigg expliqua comment il s'était rendu au 19, Wilbraham Crescent et avait examiné le cadavre.

— Pouvez-vous nous donner une fourchette pour l'heure supposée de la mort, docteur ?

— J'ai examiné le corps à 15 h 30. Je la situerais entre 13 h 30 et 14 h 30.

— Vous ne pouvez pas être plus précis ?

— Je préférerais ne pas m'engager sur ce point. À vue de nez, le moment le plus probable se situerait aux alentours de 14 heures ou même un peu avant, mais de nombreux facteurs sont à prendre en compte. Âge, état de santé, etc.

— Vous avez procédé à l'autopsie ?

— Oui.

— La cause de la mort ?

— L'homme a été poignardé avec un couteau tranchant à lame fine. Probablement du genre couteau de cuisine étroit et effilé. La pointe est entrée...

Là, il se fit plus technique pour indiquer à quel endroit exact du cœur la lame avait pénétré.

— La mort a-t-elle été instantanée ?

— Elle est survenue en quelques minutes.

— L'homme n'a pas crié et ne s'est pas débattu ?

— Compte tenu des circonstances dans lesquelles il a été poignardé, sûrement pas.

— Voudriez-vous nous expliquer, docteur, ce que vous entendez au juste par là ?

— J'ai examiné certains organes et me suis livré à divers tests. Je peux affirmer qu'au moment où il a été tué, il était plongé dans un état quasi comateux dû à l'administration d'un stupéfiant.

— Pouvez-vous nous dire le nom de ce stupéfiant, docteur ?

— Oui. De l'hydrate de chloral.

— Seriez-vous en mesure de nous expliquer comment ce produit lui a été administré ?

— Probablement dans une quelconque boisson alcoolisée. L'effet de l'hydrate de chloral est très rapide.

— Le mélange que vous indiquez est connu dans

certains milieux sous le nom de casse-pattes, il me semble, murmura le coroner.

— Exact, confirma le Dr Rigg. Il aura bu le liquide sans se douter de rien, aura éprouvé quelques instants plus tard un vertige et se sera écroulé.

— Et il a été poignardé, à votre avis, quand il était inconscient ?

— Je le pense, en effet. Cela expliquerait qu'il n'y ait pas trace de lutte et que son aspect général soit somme toute serein.

— Combien de temps après avoir sombré dans l'inconscience a-t-il été tué ?

— Ça, je ne peux pas le préciser au juste. Là encore, cela dépend de la constitution de la victime et de ses réactions personnelles. Mettons pas moins d'une demi-heure après et peut-être bien davantage.

— Merci, Dr Rigg. Avez-vous pu déterminer à quel moment la victime avait pris son dernier repas ?

— Il n'avait pas déjeuné, si c'est cela que vous voulez savoir. Il n'avait absorbé aucun solide depuis au moins quatre heures.

— Merci, Dr Rigg. Je pense que ce sera tout.

Le coroner jeta un coup d'œil circulaire :

— L'enquête est repoussée à quinzaine, soit au 28 septembre.

L'audience étant levée, la foule commença à se presser vers la sortie. Edna Brent, qui y avait assisté en compagnie de la plupart de ses collègues de l'Agence Cavendish, hésita lorsqu'elle eut franchi le seuil. L'Agence Cavendish avait fermé pour la matinée. Maureen West, une des employées, l'interpella :

— Qu'est-ce que tu en penses, Edna ? On va déjeuner au *Bluebird* ? On a tout notre temps. Enfin, surtout toi.

— Je n'ai pas plus de temps que vous, rétorqua Edna d'une voix maussade. Sandy Cat m'a demandé d'avaler un en-cas en vitesse et de reprendre à la même heure que vous. C'est moche de sa part. Moi qui pensais avoir une bonne heure de libre pour faire des courses.

— C'est Sandy Cat tout craché, ça, soupira Maureen.

Plus mesquine tu meurs. On rouvre à 2 heures et il faut que nous soyons toutes là. Tu cherches quelqu'un ?

— Oui, Sheila. Je ne l'ai pas vue sortir.

— Elle est partie depuis un moment, dit Maureen. Elle a filé juste après sa déposition. Elle était escortée par un garçon, mais je n'ai pas réussi à voir qui c'était. Tu viens ?

Edna hésita un instant :

— Oh ! et puis allez-y sans moi... J'ai une ou deux courses à faire.

Maureen et une autre fille partirent bras dessus bras dessous. Edna sembla continuer à peser le pour et le contre. Puis, rassemblant son courage à deux mains, elle s'approcha du jeune agent blond qui gardait l'entrée du tribunal.

— Est-ce que je peux retourner dans la salle ? demanda-t-elle timidement. Ce serait pour parler au... au policier qui est venu au bureau... l'inspecteur Quelque chose.

— L'inspecteur Hardcastle ?

— C'est ça. Celui qui a fait une déposition ce matin.

— Eh bien...

Le jeune policier jeta un coup d'œil dans la salle d'audience et vit que l'inspecteur était en grande discussion avec le coroner et le chef de la police du comté :

— Il a l'air occupé, miss. Passez au poste un peu plus tard, ou alors laissez-moi un message... Il s'agit de quelque chose d'important ?

— Oh ! ce n'est pas vraiment grave, balbutia Edna. C'est seulement que... que je ne vois pas comment ce qu'elle a dit pourrait être vrai parce que... je veux dire...

Elle pivota soudain sur ses talons, sourcils toujours froncés et la mine perplexe.

Elle s'éloigna de la Halle au Grain et remonta High Street. Sourcils plus froncés que jamais, elle essayait de réfléchir. Or, réfléchir n'était pas le fort d'Edna.

Plus elle réfléchissait, plus ça s'embrouillait dans sa tête.

À un moment donné, elle s'exclama tout haut :

— Mais ça n'a pas pu se passer comme ça... Ça n'a pas pu se passer comme elle l'a dit...

Et brusquement, de l'air de quelqu'un qui vient de prendre une décision, elle quitta High Street pour s'engager dans Albany Road en direction de Wilbraham Crescent.

Depuis que la presse avait annoncé qu'un meurtre avait été commis au 19, Wilbraham Crescent, nombreux étaient les curieux qui s'agglutinaient devant la maison pour s'en emplir les yeux. La fascination qu'un simple conglomérat de briques et de mortier peut en certaines occasions exercer sur le grand public passe l'entendement. Au cours des premières 24 heures, un policier y était resté de faction pour obliger *manu militari* les gens à circuler. Depuis lors, l'intérêt avait faibli sans toutefois se tarir. Les voitures de livraison ralentissaient au passage, les femmes qui poussaient des landaus faisaient une pause de quatre ou cinq minutes sur le trottoir d'en face et s'écorchaient les yeux à détailler la petite résidence bien proprette de miss Pebmarsh. Les ménagères s'arrêtaient sur le chemin des courses, le regard avide, et changeaient d'enivrants potins avec amies et connaissances :

— C'est la maison... celle-là, là.

— Le cadavre était dans le salon... Non, je crois bien que le salon est sur le devant, ça doit être la fenêtre à gauche.

— L'épicier m'a dit que c'était celle de droite.

— C'est pas impossible, remarquez. Je suis entrée au numéro 10, une fois, et je me souviens très bien que c'était la *salle à manger* qui était à droite, et le salon à gauche.

— Qui c'est-y qui irait croire qu'un meurtre a été commis là, hein... ?

— À ce qui paraîtrait que la fille est sortie en hurlant comme une folle...

— Même que, depuis, elle aurait plus bien sa tête... Vous parlez d'un choc !

— Il serait rentré par la fenêtre de derrière, enfin c'est ce que je me suis laissé dire. Il était en train de mettre l'argenterie dans un sac quand la fille lui est tombée sur le paletot...

— La malheureuse qu'habite cette maison est *aveugle*, la pauvre. Alors, bien sûr, comment qu'elle aurait su ce qui se passait ?

— Oh ! mais elle était pas là quand c'est que c'est arrivé !

— Ah ! j'aurais juré qu'elle y était... j'étais persuadée qu'elle était au premier et qu'elle avait entendu du bruit. Oh ! mon Dieu, il *faut* que j'aille faire mes courses.

Ces conversations et d'autres, de même acabit, n'arrêtaient pas du matin au soir. Comme attirés par un aimant, les gens les plus invraisemblables déboulaient à Wilbraham Crescent et s'immobilisaient le temps de se repaître les yeux avant de repartir, persuadés d'avoir ainsi accompli un rite essentiel.

Là, l'esprit toujours en ébullition, Edna Brent se retrouva au coude à coude avec cinq ou six personnes en train de se livrer au plus voluptueux des passe-temps : dévorer des yeux la dernière en date des maisons du crime.

Plus que jamais influençable, Edna les ouvrit tout grands elle aussi.

Alors, comme ça, c'était là que ça s'était passé ! Des rideaux bien propres aux fenêtres. Un endroit joli comme tout. Et pourtant un homme avait été tué ici. Tué avec un couteau de cuisine. Un couteau de cuisine ordinaire. Tout le monde avait ça chez soi, un couteau de cuisine...

Hypnotisée par le comportement des badauds qui l'entouraient, Edna écarquillait les yeux et en oubliait ses problèmes.

Elle ne savait même plus au juste ce qui l'avait amenée là.

Elle sursauta quand elle entendit une voix lui parler à l'oreille.

Ahurie, elle tourna la tête.

Cette voix-là, elle l'aurait reconnue entre mille.

16

RÉCIT DE COLIN LAMB

J'avais noté le moment où Sheila Webb avait discrètement quitté la salle d'audience. Elle s'était très bien tirée de sa déposition. Elle avait paru nerveuse, mais juste ce qu'il fallait. Naturelle, en fait. (Qu'aurait dit Beck ? « Très au point, ce numéro. » J'entendais ça d'ici !)

Je restai jusqu'au surprenant final de la déposition du Dr Rigg (Dick Hardcastle ne m'avait rien dit de tout ça, il devait pourtant être au courant) et je la suivis.

— Ça n'était pas si terrible, après tout ? lui demandai-je quand je l'eus rattrapée.

— Non. C'était très facile, en fait. Le coroner a été très gentil.

Elle hésita :

— Et qu'est-ce qui va se passer, maintenant ?

— Il va renvoyer l'audience pour complément d'enquête. Probablement à quinzaine... ou jusqu'à ce qu'ils aient réussi à identifier le cadavre.

— Vous pensez qu'ils vont y arriver ?

— Bien sûr, qu'ils vont y arriver. Ça ne fait pas l'ombre d'un doute.

Elle frissonna :

— Il fait froid, aujourd'hui.

Il ne faisait pas particulièrement froid. En fait, je me disais qu'il faisait même plutôt bon.

— Encore qu'il soit un peu tôt, que diriez-vous d'aller déjeuner quelque part avec moi ? proposai-je.

Vous n'êtes pas obligée de retourner travailler tout de suite ?

— Non. C'est fermé jusqu'à 2 heures.

— Alors allons-y. Qu'est-ce que vous inspire la cuisine chinoise ? Il y a un petit chinois juste au bout de la rue.

Sheila parut dubitative :

— J'ai des courses qu'il faut absolument que je fasse.

— Vous pourrez y aller après.

— Non, ça, ce n'est pas possible. Certains des magasins ferment entre 1 et 2.

— Très bien. Alors retrouvons-nous là-bas. Dans une demi-heure. D'accord ?

Elle me promit de venir.

Je me rendis sur le front de mer et m'assis sur un banc. Comme le vent soufflait avec violence, je l'avais pour moi tout seul.

Je voulais réfléchir. Rien n'est plus rageant que de se rendre compte que les autres en savent sur vous davantage que vous-même. Et pourtant Dick Hardcastle, et Hercule Poirot, et ce brave vieux Beck, tous avaient vu très clairement ce que j'étais maintenant bien forcé d'admettre.

Cette fille me plaisait. Elle me plaisait comme aucune fille ne m'avait jamais plu.

Ce n'était pas à cause de sa beauté : elle était jolie — d'une joliesse certes assez peu banale, mais sans plus. Ce n'était pas pour son sex-appeal : ça, je connaissais déjà et j'étais immunisé.

C'était tout bonnement que, dès le premier coup d'œil ou presque, j'avais compris que c'était la femme de ma vie.

Et dire que je ne savais strictement rien sur son compte !

Un peu après 14 heures, je me rendis au poste de police et demandai Dick. Je le trouvai à son bureau, en train de feuilleter une pile de documents. Il releva la tête et me demanda ce que j'avais pensé de l'enquête du coroner.

Je lui dis que j'avais trouvé cela fort gentiment organisé et tout à fait courtois :

— Nous faisons toujours ça si bien dans notre beau pays.

— Quel est ton avis sur la déposition du médecin ?

— Une sacrée tuile ! Pourquoi ne m'en as-tu pas parlé avant ?

— Tu étais parti. Tu as consulté ton spécialiste ?

— Oui.

— Je crois que je me souviens vaguement de lui. De la moustache comme s'il en pleuvait.

— Un déluge de moustache, acquiesçai-je. Et il en est très fier.

— Il doit être incroyablement vieux.

— Oui, mais pas gâteux.

— Pourquoi es-tu allé le voir au juste ? Par simple bonté d'âme et charité chrétienne ?

— Quelle sale mentalité soupçonneuse vous pouvez avoir, vous autres flics ! D'accord, en gros, c'était ça. Mais il y avait aussi une louable part de curiosité. Je voulais savoir ce qu'il trouverait à dire sur la drôle de petite entourloupe qui nous occupe. Tu comprends, il m'a toujours rebattu les oreilles avec son baratin selon lequel, pour résoudre une énigme, il suffisait de se vautrer dans un fauteuil, de croiser les doigts de manière bien symétrique, de fermer les yeux et de se creuser la cervelle. J'avais envie de le coller au pied du mur.

— A-t-il aussitôt mis ses théories en pratique pour te complaire ?

— Parfaitement.

— Et qu'en est-il résulté ? demanda Dick dont la curiosité commençait à s'éveiller.

— Il a conclu qu'il devait s'agir d'un crime très simple.

— Simple ! s'étrangla Hardcastle. D'où tire-t-il ça ?

— Pour autant que j'aie pu comprendre, du fait que toute cette mise en scène soit si compliquée.

Hardcastle secoua la tête :

— Je ne pige pas. Ça ressemble à ces aphorismes

tellement profonds dont raffolent les jeunes gens de Chelsea et auxquels je ne comprends jamais rien non plus. Quoi d'autre ?

— Il m'a conseillé de parler aux voisins. Et je lui ai répondu que c'était fait.

— Étant donné le rapport d'autopsie, c'est vrai que les voisins prennent de plus en plus d'importance.

— La dernière version en date voulant qu'il ait été drogué Dieu sait où avant d'être amené au n° 19 pour y être tué, c'est ça ?

Ma propre suggestion me rappela brusquement quelque chose :

— Dis donc, c'est plus ou moins ce que Mrs Machin-chouette, la femme aux chats, nous avait déclaré. Sur le moment, sa remarque m'avait semblé intéressante.

— Ah ! ces chats, frissonna Dick. À propos, on a trouvé l'arme du crime. Hier.

— Ah bon ? Où ça ?

— Dans le pensionnat pour chats. Le meurtrier l'a sans doute jetée là après son crime.

— Pas la moindre empreinte, j'imagine ?

— Soigneusement essuyées. Et il peut s'agir du couteau de n'importe qui... un peu usé... récemment aiguisé.

— Reprenons : Il a été drogué... puis amené au n° 19... dans une voiture ? Ou alors comment ?

— Il se pourrait, je dis bien se *pourrait* qu'il ait été transporté depuis une des maisons dont le jardin est attenant à celui du n° 19.

— Ç'aurait été un peu risqué, non ?

— Ça aurait exigé un minimum de culot, acquiesça Hardcastle. Et une excellente connaissance des habitudes des voisins. Il est plus probable qu'il ait été transporté en voiture.

— C'était également risqué. Une voiture, ça se remarque.

— Personne n'a rien vu. Mais je te concède que le meurtrier ne pouvait pas ne pas se méfier. Les pas-

sants auraient sûrement remarqué une voiture arrêtée ce jour-là au n° 19.

— Je me demande... C'est devenu banal, une voiture. À moins qu'elle ne soit du genre super luxe ou
modèle inédit... mais ça, il y a peu de chances...

— Et puis ça s'est passé pendant l'heure du déjeuner. Tu te rends compte, Colin, que ça nous remet
miss Pebmarsh dans le circuit. Qu'une aveugle poi-
gnarde un homme en pleine possession de ses
moyens, cela paraît invraisemblable. Mais s'il a été
drogué...

— En d'autres termes, s'il « n'est donc venu là que
pour se faire assassiner », comme l'a joliment for-
mulé cette chère Mrs Hemming, il a très bien pu se
rendre sans méfiance aucune à un rendez-vous chez
miss Pebmarsh qui lui aura offert un sherry ou un
cocktail de sa composition. Le casse-pattes a alors
fait son effet et miss Pebmarsh s'est mise au boulot.
Ensuite de quoi elle a lavé le verre de casse-pattes,
disposé bien gentiment le cadavre sur le parquet,
balancé le couteau dans le jardin de sa voisine, et
puis elle est sortie à son heure habituelle.

— Et a téléphoné à l'Agence Cavendish en chemin...

— Oui, mais pourquoi diable aurait-elle fait ça ?
Et pourquoi préciser qu'elle voulait Sheila Webb ?

— Je donnerais cher pour le savoir.

Hardcastle me regarda fixement :

— Et la fille ? Est-ce qu'elle le sait, elle ?

— Elle dit que non.

— Elle dit que non ! répéta Hardcastle d'un ton
morne. Ce que je te demande, c'est ton opinion à toi
sur le sujet.

Je restai un instant silencieux. Qu'est-ce que j'en
pensais au juste ? Il me fallait décider tout de suite
de la marche à suivre. La vérité finirait bien par se
savoir. Si Sheila était la fille que je croyais, il n'en
résulterait rien de fâcheux pour elle.

D'un mouvement brusque, je sortis une carte postale de ma poche et la posai sur le bureau :

— Sheila a reçu ça par la poste.

Hardcastle l'observa attentivement. C'était une carte postale de la série des monuments londoniens. Celle-ci représentait la Cour d'Assises. À droite, il y avait l'adresse — tracée en caractères d'imprimerie : Miss R. S. Webb, 14, Palmerston Road, Crowdean, Sussex. À gauche, de la même écriture, les mots SOUVIENS-TOI ! et dessous *4 h 13*.

— 4 h 13, marmonna Hardcastle. L'heure que marquaient les pendules.

Il secoua la tête :

— Une photo de l'Old Bailey, les mots « souviens-toi » et une heure — 4 h 13. Tout cela doit bien se rattacher à un événement quelconque.

— Elle dit qu'elle ne sait pas ce que ça signifie. Et je la crois, ajoutai-je.

Hardcastle hocha la tête :

— Je garde ça. On en tirera peut-être quelque chose.

— Je l'espère autant que toi.

Un sentiment de gêne s'était glissé entre nous.

— Tu m'as l'air d'avoir pas mal de paperasserie sur ton bureau, enchaînai-je histoire de détendre l'atmosphère.

— Comme d'habitude. Et le tout quasiment bon à flanquer au panier. Ce type n'avait pas de casier judiciaire, ses empreintes ne sont pas répertoriées. Quant à la majeure partie de ce fatras, elle émane de gens qui prétendent l'avoir reconnu.

Il lut à voix haute :

— *Cher monsieur, Rapport à la photo qu'était dans le journal, je suis pratiquement certaine que c'est le même homme qu'était monté dans le train à Willesden Junction l'autre jour. Il marmonnait tout seul dans son coin et avait l'air très excité, même que je m'étais dit tout de suite qu'il devait avoir quelque chose qui tournait pas rond.*

» *Cher Monsieur, Je trouve que cet homme est le portrait tout craché du cousin John à mon mari. Il était parti pour l'Afrique du Sud, mais peut-être bien qu'il est rentré. Il avait une moustache quand il est parti, mais peut-être bien qu'il se la sera coupée.*

» *Cher Monsieur, J'ai vu l'homme du journal dans le métro l'autre soir. Je m'étais dit tout de suite qu'il avait une drôle d'allure.*

» Sans compter toutes les bonnes femmes qui reconnaissent leur mari, poursuivit-il. C'est fou à quel point les femmes n'ont pas l'air de savoir à quoi ressemble leur conjoint ! Il y a aussi les mères pleines d'espoir qui reconnaissent le fils qui n'a pas donné signe de vie depuis vingt ans.

» Et nous avons pour faire bon poids la liste des personnes disparues. Rien là non plus qui puisse vraiment nous aider. *George Barlow, 65 ans, disparu du domicile conjugal. Sa femme pense qu'il peut avoir perdu la mémoire.* Note de mes services : *Est criblé de dettes. A été vu au bras d'une veuve aux cheveux d'un roux incandescent. Selon toute probabilité, a levé le pied.*

» Encore un, tiens : *Le Pr Hargraves, censé donner une conférence mardi dernier. Ne s'est pas montré, n'a ni téléphoné ni envoyé mot d'explication.*

Hardcastle ne semblait pas s'inquiéter outre mesure de la santé du Pr Hardgraves :

— Il a dû croire que sa conférence avait eu lieu la semaine d'avant, ou qu'elle devait se tenir la semaine d'après. Il doit être persuadé d'avoir dit à sa bonne où il allait, mais avoir oublié de le faire. On en reçoit des wagons, des comme ça.

La ligne intérieure de Hardcastle sonna et il décrocha :

— Oui ?... Quoi ?... Qui l'a trouvée ?... Elle a donné son nom ?... Je vois. Continuez.

Il raccrocha. Le visage qu'il tourna vers moi n'était plus le même. Il s'était fait sévère, presque vindicatif :

— On vient de tomber sur le cadavre d'une fille dans la cabine téléphonique de Wilbraham Crescent.

— Le cadavre d'une fille ?

Je le fixai :

— Tuée comment ?

— Étranglée. Avec sa propre écharpe !

Je me sentis brusquement froid dans le dos :

— Quelle fille ? Ce n'est pas...

Hardcastle me dévisagea avec un regard froid et spéculatif qui me déplut :

— Il ne s'agit pas de ta petite amie, si c'est ce que tu craignais. L'agent envoyé sur place l'a reconnue. D'après lui, ce serait une gosse qui travaillait dans le même bureau que Sheila Webb. Edna Brent, elle s'appelle.

— Qui l'a découverte ? Ton agent ?

— Non, c'est miss Waterhouse qui l'a trouvée, la femme du n° 18. Apparemment, son téléphone était en dérangement, elle a voulu passer un appel de la cabine et a trouvé la fille recroquevillée par terre.

La porte s'ouvrit et un agent entra :

— Le Dr Rigg vient de prévenir par téléphone qu'il se mettait en route, monsieur. Il vous retrouvera à Wilbraham Crescent.

17

Une heure et demie plus tard, l'inspecteur Hardcastle revenait s'asseoir derrière son bureau et acceptait avec soulagement la tasse de thé réglementaire. Son visage avait toujours le même air de colère rentrée.

— Excusez-moi, monsieur, mais Pierce voudrait vous parler.

Hardcastle sortit de sa torpeur :

— Pierce ? Très bien, envoyez-le-moi.

Le jeune agent Pierce entra, présentant tous les signes de la plus grande agitation :

— Je vous demande pardon, monsieur, mais j'ai pensé qu'il fallait peut-être que je vous dise quelque chose.

— Oui ? Quoi donc ?

— Ça s'est passé après l'audience, monsieur.

J'étais de faction à la porte. Cette fille... cette fille qui a été tuée. Elle... elle m'a parlé.

— Elle vous a parlé ? Et qu'est-ce qu'elle vous a dit ?

— Qu'elle voulait vous voir, monsieur.

Hardcastle se redressa, tous ses sens soudain en alerte :

— Elle voulait me voir ? Elle vous a dit pourquoi ?

— Pas vraiment, monsieur. Je suis désolé, monsieur, si j'ai... si je ne me suis pas montré à la hauteur. Je lui ai demandé si je pouvais vous transmettre un message... ou si elle ne préférait pas passer au poste un peu plus tard. Vous étiez occupé avec le grand patron et le coroner, vous comprenez, et j'ai pensé...

— Bon Dieu ! jura Hardcastle à mi-voix. Vous ne pouviez pas lui dire d'attendre cinq minutes ?

— Je suis désolé, monsieur.

Le jeune homme rougit :

— Si j'avais su... c'est ce que j'aurais fait. Seulement je n'ai pas pensé un instant qu'il s'agissait de quelque chose d'important. Et je crois bien qu'elle non plus ne s'imaginait pas que c'était important. C'était juste, d'après ce qu'elle m'a dit, qu'un truc la turlupinait.

— La turlupinait ?

Hardcastle réfléchit en silence, tournant et retournant les faits dans sa tête. C'était la fille qu'il avait croisée en se rendant chez Mrs Lawton, celle-là même qui avait tenté de voir Sheila Webb. Elle l'avait reconnu et avait visiblement hésité à lui adresser la parole. Quelque chose la tourmentait. Mais oui, c'est ça. Et lui, il était passé à côté. Il n'avait pas su saisir la balle au bond. Trop occupé à en apprendre un peu plus sur Sheila Webb, il avait négligé un point essentiel. Cette fille remâchait un problème. Lequel ? Il y avait maintenant de fortes chances pour qu'on ne le sache jamais.

— Allez-y, Pierce, dit-il, répétez-moi en détail tout ce dont vous parvenez à vous souvenir.

Et il ajouta gentiment, car il avait le sens de la justice :

— Vous n'y êtes pour rien, vous ne pouviez pas savoir.

À quoi bon passer sa mauvaise humeur et sa frustration sur ce garçon ? Comment le malheureux aurait-il pu deviner ? Les trois quarts de sa formation avaient été consacrés à lui inculquer le respect de la discipline, à lui apprendre à faire en sorte que ses supérieurs ne soient accostés qu'en cas d'urgence. Si la fille avait précisé que c'était important, il se serait comporté différemment. Maintenant que Hardcastle la revoyait dans le bureau où il l'avait rencontrée pour la première fois, il se rendait compte qu'elle n'était pas du genre à insister. C'était une fille à l'esprit lent. Qui accordait peu de crédit à ses propres capacités intellectuelles.

— Pouvez-vous me raconter comment ça s'est passé exactement et me rapporter ce qu'elle vous a dit, Pierce ?

Pierce leva sur lui des yeux emplis de gratitude :

— Eh bien, monsieur, elle est venue vers moi quand tout le monde sortait, elle a hésité un moment et a jeté un regard autour d'elle comme si elle cherchait quelqu'un. Pas vous, monsieur, non, je ne crois pas, quelqu'un d'autre. Finalement, elle m'a abordé et m'a demandé si elle pouvait parler à l'inspecteur, celui qui avait fait une déposition. Et donc, comme je vous l'ai dit, j'ai vu que vous étiez occupé avec le chef de la police du comté, ce qui fait que je lui ai expliqué que c'était difficile à la minute et que je lui ai demandé si elle ne voulait pas plutôt me laisser un message ou venir au poste plus tard. Et je crois qu'elle m'a dit que ça ne faisait rien. Je lui ai demandé si c'était quelque chose de grave...

— Oui ? dit Hardcastle en se penchant en avant.

— Elle a répondu que non, que ça ne l'était pas vraiment. Que c'était seulement qu'elle ne voyait pas comment ça avait pu se passer comme elle l'avait dit.

— Elle ne voyait pas comment ce qu'elle avait dit

avait pu se passer comme ça ? tenta de répéter Hardcastle.

— En gros, oui, monsieur. Je ne suis pas sûr des termes exacts. Ça pouvait aussi bien être : « Ce qu'elle a dit, je ne vois pas comment ça pourrait être vrai. » Elle fronçait les sourcils et elle avait l'air perplexe. Mais quand je lui ai posé la question, elle m'a répondu que ce n'était pas vraiment grave.

Pas vraiment grave, avait dit la fille. Et on la retrouvait à peu de temps de là étranglée dans une cabine téléphonique...

— Quelqu'un vous écoutait quand elle vous a parlé ?

— Il y avait pas mal de monde, vous savez, monsieur, qui sortait de la salle. Les gens s'étaient déplacés en foule pour venir assister à l'audience. Ça avait fait du bruit, cette histoire, avec la façon dont la presse s'en est emparée et tout.

— Vous ne vous souvenez pas d'avoir remarqué quelqu'un près de vous à ce moment-là... une des personnes qui avaient fait une déposition, par exemple ?

— Je suis désolé, mais je ne me souviens de personne en particulier, monsieur.

— Dommage, soupira Hardcastle. Très bien, Pierce, si jamais un détail vous revenait, contactez-moi immédiatement.

Une fois seul, il fit un effort pour surmonter sa colère grandissante et tout entière retournée contre lui. Cette fille — cette fille à l'air effarouché — savait quelque chose. Ou, sans aller jusqu'à *savoir*, elle avait vu ou entendu quelque chose. Quelque chose qui l'avait troublée. Et ce trouble s'était accru pendant l'audience. De quoi pouvait-il bien s'agir ? D'un des témoignages ? De la déposition de Sheila Webb ? Oui, sans aucun doute. Ne s'était-elle d'ailleurs pas rendue l'avant-veille au domicile de Sheila ? Elle aurait très bien pu lui parler au bureau. Pourquoi tenait-elle à un entretien privé ? Savait-elle sur Sheila quelque chose qui la perturbait ? Désirait-elle lui demander une explication, mais en tête-à-tête, hors de la présence des autres filles ? Il n'y avait pas à tortiller, ça en avait tout l'air.

Il convoqua le sergent Cray pour lui donner quelques instructions.

— Pourquoi croyez-vous que cette fille se soit rendue à Wilbraham Crescent ? lui demanda le sergent.

— C'est justement la question que je me pose, avoua Hardcastle. Bien sûr, il est possible que ce soit par simple curiosité, pour voir à quoi ressemblait l'endroit. Rien d'inhabituel là-dedans : la moitié de la population de Crowdean a déjà défilé sur les lieux.

— Et comment ! ronchonna le sergent Cray.

— D'un autre côté, reprit lentement Hardcastle, elle désirait peut-être rencontrer quelqu'un qui vit là-bas...

Quand le sergent Cray fut reparti, Hardcastle nota trois numéros sur son calepin.

« 20 », inscrivit-il avant d'y adjoindre un point d'interrogation. Il ajouta « 19 ? » et « 18 ? ». Puis il nota les noms qui y correspondaient. Hemming. Pebmarsh. Waterhouse. Les trois maisons côté convexe du « crescent » étaient exclues. Pour s'y rendre, Edna Brent ne serait pas passée par le côté concave.

Hardcastle envisagea les trois possibilités.

D'abord le numéro 20. C'est là qu'on avait découvert le couteau qui avait servi lors du premier crime. Il paraissait probable qu'on l'y avait jeté depuis le n° 19, mais rien ne le *prouvait*. Il *pouvait* avoir été jeté dans les buissons par la propriétaire du n° 20 elle-même. Quand on avait interrogé Mrs Hemming, sa seule réaction avait été l'indignation. « Quelle cruauté de la part de la personne qui a jeté cet affreux couteau à mes chats ! » s'était-elle écriée. Quel lien pouvait-il exister entre Mrs Hemming et Edna Brent ? Aucun, décida l'inspecteur. Il passa à miss Pebmarsh.

Edna Brent avait-elle gagné Wilbraham Crescent pour rendre visite à miss Pebmarsh ? Miss Pebmarsh était venue déposer devant le coroner. Une de ses déclarations avait-elle semé le doute dans l'esprit d'Edna ? Oui, mais elle était déjà tourmentée par un doute *avant* l'audience. Savait-elle déjà quelque chose concernant miss Pebmarsh ? Avait-elle par exemple découvert un lien quelconque entre Sheila Webb et miss Pebmarsh ? Ça expliquerait ce qu'elle avait confié à Pierce : « Ce qu'elle a dit, je ne vois pas comment ça pourrait être vrai. »

« Des conjectures, rien que des conjectures ! » tempêta-t-il.

Et le n° 18 ? C'était miss Waterhouse qui avait découvert le cadavre. Par déformation profession-nelle, l'inspecteur Hardcastle était prévenu contre les gens qui découvrent le cadavre. Être celui qui découvre le cadavre évite tellement de soucis au meurtrier — ça lui épargne les aléas de la course à l'alibi, exercice toujours hasardeux, ça solutionne le problème des empreintes qu'il aurait oublié d'effacer. De bien des points de vue c'était une position inex-pugnable — à une condition seulement : qu'il n'y ait pas de mobile apparent. Or, le mobile qui aurait poussé miss Waterhouse à régler son compte à la petite Edna Brent ne sautait pas aux yeux. Miss Waterhouse n'avait pas déposé devant le coro-ner. Il n'était cependant pas impossible qu'elle ait assisté à l'enquête. Edna avait-elle une bonne raison de croire que c'était miss Waterhouse qui s'était fait passer pour miss Pebmarsh au téléphone, et avait demandé qu'on lui envoie une sténodactylo au n° 19 ?

Encore une supposition.

Et il y avait, bien sûr, Sheila Webb elle-même...

Hardcastle décrocha, appela l'hôtel où Colin Lamb était descendu et l'eut presque aussitôt au bout du fil :

— Hardcastle à l'appareil. À quelle heure au juste as-tu déjeuné avec Sheila Webb aujourd'hui ?

Il y eut un bref silence avant que Colin ne réponde :

— Comment sais-tu que nous avons déjeuné ensemble ?

— Ce n'était pas sorcier à deviner. Vous avez bien déjeuné ensemble, non ?

— Je n'aurais pas dû ? Pourquoi ?

— Pour rien. Je te demande simplement à quelle heure. Vous y êtes allés tout de suite en sortant de l'audience ?

— Non. Elle avait des courses à faire. On s'est retrouvés au Chinois de Market Street à 1 heure.

— Je vois.

Hardcastle regarda ses notes. Edna Brent était morte entre 12 h 30 et 13 heures.

— Tu veux savoir dans le détail ce qu'a été le menu ?

— Ne le prends pas mal. Je voulais juste l'heure exacte. Pour mon dossier.

— Je vois. C'est la vie.

Il y eut un nouveau silence.

— Si tu ne fais rien ce soir... commença Hardcastle pour dissiper le malaise qui s'était installé entre eux.

Mais son ami ne le laissa pas achever :

— Je m'en vais. J'étais en train de boucler ma valise. J'ai trouvé en rentrant un message qui m'attendait. Il faut que je parte pour l'étranger.

— Tu rentres quand ?

— Va savoir. Pas avant une semaine... peut-être plus... peut-être jamais !

— Pas de chance. À moins que ce ne soit le contraire.

— C'est la question que je me pose, dit Colin.

Et il raccrocha.

18

Hardcastle arriva au n° 19, Wilbraham Crescent à l'instant où miss Pebmarsh sortait de chez elle :

— Excusez-moi un instant, miss Pebmarsh...

— Oh ! Vous êtes... l'inspecteur Hardcastle, c'est bien cela ?

— Oui. Pouvons-nous échanger quelques mots ?

— Je ne voudrais pas être en retard à l'Institut. Ce sera long ?

— Quelques minutes à peine, je vous le promets.

Il la suivit à l'intérieur :

— Vous avez eu des échos de ce qui s'est passé cet après-midi ?

— Il s'est passé quelque chose ?

— Je pensais que vous étiez au courant. Une jeune fille a été tuée dans la cabine téléphonique en bas de la rue.

— Tuée ? Quand ça ?

Il regarda l'horloge de parquet :

— Cela fait maintenant 2 heures et 45 minutes.

— Je n'ai entendu parler de rien. De rien du tout, dit miss Pebmarsh.

Une sourde colère résonnait dans sa voix. Comme si son infirmité lui avait été rappelée de façon particulièrement blessante :

— Une jeune fille... tuée ! Quelle jeune fille ?

— Elle s'appelle Edna Brent et elle travaillait à l'Agence Cavendish.

— Encore une dactylo ! Est-ce qu'elle avait été envoyée dans les parages, comme pour cette autre fille, Sheila... je ne me rappelle plus son nom ?

— Je ne pense pas, dit l'inspecteur. Elle n'est pas venue vous voir chez vous ?

— Ici ? Non. Jamais de la vie.

— Auriez-vous été là si elle l'avait fait ?

— Je n'en sais trop rien. Quelle heure avez-vous dit, déjà ?

— Vers midi et demi ou un peu plus tard.

— Alors là, oui, acquiesça miss Pebmarsh. À cette heure-là, j'étais chez moi.

— Où êtes-vous allée après l'enquête ?

— Je suis rentrée directement ici.

Elle marqua un temps, puis demanda :

— Pourquoi pensez-vous que cette fille aurait pu venir me voir ?

— Eh bien, elle a assisté à l'enquête ce matin et elle vous y a vue, ce qui a éventuellement pu lui donner un bon motif de venir à Wilbraham Crescent. Autant que nous le sachions, elle ne connaissait personne dans cette rue.

— Mais pourquoi serait-elle venue chez moi pour la simple raison qu'elle m'avait vue à l'enquête ?

— Eh bien...

L'inspecteur sourit, puis essaya très vite de mettre son sourire dans sa voix quand il réalisa que miss Pebmarsh n'était pas en mesure d'en apprécier les vertus désarmantes :

— On ne sait jamais, avec ces filles. Un autographe, peut-être ? Quelque chose dans ce goût-là.

— Un autographe ! s'écria miss Pebmarsh sur un ton méprisant. Oui, oui, vous avez sans doute raison. On peut s'attendre à n'importe quoi.

Elle secoua vivement la tête :

— Je peux quand même vous affirmer, inspecteur, qu'elle n'est *pas* venue ici aujourd'hui. Personne ne m'a rendu visite depuis que je suis rentrée de l'enquête.

— Eh bien, je vous remercie, miss Pebmarsh. Il nous fallait vérifier toutes les éventualités.

— Quel âge avait-elle ? demanda miss Pebmarsh.

— 19 ans, je crois.

— 19 ans ? C'est très jeune.

Sa voix s'était altérée :

— Très jeune... La pauvre petite. Comment pourrait-on vouloir tuer une gamine de cet âge ?

— Et pourtant, ça arrive, répliqua Hardcastle.

— Était-elle jolie... attirante... excitante ?

— Non, dit Hardcastle. Ça lui aurait plu, mais elle ne l'était pas.

— Alors ce n'est pas là qu'il faut chercher la raison, murmura miss Pebmarsh.

Elle secoua de nouveau la tête :

— Je suis désolée, inspecteur Hardcastle. Plus désolée que je ne saurais dire de ne pouvoir vous aider.

Il sortit, impressionné comme il l'était chaque fois par la personnalité de miss Pebmarsh.

Miss Waterhouse aussi se trouvait chez elle. Égale à elle-même, elle ouvrit la porte avec une soudaineté qui révélait le désir de surprendre quelqu'un se livrant à quelque activité prohibée :

— Oh ! c'est *vous* ! s'exclama-t-elle. Écoutez, j'ai dit à vos hommes tout ce que je savais.

— Je suis certain que vous avez répondu aux questions qui vous ont été posées, répliqua Hardcastle, mais on ne peut pas les poser toutes à la fois. Il nous faut revenir sur certains détails.

— Je ne vois pas pourquoi. Cette histoire m'a terriblement choquée, dit-elle à Hardcastle avec un regard accusateur, comme si elle le soupçonnait d'en être responsable. Entrez, entrez. Vous n'allez pas passer la journée sur le paillasson. Entrez, asseyez-vous et posez-moi toutes les questions que vous voulez, encore que je ne voie pas de quelles questions il pourrait bien s'agir. Comme je l'ai déjà dit, je suis sortie pour donner un coup de téléphone. J'ai ouvert la porte de la cabine et j'ai vu cette fille. Ça m'a donné un choc comme jamais dans ma vie. Je me suis précipitée chercher l'agent au coin de la rue. Et après ça, si vous tenez à le savoir, je suis revenue ici et me suis octroyé une dose médicinale de brandy. *Médicinale !* répéta-t-elle non sans quelque agressivité.

— Très sage de votre part, chère mademoiselle, approuva Hardcastle.

— Un point, c'est tout ! conclut miss Waterhouse avec emphase.

— Je voulais vous demander si vous étiez absolument certaine de n'avoir jamais vu cette fille auparavant.

— Je peux l'avoir rencontrée une dizaine de fois sans en avoir pour autant gardé le moindre souvenir. Je veux dire par là qu'elle a pu me faire essayer un pull chez Woolworth, ou s'asseoir à côté de moi dans un bus, ou me vendre des places de cinéma.

— Elle était sténodactylo à l'Agence Cavendish.

— Je ne crois pas avoir jamais eu l'occasion de faire appel aux services d'une sténodactylo. Peut-être travaillait-elle à l'occasion chez Gainsford & Swettenham, où mon frère est employé. C'est là que vous voulez en venir ?

— Oh ! pas du tout, répliqua Hardcastle, nous n'avons opéré aucun rapprochement de ce genre. Je me demandais tout au plus si elle ne serait pas passée vous voir, ce matin, avant de se faire assassiner.

— Passée me *voir*, moi ? Non, bien évidemment non. Pourquoi l'aurait-elle fait ?

— Ça, nous n'en savons hélas rien, convint Hardcastle. Mais seriez-vous, oui on non, prête à affirmer que la personne qui l'a vue pousser votre portail ce matin s'est trompée ?

Il la couvait d'un œil candide.

— Quelqu'un l'a vue pousser mon portail ? Foutaise ! clama l'auguste demoiselle.

Elle hésita :

— À moins que...

— Oui ? fit Hardcastle, soudain sur ses gardes mais sans en rien laisser paraître.

— Eh bien, j'imagine qu'il se peut qu'elle soit venue glisser un prospectus dans la boîte aux lettres... J'en ai effectivement trouvé un, à l'heure du déjeuner. Il y était question d'un meeting sur le désarmement nucléaire, je crois bien. Chaque jour apporte son nouveau lot de paperasses en tout genre. Oui, il est tout à fait concevable, je vous l'accorde, qu'elle soit venue glisser un papier dans ma boîte. Mais de là à me tenir pour responsable..

— Loin de moi une telle idée. Maintenant, en ce qui concerne votre coup de téléphone... vous dites que votre appareil était en dérangement. D'après le central, ce n'était pas le cas.

— Ils diraient n'importe quoi ! J'ai composé un numéro et j'ai entendu un bruit des plus bizarres, rien à voir avec la sonnerie « occupé ». Je suis donc allée à la cabine téléphonique.

Hardcastle se leva :

— Excusez-moi de vous avoir importunée avec cela, miss Waterhouse, mais l'opinion prévaut que cette fille est venue rendre visite à quelqu'un dans le

« crescent » et qu'elle se rendait dans une maison pas très éloignée de la vôtre.

— Ce qui vous oblige à enquêter tout au long du « crescent », compatit miss Waterhouse. Je crois que le plus vraisemblable est qu'elle soit allée dans la maison d'à côté... chez miss Pebmarsh.

— Qu'est-ce qui vous amène à penser que ce soit le plus vraisemblable ?

— Vous avez dit qu'elle était sténodactylo et qu'elle venait de l'Agence Cavendish. Or, si mes souvenirs sont bons, il a été dit que miss Pebmarsh avait fait demander qu'une sténodactylo passe chez elle l'autre jour, quand cet homme y a été tué.

— C'est ce qui a été dit, mais elle l'a nié.

— Si vous voulez mon avis, et remarquez bien qu'on ne prête généralement pas attention à ce que je dis avant qu'il ne soit trop tard, je vous avouerai que je la crois un peu cinglée. Miss Pebmarsh, s'entend. Je me demande si elle n'appelle pas bel et bien les agences de secrétariat pour leur demander de lui envoyer des dactylos. Et puis, après coup, allez savoir si ça ne lui sort pas de l'esprit ?

— Mais vous ne la pensez tout de même pas capable de tuer ?

— Loin de moi une telle idée. Je sais bien qu'un homme a été tué chez elle, mais je ne suggère pas un instant qu'elle y soit pour quelque chose. Non. Je me disais tout au plus qu'elle avait peut-être une de ces marottes bizarres comme il arrive à des tas de gens. J'ai connu une femme qui passait son temps à téléphoner à des pâtissiers pour leur commander une douzaine de meringues. Elle n'en avait que faire et, quand ils les lui livraient, elle prétendait ne leur avoir jamais rien demandé. Ce genre de manie.

— Évidemment, tout est possible, admit Hardcastle.

Il prit congé et s'en fut en se disant que la dernière suggestion de miss Waterhouse n'honorait guère la vieille demoiselle. D'un autre côté, si elle croyait qu'un témoin avait vu cette fille entrer chez elle, et à condition que cette visite ait été effective, la parade consistant à suggérer que ladite fille s'était en réalité engouffrée au n° 19 pouvait, vu les circonstances, se révéler d'une grande habileté.

Il jeta un coup d'œil à sa montre et décida qu'il avait encore le temps d'aller se mesurer au personnel de l'Agence Cavendish. Les bureaux, il ne l'ignorait pas, avaient rouvert à 2 heures de l'après-midi. Qui sait si les filles ne pourraient pas l'aider ? Et puis il y trouverait Sheila Webb elle aussi.

Une des filles bondit de sa chaise en le voyant entrer :

— Vous êtes l'inspecteur Hardcastle, non ? Miss Martindale vous attend.

Et elle l'introduisit dans le bureau directorial. Miss Martindale ne perdit pas une seconde avant de passer à l'attaque :

— C'est un scandale, inspecteur, une honte ! Il faut que vous tiriez cette affaire au clair. Il faut que vous la tiriez au clair *illico*. Assez lambiné. La police est censée nous protéger et c'est ce que nous attendons d'elle ici. Une *protection*. J'exige qu'on protège mes employées et je compte bien l'obtenir.

— Je suis certain, miss Martindale, que...

— Allez-vous nier qu'on s'en est pris à deux, je dis bien *deux*, de mes jeunes filles ? Il rôde dans les parages un malade mental affligé de — comment s'est-on mis à appeler ça ? — un complexe, une fixation sur les sténodactylos et les agences de secrétariat. Mon entreprise est visée. D'abord Sheila Webb, attirée dans cette maison par le plus cruel des stratagèmes et pour y faire cette macabre découverte... de quoi causer des dommages irréparables dans l'esprit d'une jeune personne à la sensibilité à fleur de peau. Et puis une gamine parfaitement inoffensive assassinée dans une cabine téléphonique. Qu'y a-t-il derrière tout ça ? Il faut en avoir le cœur net, inspecteur.

— Y parvenir, et dans les meilleurs délais, est mon

vœu le plus cher, miss Martindale. Et si je suis ici, c'est afin de voir si vous êtes en mesure de m'apporter une aide quelconque.

— Une aide quelconque ! Mais comment pourrais-je bien vous aider ? Si j'avais la moindre idée quant à la façon de le faire, il y a longtemps que j'aurais couru vous trouver ! Il faut que vous découvriez qui a tué cette pauvre Edna, et qui a joué cette innommable plaisanterie à Sheila. Je suis stricte avec mes employées, inspecteur, je veille à ce qu'elles soient assidues à la tâche, à ce qu'elles arrivent à l'heure et ne se montrent jamais en débraillé, mais je ne tolérerai pas qu'on cherche à leur nuire ou qu'on les assassine. J'ai la ferme intention de les défendre, et de faire en sorte que les gens payés par l'État pour assurer leur sécurité accomplissent leur devoir.

Ayant dit, elle le foudroya du regard au point que Hardcastle lui trouva soudain des airs de tigresse.

— Laissez-nous du temps, miss Martindale, plaidat-il.

— Du temps ? Sous prétexte que cette petite sotte est morte, vous vous imaginez que vous avez tout votre temps ? Moi, je vais vous dire : une autre fille va se faire assassiner, voilà ce qui nous pend au nez.

— Je ne crois pas que pareille horreur soit à redouter, miss Martindale.

— J'imagine que quand vous vous êtes levé ce matin, inspecteur, vous étiez à cent lieues de soupçonner que cette fille allait se faire tuer. Sinon je veux croire que vous auriez pris des mesures, que vous auriez veillé à sa sécurité. Il y a donc fort à parier que si une autre de mes employées était placée dans une situation compromettante, voire assassinée, vous tomberiez tout autant des nues. Cette histoire est invraisemblable, *insensée*. Reconnaissez avec moi que tout cela n'a ni queue ni tête. Enfin, si ce qu'on lit dans les journaux est vrai. Toutes ces pendules, par exemple. Or, j'ai bien remarqué ce matin, lors de l'enquête du coroner, que personne n'avait abordé le sujet.

— Il a été évoqué ce matin aussi peu de détails que faire se pouvait, miss Martindale. Et ce pour l'excellente raison que cette enquête devait être ajournée.

— En tout cas je n'ai qu'un conseil à vous donner, tonna miss Martindale en le foudroyant à nouveau du regard. Et c'est celui d'*agir*.

— Il n'est vraiment rien que vous puissiez me dire ? Aucun indice qu'Edna aurait laissé derrière elle ? Elle n'avait pas un problème qui la tourmentait ? Elle ne vous avait pas demandé conseil ?

— Si elle avait eu un problème, ce n'est pas moi qu'elle serait venue trouver, répliqua miss Martindale. Mais qu'est-ce qui aurait bien pu la tourmenter ?

C'était précisément la question à laquelle l'inspecteur Hardcastle aurait aimé obtenir une réponse, mais il se rendait bien compte à quel point il était improbable qu'elle lui soit fournie par miss Martindale. De guère lasse, il reprit :

— J'aimerais parler au plus grand nombre possible de vos employées. Je conçois en effet qu'Edna Brent ne soit pas venue vous faire part de ses soucis ou de ses inquiétudes, mais il n'est pas exclu qu'elle en ait parlé à ses collègues.

— C'est même on ne peut plus probable. Ces filles passent leur temps à bavarder. Dès qu'elles m'entendent arriver, dès que mon pas retentit dans le corridor, les machines se mettent à crépiter. Mais qu'ont-elles fait entre-temps, quand j'avais le dos tourné ? Papoté, bavassé et échangé des commérages.

Se calmant un peu, elle précisa :

— Il n'y en a pour le moment que trois au bureau. Souhaitez-vous leur parler tout de suite ? Les autres se sont rendues chez des particuliers. Je peux vous donner leurs adresses et leurs téléphones personnels si vous le désirez.

— Je vous remercie.

— Je suppose que vous préférerez leur parler seul à seules. D'ailleurs, elles s'exprimeraient moins librement en ma présence. Il leur faudrait alors admettre, comprenez-vous, qu'elles ont perdu leur temps à bavarder.

Elle quitta son fauteuil et alla ouvrir la porte qui communiquait avec le bureau adjacent :

— Mesdemoiselles, l'inspecteur Hardcastle aimerait vous poser un certain nombre de questions. Je vous autorise à interrompre un instant le travail. Efforcez-vous de lui dire tout ce qui pourrait éventuellement l'aider à retrouver l'assassin d'Edna Brent.

Sur quoi elle retourna dans son bureau dont elle referma la porte d'une main ferme. Trois visages naïfs et effrayés se levèrent vers l'inspecteur. Hardcastle leur jeta un coup d'œil rapide afin de voir à qui il avait affaire. Une bonne grosse blonde à lunettes rayonnante de santé. Hardcastle décida qu'on pouvait lui faire confiance mais qu'elle ne devait pas avoir inventé la poudre. Une brune à l'allure désinvolte dont la coiffure laissait à penser qu'elle venait d'affronter un ouragan. Son regard trahissait une certaine sensibilité, mais il ne faudrait pas trop tenir compte de son témoignage. Elle aurait certainement tendance à enjoliver son récit. La troisième pouffait sans arrêt et il y avait fort à parier qu'elle tomberait d'accord avec la dernière qui aurait parlé.

Il ne s'embarrassa pas de précautions oratoires :

— J'imagine que vous savez toutes ce qui est arrivé à Edna Brent qui travaillait ici avec vous ?

Trois vigoureux hochements de tête lui répondirent.

— Comment avez-vous appris la nouvelle ?

Elles se regardèrent, comme pour se choisir un porte-parole. D'un commun accord, ce fut la blonde, dont Hardcastle apprit qu'elle s'appelait Janet :

— Edna n'est pas revenue travailler à 2 heures comme elle aurait dû le faire.

— Et Sandy Cat était folle de rage, intervint la brune, Maureen, avant de rectifier d'elle-même : miss Martindale, je veux dire.

La troisième fille gloussa :

— Sandy Cat, c'est comme ça qu'on l'appelle.

« Un surnom qui lui va comme un gant », songea l'inspecteur.

— Quand ça lui prend, c'est une vraie terreur, poursuivit Maureen. Elle vous sauterait dessus. Elle a demandé si Edna nous avait prévenues qu'elle ne viendrait pas au bureau et s'est écriée qu'elle aurait pu au moins téléphoner pour s'excuser.

La blonde intervint :

— J'ai dit à miss Martindale qu'elle avait assisté à l'enquête du coroner avec nous, mais qu'elle avait disparu après et qu'on ne savait pas où elle était allée.

— Et c'était vrai ? s'enquit Hardcastle. Vous n'aviez vraiment aucune idée de l'endroit où elle avait bien pu se rendre ?

— Je lui avais proposé de venir déjeuner avec nous, précisa Maureen, mais elle avait l'air de ruminer Dieu sait quoi. Elle m'a répondu qu'elle ne savait même pas si elle était sûre de déjeuner. Qu'elle s'achèterait peut-être des bricoles à grignoter au bureau.

— Elle avait donc l'intention de retourner travailler ?

— Oh ! oui, bien sûr. On savait toutes qu'on était bien obligées de le faire.

— Est-ce qu'Edna Brent ne vous avait pas paru changée, ces derniers jours ? Paru distraite, préoccupée ? Est-ce qu'elle ne vous a rien raconté ? Si vous savez quelque chose, il faut absolument que vous me le disiez.

Elles se regardèrent d'un air hésitant et un peu perdu.

— Elle se faisait toujours un sang d'encre à propos de tout et de rien, concéda Maureen. Et elle se serait noyée dans un verre d'eau. Comprendre au quart de tour n'était pas non plus son fort.

— Il lui arrivait toujours des trucs pas possibles, ajouta celle qui n'arrêtait pas de pouffer. Vous vous souvenez de ce talon aiguille qui l'avait lâchée, l'autre jour ? C'était tout Edna, ça.

— Oui, je m'en souviens, dit Hardcastle.

Il revoyait la jeune fille en train de contempler avec désolation la chaussure qu'elle tenait à la main.

— Vous savez, quand j'ai vu qu'Edna n'était pas là, cet après-midi, j'ai tout de suite eu le pressentiment que quelque chose d'affreux était arrivé, dit Janet en hochant la tête avec solennité.

Hardcastle la regarda avec une certaine répugnance. Il n'exécrait rien tant que la clairvoyance après coup. Il aurait parié que cette fille n'avait rien pensé de tel. Au lieu de quoi il l'imaginait fort bien en train de se délecter d'un : « Ah ! le savon qu'Edna va se faire passer par Sandy Cat à l'arrivée. » Il reposa sa question :

— Comment avez-vous appris la nouvelle ?

Elles se consultèrent à nouveau. Celle qui pouffait rougit jusqu'aux oreilles et coula un regard vers la porte de miss Martindale :

— Eh bien, je... euh... j'étais sortie une minute. Je voulais acheter des gâteaux à emporter à la maison et je savais qu'à l'heure de fermeture du bureau il n'en resterait plus. Et quand je suis arrivée à la pâtisserie — elle est juste au coin, ils me connaissent bien —, la femme m'a dit : « Elle travaillait chez vous, pas vrai, mon lapin ? » » « Mais de quoi vous parlez ? » que je lui ai fait. « De cette fille qu'on vient de trouver morte dans une cabine téléphonique », qu'elle m'a répondu. Ça m'a flanqué un de ces chocs ! Je suis revenue ici en courant, j'ai tout raconté aux autres et à la fin on s'est dit qu'il fallait en parler à miss Martindale. Et, juste à ce moment-là, elle est sortie en trombe de son bureau et s'est mise à hurler : « Mais qu'est-ce qui vous prend *encore* ? Je n'entends pas une seule machine à écrire ! »

La blonde prit le relais de la saga :

— Alors je lui ai dit : « C'est pas notre faute. On vient d'apprendre quelque chose de terrible au sujet d'Edna, miss Martindale. »

— Et quelle a été la réaction de miss Martindale ?

— D'abord elle ne nous a pas crues, intervint la brune. Elle s'est écriée : « Quelle ânerie ! Encore un ragot pêché dans je ne sais quelle boutique ! Il s'agit sûrement d'une autre fille. Pourquoi faudrait-il que ce soit Edna ? » Et là-dessus, elle est retournée dans son bureau, elle a appelé la police et elle a bien été obligée de nous croire.

— Mais ce que je ne comprends pas, fit remarquer Janet d'un ton rêveur, ce que je ne comprends pas, c'est pourquoi quelqu'un pouvait avoir envie de tuer Edna.

— C'est pas comme si elle avait un amant ou quoi, renchérit la brune.

Toutes les trois regardaient Hardcastle d'un air interrogateur, comme s'il allait leur donner la réponse. Il soupira. Pour lui, il n'y avait rien là de bien intéressant. Peut-être qu'avec un peu de chance une des autres filles se montrerait plus utile. Et puis il lui restait toujours Sheila Webb elle-même.

— Sheila Webb et Edna Brent étaient amies intimes ? demanda-t-il.

Les filles se regardèrent d'un air perplexe.

— Intimes ? répéta la porte-parole. Non, je ne pense pas.

— Où est donc miss Webb, à propos ?

On lui signala qu'elle s'était rendue à l'hôtel *Curlew*, pour y travailler avec le Pr Purdy.

19

Quand il dut s'interrompre dans sa dictée pour répondre au téléphone, le Pr Purdy ne dissimula pas son irritation :

— Qui ça ? Quoi ? Vous voulez dire qu'il est en bas ? Eh bien, demandez-lui s'il ne veut pas revenir demain. Hein ? Oh ! bon... très bien... très bien... Qu'il monte !

» Il faut toujours qu'il y ait quelque chose ! fulmina-t-il en raccrochant. Comment travailler sérieusement avec ces interruptions constantes ?

Il regarda Sheila d'un air quelque peu agacé :

— Voyons, où en étions-nous, mon petit ?

Sheila s'apprêtait à répondre quand on frappa à la porte. Le Pr Purdy, qui se débattait dans des problèmes chronologiques remontant à 3 000 ans et des poussières, eut quelques difficultés à reprendre pied dans le présent.

— Oui ! lança-t-il avec exaspération. Oui, entrez, c'est pour quoi ? J'avais pourtant précisé que je ne voulais être dérangé *sous aucun prétexte* cet après-midi.

— Je suis navré, monsieur, absolument navré, mais il m'était impossible de faire autrement. Bonsoir, miss Webb.

Sheila Webb repoussa son carnet de notes et se leva. Hardcastle se demanda si c'était bien une soudaine appréhension qu'il lisait dans ses yeux.

— Bon, eh bien de quoi s'agit-il ? s'énerva le professeur.

— Inspecteur Hardcastle, ainsi que miss Webb peut vous le confirmer.

— J'entends bien, dit le professeur. J'entends bien, mais...

— Ce qui m'amène, ce sont quelques questions que je désirerais poser à miss Webb.

— Cela ne saurait-il attendre ? Vous tombez au plus mal. *Au plus mal.* Nous attaquions un point particulièrement critique. Je libère miss Webb dans un quart d'heure environ — oh ! bon, mettons une demi-heure. Dans ces eaux-là. Oh ! mon dieu, il est *déjà* 6 heures ?

— Je regrette infiniment, Pr Purdy, insista Hardcastle d'un ton ferme.

— Oh ! très bien, très bien. De quoi s'agit-il ?... D'une quelconque infraction au code de la route, j'imagine ? Ces gardiens de la paix donnent dans l'excès de zèle. Il y en a un, l'autre jour, qui m'a soutenu que j'avais laissé ma voiture plus de quatre heures et quart d'horloge devant un parcmètre. Or, c'était matériellement impossible.

— Ce qui m'amène est un peu plus sérieux qu'une infraction au code de la route, monsieur.

— Ah ! bon. Ah ! bon. Vous n'avez d'ailleurs pas de voiture, n'est-ce pas, mon petit ?

Il jeta un regard distrait à Sheila Webb :

— Oui, cela me revient, vous venez ici en bus. Bon, inspecteur, de quoi s'agit-il ?

— D'une jeune fille du nom d'Edna Brent.

Il se tourna vers Sheila :

— Je suppose que vous connaissez la nouvelle ?

Elle le fixa. Elle avait des yeux superbes. De grands yeux couleur de myosotis. Des yeux qui lui rappelaient quelqu'un :

— Edna Brent ?

Elle haussa les sourcils :

— Je la connais, bien sûr. Mais qu'est-ce qu'elle a fait ?

— Je vois que vous n'êtes pas encore au courant. Où avez-vous déjeuné, miss Webb ?

Le visage de la jeune fille se colora :

— Avec un ami, au restaurant Ho Tung, encore que... encore que je ne voie pas en quoi cela vous regarde.

— Vous n'êtes pas retournée après ça au bureau ?

— À l'Agence Cavendish ? J'y suis passée pour m'entendre dire que je devais filer à l'hôtel *Curlew* où j'avais rendez-vous avec le Pr Purdy à 2 heures et demie.

— C'est exact, confirma le professeur en hochant la tête. *À 2 heures et demie*. Et nous n'avons pas arrêté de travailler depuis lors. Pas arrêté. Mon Dieu, j'aurais dû vous offrir une tasse de thé ! Je suis confus, miss Webb, vous auriez sûrement souhaité avoir votre thé. Vous auriez dû me le rappeler.

— Oh ! cela n'a aucune importance, professeur. Aucune.

— Tout de même, quelle négligence de ma part ! s'excusa le professeur. Quelle négligence ! Mais bon. Puisque l'inspecteur désire vous poser quelques questions, je m'en voudrais de l'interrompre.

— Vous ignorez donc ce qui est arrivé à Edna Brent ? reprit patiemment Hardcastle.

— Ce qui lui est *arrivé* ? demanda Sheila d'une voix dure qui monta bientôt dans l'aigu. Ce qui lui est arrivé ? Mais qu'est-ce que vous entendez par là ? Elle a eu un accident ou quoi ? Elle s'est fait renverser par une voiture ?

— Ah ! les méfaits de la vitesse... soupira le professeur.

— Oui, confirma Hardcastle, il lui est effectivement arrivé quelque chose.

Il marqua un temps, puis lança avec toute la brutalité possible :

— Elle a été étranglée, vers midi et demi, dans une cabine téléphonique.

— Dans une cabine téléphonique ? lâcha le professeur qui se hissa brusquement à la hauteur de la situation en manifestant quelque intérêt pour la nouvelle.

Sheila Webb était muette. Bouche entrouverte, elle fixait Hardcastle de ses yeux écarquillés. « Ou bien c'est la première fois que tu entends parler de ce meurtre, ou alors tu es une sacrée comédienne », jugea à part lui l'inspecteur.

— Ça, par exemple ! commenta le professeur. Étranglée dans une cabine téléphonique, voilà qui n'est pas ordinaire. Pas ordinaire du tout. Jamais je n'aurais l'idée de choisir un endroit pareil. En admettant que je doive accomplir un tel acte, s'entend. Non, réellement non. Eh bien, eh bien. Pauvre petite. Ce n'est vraiment pas de chance pour elle.

— Edna... *tuée* ! Mais pourquoi ?

— Saviez-vous, miss Webb, qu'Edna Brent était si impatiente de vous parler avant-hier qu'elle s'était rendue chez votre tante où elle vous avait attendue un bon moment ?

— C'est encore ma faute, confessa le professeur d'un air coupable. J'ai retenu miss Webb très tard, ce soir-là, je m'en souviens. Très très tard. Je me sens affreusement gêné, mon petit. Il *faut* toujours me rappeler l'heure, mon petit. Il le faut absolument.

— Ma tante m'en a parlé, mais je ne pensais pas que c'était important. Ça l'était ? Edna avait des ennuis ?

— Nous n'en savons rien, répondit l'inspecteur. Et nous ne le saurons sans doute jamais. À moins que *vous* puissiez nous le dire.

— *Moi*, vous le dire ? Mais comment ça ?

— Vous pourriez, peut-être, avoir des lueurs sur la raison pour laquelle Edna Brent voulait tant vous voir ?

Elle secoua la tête :

— Je n'en ai aucune idée. Aucune.

— Au bureau, elle ne vous avait rien dit qui aurait pu vous mettre la puce à l'oreille ?

— Non. Non elle ne m'a pas... elle ne m'avait rien dit du tout... Hier, je n'ai pas mis les pieds au bureau. Il avait fallu que j'aille à Landis Bay où j'ai travaillé toute la journée avec un de nos auteurs.

— Avez-vous remarqué qu'elle était préoccupée ces temps-ci ?

— Edna avait toujours l'air perplexe ou préoccupé. Elle était perpétuellement... comment dire ?... elle manquait en fait de confiance en elle. Elle n'était jamais sûre d'avoir adopté la bonne démarche ou pris la bonne décision. Elle avait une fois sauté deux pages entières d'un roman d'Armand Levine, et elle ne savait plus où donner de la tête parce qu'au moment où elle s'en était aperçue, elle avait déjà expédié le texte.

— Je vois. Et elle vous a demandé comment se tirer d'affaire ?

— Oui. Je lui ai suggéré d'envoyer tout de suite un mot à Mr Levine en lui expliquant ce qui s'était passé et en le priant de ne pas se plaindre auprès de miss Martindale. Vous savez, les auteurs commencent rarement leurs corrections à la réception du manuscrit. Mais Edna a déclaré que ça l'embêtait.

— Elle demandait souvent conseil, quand il lui arrivait des mésaventures de ce genre ?

— Oh ! oui, tout le temps. Mais le problème, c'est que nous n'étions pas toutes d'accord sur les solutions à apporter, c'est normal. Alors elle se sentait perdue.

— Il était donc assez naturel qu'elle vienne vous trouver si elle avait bel et bien un problème à résoudre. Ça lui est arrivé souvent ?

— Oui. Oh ! oui.

— Vous ne pensez pas qu'il pouvait s'agir cette fois-ci de quelque chose de plus sérieux ?

— Je n'ai pas l'impression. Et, dans le genre sérieux, qu'est-ce que ç'aurait bien pu être ?

Sheila Webb, se demanda l'inspecteur, était-elle aussi à l'aise qu'elle s'efforçait de le paraître ?

— Je ne sais pas ce dont elle voulait me parler, poursuivit-elle d'une voix de plus en plus rapide et comme si elle allait soudain perdre son souffle. Je n'en ai aucune idée. Et j'ignore rigoureusement tout de la raison qui a pu la pousser à se rendre chez ma tante afin d'avoir *là-bas* une conversation avec moi.

— Ne serait-il pas vraisemblable qu'il se soit agi d'un sujet qu'elle ne souhaitait pas aborder au sein de l'Agence Cavendish ? Devant vos diverses collègues, dirons-nous ? Quelque chose dont elle estimait que cela devait rester entre vous deux. Est-ce que vous ne pensez pas que cela ait pu être le cas ?

— Cela me semble peu probable...

Sa respiration était de plus en plus entrecoupée :

— Je crois que vous vous trompez du tout au tout.

— Vous ne pouvez donc pas m'aider, miss Webb ?

— Non. Je suis désolée. Je suis très triste au sujet d'Edna, mais je ne sais rien qui pourrait vous aider.

— Rien qui puisse avoir un lien quelconque avec ce qui s'est passé le 9 septembre ?

— Vous voulez dire... cet homme... cet homme à Wilbraham Crescent ?

— Exactement.

— Mais comment cela serait-il possible ? Qu'est-ce qu'Edna aurait bien pu savoir sur la question ?

— Rien de bien important, peut-être, soupira l'inspecteur. Mais à tout le moins *quelque chose*. Et tout détail est susceptible de nous aider. *Tout détail*, si mince soit-il.

Il marqua un temps, puis :

— Cette cabine téléphonique où elle a été tuée était située à Wilbraham Crescent. Cela n'évoque-t-il rien pour vous, miss Webb ?

— Rien du tout.

— Vous vous êtes rendue à Wilbraham Crescent aujourd'hui ?

— Non, absolument pas ! s'écria-t-elle avec véhémence. Je ne m'en suis pas approchée. Et je commence à trouver cet endroit parfaitement abominable. Je souhaiterais n'y avoir jamais mis les pieds, n'avoir jamais été prise au piège de cette horrible histoire. Pourquoi, ce jour-là précisément, a-t-on réclamé ma présence là-bas ? Pourquoi a-t-il fallu qu'Edna soit tuée à deux pas de cette maison ? Il *faut* que vous le découvriez, inspecteur, il le faut, il le faut !

— Mais nous en avons bien l'intention, répliqua Hardcastle.

Et son ton se fit quelque peu menaçant quand il crut bon d'ajouter :

— J'aimerais que vous en soyez parfaitement convaincue.

— Vous tremblez, mon petit, fit remarquer le Pr Purdy. Je crois... oui, je crois réellement que ce qu'il vous faut, c'est un verre de sherry.

20

RÉCIT DE COLIN LAMB

Sitôt à Londres, je me précipitai chez Beck.

Il agita son cigare dans ma direction :

— Après tout, votre histoire de croissants n'était peut-être pas aussi débile qu'il y paraissait à première vue.

— J'ai finalement levé un lièvre, c'est ça ?

— Ne nous emballons pas, mais ce n'est cependant plus une hypothèse à exclure. Notre ingénieur des travaux publics, Mr Ramsay, du n° 62, Wilbraham Crescent, n'est pas ce qu'il prétend. Il a, ces derniers temps, signé de curieux engagements. Les entreprises existent, mais elles ont toutes été fondées de fraîche date et dans des circonstances inhabituelles. Il y a cinq semaines de cela, Ramsey est parti en coup de vent. Pour la Roumanie.

— Ce n'est pas ce qu'il a dit à sa femme.

— Peut-être, mais c'est en Roumanie qu'il s'est rendu. Et c'est là qu'il se trouve actuellement. Nous aimerions bien en savoir davantage sur son compte. C'est d'ailleurs la raison pour laquelle vous allez vous remuer un peu, mon garçon. Je vous ai fait préparer les visas et vous avez un joli passeport tout neuf qui vous attend. Vous vous appelez cette fois Nigel Trench. Rafraîchissez vos connaissances sur les plantes rares des Balkans. Vous êtes botaniste.

— Des instructions particulières ?

— Non. On vous communiquera vos contacts quand vous irez chercher vos papiers. Ramenez tout ce que vous pourrez sur notre Mr Ramsay.

Il m'adressa un regard inquisiteur :

— Ces nouvelles n'ont pas l'air de vous plaire autant qu'elles le devraient.

Il m'observait à travers la fumée de son cigare.

— C'est assez valorisant, quand une intuition se révèle payante, fis-je remarquer sur un ton évasif.

— C'était bien le bon « crescent » mais le mauvais numéro. Le 61 est occupé par un entrepreneur parfaitement inoffensif. Enfin, de notre point de vue. Ce pauvre Hanbury s'était trompé dans les numéros mais il n'était pas tombé loin.

— Vous avez vérifié les autres noms de la liste ? Ou bien vous vous êtes concentré sur Ramsay ?

— Le Logis de Diane a tout l'air aussi chaste et pur que Diane elle-même. Une longue histoire de chats. McNaughton, quant à lui, n'était pas inintéressant. C'est un professeur à la retraite, comme vous le savez. Mathématiques. Fort brillant, semble-t-il. Il a brusquement démissionné de sa chaire pour raisons de santé. Rien là de tout à fait invraisemblable, mais enfin il paraît en pleine forme. Et puis il a rompu avec tous ses amis, ce qui est assez étrange.

— L'ennui, avec nos méthodes, fis-je remarquer, c'est qu'on en arrive très vite à trouver éminemment suspects les moindres faits et gestes du premier venu.

— Il y a du vrai dans ce que vous dites là, admit le colonel Beck. C'est ainsi que j'en arrive parfois à vous suspecter vous, Colin, d'avoir changé de bord. Je vais parfois jusqu'à me soupçonner *moi-même* d'avoir changé de camp, et d'être finalement revenu dans celui-ci ! Tout ça fait un joyeux méli-mélo !

Mon avion décollait à 10 heures du soir. Je décidai d'aller rendre visite à Hercule Poirot avant de partir. Cette fois-ci, il buvait un sirop de cassis. Il m'en offrit, je refusai, et George m'apporta un whisky. La vie n'avait pas changé.

— Vous me semblez déprimé, me dit Poirot.

— Pas du tout. C'est juste que je pars pour l'étranger.

Il me regarda :

— Alors c'est comme ça ?

Je hochai la tête :

— Hé oui, c'est comme ça.

— Je vous souhaite beaucoup de succès.

— Merci. Et vous, Poirot, comment vous sortez-vous de vos devoirs ?

— Je vous demande pardon ?

— Oui, quoi de neuf sur L'Affaire des Pendules de Crowdean ? Vous vous êtes carré contre le dossier de votre fauteuil, vous avez fermé les yeux et trouvé la solution ?

— J'ai lu avec la plus grande attention les documents que vous m'aviez laissés, répondit Poirot.

— Pas terrible, hein ? Je vous avais prévenu, ces voisins-là ne valent pas un clou...

— Au contraire. Au moins *deux* de ces personnes ont prononcé des phrases très éclairantes...

— À qui pensez-vous ? Et quelles étaient les phrases ?

Poirot prit son ton le plus exaspérant pour me dire que je n'avais qu'à relire mes notes :

— Vous les découvrirez vous-même... cela saute littéralement aux yeux. Ce qu'il faut maintenant, c'est parler à d'autres voisins.

— Il n'y en a pas d'autres.

— Mais si. Axiome numéro un : il y a toujours *quelqu'un* qui a vu quelque chose.

— C'est peut-être un axiome, mais dans le cas qui nous intéresse ça ne marche pas. En revanche, j'ai du nouveau : un deuxième meurtre.

— Ah bon ? Si tôt ? Voilà qui est intéressant. Racontez-moi.

Je m'exécutai. Et j'eus droit ensuite à un interrogatoire serré au cours duquel il m'extorqua tout ce que je savais jusqu'au moindre détail. Je lui parlai aussi de la carte postale que j'avais remise à Hardcastle.

— « Souviens-toi... 4 h 13 », répéta-t-il. Oui... c'est bien le même schéma.

— Qu'entendez-vous par là ?

Poirot ferma les yeux :

— Il manque une seule chose à cette carte, l'empreinte d'un doigt trempé dans le sang.

Je le regardai d'un air dubitatif :

— Sincèrement, que pensez-vous de toute cette histoire ?

— Les choses prennent tournure... Comme d'habitude, l'assassin ne peut pas s'empêcher d'en rajouter.

— Mais qui est l'assassin ?

Poirot se garda bien de répondre à cette question.

— M'autorisez-vous à faire quelques recherches pendant votre absence ? préféra-t-il me demander.

— Par exemple ?

— Demain, je chargerai miss Lemon d'écrire une lettre à un vieil avocat de mes amis, Mr Enderby. Je lui demanderai en outre de consulter le registre des mariages à Somerset House. Elle expédiera aussi pour moi certain télégramme à l'étranger.

— Ce n'est pas de jeu, lui fis-je remarquer. Vous ne vous contentez pas de rester dans votre fauteuil à vous creuser la cervelle.

— Erreur ! C'est pourtant bien ce que je fais. Miss Lemon se borne à vérifier mes conclusions. Ce n'est en rien une information que j'attends d'elle, mais une *confirmation*.

— À mon avis, vous ne savez rien du tout, Poirot ! C'est du bluff. Bon sang ! personne ne sait même encore qui était cet homme qui a été tué...

— Moi, je le sais.

— Comment s'appelle-t-il ?

— Aucune idée. Son nom n'a d'ailleurs pas la moindre importance. Je doute que vous ayez assez de cervelle pour me comprendre, mais si je ne sais pas *qui* il est, je sais en revanche *ce* qu'il est.

— Un maître chanteur ?

Poirot ferma les yeux.

— Un détective privé ?

Poirot rouvrit les yeux :

— Je vais vous faire une petite citation. Comme la dernière fois. Et après cela, je ne dirai plus un mot.

Et il me récita avec la plus grande solennité :

— « Guili-guili-guili.. Viens là te faire assassiner. »

21

L'inspecteur Hardcastle jeta un coup d'œil à son calendrier. On était le 20 septembre. Tout juste dix jours. Et ils n'avaient pas avancé autant qu'ils l'auraient dû, bloqués qu'ils étaient par le problème initial : l'identification du cadavre. Elle exigeait plus de temps qu'ils ne l'avaient envisagé dans leurs prévisions les plus pessimistes. Tous les indices semblaient leur avoir filé entre les doigts, toutes les pistes avoir tourné court. L'examen labo des vêtements n'avait rien révélé de particulier. Les vêtements eux-mêmes ne les avaient aiguillés dans aucune direction. De bonne qualité, de qualité « export », ils avaient été beaucoup portés mais bien entretenus. Les dentistes n'avaient pu leur fournir aucune indication. Les blanchisseries et les pressings pas davantage. Le cadavre demeurait celui de « l'homme du mystère » ! Et pourtant, Hardcastle avait le sentiment que cet homme n'avait, de sa vie, rien eu de mystérieux. Il ne se dégageait de lui aucune aura dramatique ou spectaculaire. C'était juste un homme que personne ne s'était encore soucié de venir identifier. Hardcastle soupira en songeant à la montagne de courrier qui leur était inévitablement tombée dessus à la suite de la publication des photos du cadavre dans la presse avec la légende : CONNAISSEZ-VOUS CET HOMME ? Incroyable le nombre de gens qui pensaient l'avoir reconnu. Des filles qui écrivaient dans l'espoir de retrouver un père dont elles étaient séparées depuis des années. Une vieille femme de 90 ans certaine de reconnaître sur cette photo son fils qui avait quitté la maison quelque trente ans plus tôt. Un nombre incalculable de femmes persuadées qu'il s'agissait de leur époux parti sans laisser d'adresse. Seules les sœurs semblaient jusqu'à présent moins pressées de retrouver leur frère. Peut-être les sœurs étaient-elles moins optimistes ? Et puis il y avait, comme faire se doit, un nombre incalculable de gens qui avaient vu cet homme dans le Lincolnshire, à Newcastle, dans le Devon, à Londres, dans le métro, dans un bus, rôdant sur un embarcadère, silhouette sinistre au coin d'une rue, essayant de se cacher le visage en passant devant un cinéma. Des centaines de pistes. On avait patiemment suivi les plus prometteuses sans obtenir aucun résultat.

Mais aujourd'hui, l'inspecteur avait repris courage. Il regarda à nouveau la lettre posée sur son bureau. Merlina Rival. Il n'aimait pas beaucoup le prénom. Aucune personne sensée n'aurait appelé son enfant Merlina. Il s'agissait sans aucun doute d'un prénom que la dame s'était choisi elle-même. Mais il aimait le ton de la lettre : ni trop sûr de lui ni extravagant. Elle disait simplement que son auteur estimait possible que la photo soit celle de son mari dont elle vivait séparée depuis plusieurs années. La personne en question devait venir ce matin. Hardcastle appuya sur une touche de son interphone et le sergent Cray entra.

— Cette Mrs Rival n'est pas encore arrivée ?

— Si, à l'instant. Je venais vous en informer.

— Comment est-elle ?

— Un peu théâtrale, dit Cray après avoir réfléchi un instant. Des tonnes de maquillage... de maquillage appliqué à la louche. Mais, à vue de nez, le genre de bonne femme assez fiable.

— L'air dans ses petits souliers ?

— Non, pas particulièrement.

— Très bien, faites-la entrer.

Cray sortit de la pièce et ne tarda pas à revenir en annonçant :

— Mrs Rival, monsieur.

L'inspecteur se leva et lui serra la main. La cinquantaine, estima-t-il, encore que de loin — de très loin — elle puisse sans doute paraître 30 ans. De très près, le maquillage tartiné à la va-vite la vieillissait, et, l'un dans l'autre, Hardcastle en resta à sa première estimation d'une cinquantaine d'années. Pas de chapeau. Cheveux bruns rincés au henné. Taille et corpulence moyennes, vêtue d'un tailleur sombre et d'un corsage blanc. Un sac fourre-tout en tissu écossais. Un bracelet tintinnabulant ou deux et des bagues quasiment à tous les doigts. Somme toute assez sympathique, la jaugea-t-il à l'aune de son expérience. Pas trop scrupuleuse, peut-être bien, mais facile à vivre, raisonnablement généreuse et plutôt bonne fille. Fiable ? Tout le problème était là. Il n'aurait juré de rien, mais il n'avait pas le choix :

— Très heureux de vous rencontrer, Mrs Rival. J'espère beaucoup que vous allez être en mesure de nous aider.

— Encore une fois, je n'ai aucune certitude, s'excusa Mrs Rival. Mais ça ressemblait à Harry. Ça ressemblait beaucoup à Harry. Pourtant, si ça se trouve, ce n'est pas lui, auquel cas je vous aurai fait perdre votre temps.

Elle en avait l'air désolé par avance.

— Ne vous souciez pas de ça, la rassura Hardcastle. Nous avons besoin de toutes les bonnes volontés dans cette affaire.

— Oui, je saisis. J'espère être capable de vous donner une certitude. Ça fait longtemps que je ne l'ai pas vu, comprenez-vous.

— Et si nous commencions par éclaircir un ou deux points ? Quand avez-vous vu votre mari pour la dernière fois ?

— Tout au long du trajet, dans le train, j'ai essayé de m'en souvenir avec précision. Mais c'est terrible comme la mémoire vous joue des tours avec le temps qui passe. Je crois vous avoir dit dans ma lettre que ça faisait dix ans, mais ça fait plus que ça. Pas loin d'une quinzaine d'années, figurez-vous. Le temps file si vite. J'imagine, ajouta-t-elle non sans lucidité, qu'on a tendance à minorer dans sa tête le nombre des années histoire de se sentir plus jeune qu'on ne l'est.

— C'est possible, oui. Quoi qu'il en soit, vous pensez donc que ça fait en gros quinze ans que vous ne l'avez pas vu ? Quand vous étiez-vous mariés ?

— Ça a dû se passer environ trois ans avant.

— Et vous habitiez ?

— Un endroit qui s'appelle Shipton Bois, dans le Suffolk. Jolie petite ville, très commerçante. Mais un trou perdu, si vous voyez ce que je veux dire.

— Et que faisait votre mari ?

— Il était agent d'assurances. Enfin... c'est ce qu'il prétendait.

L'inspecteur releva brusquement la tête :

— Vous avez découvert qu'il racontait des histoires ?

— Eh bien, non, pas exactement... Pas à cette époque-là. C'est après coup que je me suis posé des questions. Ça vous facilite bien la vie, quand vous êtes un homme, de vous inventer ce genre de profession, non ?

— Dans certaines circonstances, sans l'ombre d'un doute.

— Ce que je veux dire, c'est que ça vous donne une excuse pour vous absenter souvent de la maison.

— Votre mari s'en absentait souvent, Mrs Rival ?

— Oui. Au début, cela ne me préoccupait pas trop...

— Mais par la suite ?

La réponse se fit attendre.

— Est-ce qu'on ne pourrait pas y aller tout de suite ? s'enquit-elle enfin. Après tout, si ce n'est *pas* Harry...

Il se demandait à quoi elle pensait. Sa voix était tendue. Une certaine émotion, peut-être ? Il n'en aurait pas mis sa main au feu.

— Je comprends que vous aimeriez en avoir fini, admit-il. Eh bien, allons-y.

Il se leva et l'escorta jusqu'à la voiture qui les attendait dehors. Sa nervosité quand ils arrivèrent à destination n'était ni plus ni moins vive que la nervosité manifestée par la plupart des gens qu'il lui avait déjà été donné d'accompagner au même endroit. Et il lui tint les mêmes propos rassurants :

— Ça se passera très bien. Ça n'a rien de traumatisant. Nous n'en aurons que pour une ou deux minutes.

On tira le plateau, le gardien souleva le drap. Elle resta un moment les yeux fixés sur le cadavre, sa respiration s'accéléra, elle émit un petit gémissement puis se détourna brusquement :

— C'est Harry. Oui. Il est beaucoup plus vieux, il a changé... Mais c'est Harry.

L'inspecteur fit un signe de tête au gardien, prit Mrs Rival par le bras et la reconduisit à la voiture qui les ramena au poste de police. Il ne prononça pas un seul mot. Il lui laissa le temps de se remettre. Quand ils furent à nouveau installés dans son bureau, un sergent lui apporta un plateau avec une tasse de thé.

— Tenez, buvez ça, Mrs Rival, ça vous fera du bien. Nous ne parlerons qu'ensuite.

— Merci.

Elle mit du sucre dans sa tasse, une bonne quantité de sucre, et avala son thé très vite :

— Ça va mieux. Ce n'est pas que ça me touche beaucoup. Mais... mais ça fait quand même un drôle d'effet.

— Vous estimez que cet homme est bel et bien votre mari ?

— J'en suis certaine. Il est beaucoup plus vieux, cela va de soi, mais il n'a pas tellement changé. Il a toujours eu l'air... comment dire ?... bon chic, bon genre. Et puis il avait un côté bel homme, avec pas mal de classe.

Oui, jugea Hardcastle, c'était une excellente description. Pas mal de classe. Harry avait dû paraître d'un meilleur milieu qu'il ne l'était en réalité. Il y a des hommes comme ça, et qui souvent savent tirer parti de cet état de fait.

— Il était toujours très sourcilleux en ce qui concernait ses vêtements et tout, enchaîna-t-elle. C'est d'ailleurs à mon avis pour ça qu'elles tombaient si facilement sous son charme. Elles ne se méfiaient jamais.

— Qui est-ce qui tombait sous son charme, Mrs Rival ? interrogea Hardcastle d'une voix douce et avec compréhension.

— Les femmes, déclara Mrs Rival. Toutes les femmes. C'est avec elles qu'il passait le plus clair de son temps.

— Je vois. Et vous avez fini par l'apprendre.

— Eh bien, j'ai... j'ai commencé par me poser des questions. Il était tout le temps parti, comprenez-vous. Et puis je savais bien comment sont les hommes. Je me suis dit qu'il s'offrait une fille de temps en temps. Mais à quoi bon les questionner dans ces cas-là ? Ils vous mentent et vous n'êtes pas plus avancée pour autant. Mais je n'aurais jamais soupçonné que... qu'en réalité, il en faisait son gagne-pain.

— Parce que c'était le cas ?

Elle hocha la tête :

— Ça me paraît indéniable.

— Comment l'avez-vous découvert ?

Elle haussa les épaules :

— Il est rentré un beau jour d'un de ses déplacements. Un voyage d'affaires à Newcastle, d'après ce qu'il a prétendu. Bref, il est revenu en disant qu'il fallait qu'il mette les voiles en vitesse. Qu'il était grillé. Il avait mis une femme dans le pétrin. Un professeur. Et que ça risquait de faire du grabuge. C'est là que j'ai essayé de lui tirer les vers du nez. Ça ne l'a pas gêné de me répondre. Il pensait sans doute que j'en savais plus long que je ne voulais bien l'avouer. Elles lui tombaient toutes dans les bras sans qu'il ait à lever le petit doigt, comme je l'avais fait moi-même. Il leur offrait une bague de quatre sous, ils se fiançaient... et puis il leur proposait d'investir leurs économies à leur place. En règle générale, elles lui confiaient leur argent sans broncher.

— Il avait essayé avec vous ?

— En fait, oui, mais je ne lui ai rien donné.

— Pourquoi ? Vous ne lui faisiez déjà pas confiance ?

— Vous savez, je n'ai jamais été du genre bonne poire. Et puis j'avais déjà vécu, comme on dit, et je connaissais les hommes et l'envers de la médaille. Enfin bref, il n'était pas question qu'il investisse mon argent à ma place. Le peu que j'avais, je préférais m'en occuper moi-même. Garde tes sous à portée de la main, comme ça tu es sûre de ne pas les perdre ! J'ai connu trop de femmes qui se sont fait avoir.

— Quand a-t-il manifesté l'intention d'investir votre argent ? Avant votre mariage ou après ?

— Je crois qu'il a commencé à m'en parler avant le mariage, mais je n'ai pas mordu à l'hameçon et il n'a plus abordé le sujet. Et puis après notre mariage, il m'a expliqué qu'il était tombé sur une possibilité d'investissement formidable. Je lui ai répondu : « Pas question. » Ce n'était pas seulement parce que je n'avais pas confiance en lui personnellement, mais plutôt parce que j'avais trop souvent rencontré des hommes qui s'imaginaient être tombés sur une mine d'or et qui au bout du compte se faisaient rouler comme au coin d'un bois.

— Est-ce que votre mari avait jamais eu des problèmes avec la police ?

— Pas de danger. Les femmes n'ont aucune envie que la Terre entière sache qu'elles se sont conduites comme des gourdes. Mais cette fois-là, apparemment, ça prenait mauvaise tournure. Cette femme, ou cette fille, elle avait de l'instruction. Elle ne se laisserait pas mener en bateau comme les précédentes.

— Elle attendait un enfant ?

— Oui.

— Il avait déjà eu ce genre de problème ?

— Je pense que oui. Honnêtement, je ne sais pas ce qui le motivait au départ. Si c'était *uniquement* l'argent — façon comme une autre de gagner sa vie —, ou bien s'il était de ces hommes qui ont *besoin* de coucher avec un maximum de femmes et qui ne voient pas pourquoi elles ne feraient pas les frais de la situation.

Elle disait cela sans amertume.

— Est-ce que vous l'aimiez, Mrs Rival ? demanda Hardcastle d'une voix neutre.

— Je n'en sais rien. Franchement, je n'en sais rien. Peut-être bien, oui, sinon je ne me serais pas mariée avec lui...

— Pardonnez-moi, mais étiez-vous... vraiment mariés ?

— Ça non plus, je n'en jurerais pas, avoua Mrs Rival. Que nous nous soyons mariés, ça oui. Et même à l'église. Mais je ne sais pas s'il n'avait pas déjà fait le coup avec d'autres femmes et sous un autre nom. Quand je l'ai épousé, il s'appelait Castleton. Mais il y a des chances que ça n'ait pas été son vrai nom.

— Harry Castleton, c'est ça ?

— Oui.

— Et vous avez vécu à Shipton Bois en tant que mari et femme... pendant combien de temps ?

— Nous y sommes restés environ deux ans. Avant ça, nous habitions près de Doncaster. Je ne peux pas dire que j'aie été vraiment surprise le jour où il est rentré pour me dire tout ça. Je crois que ça faisait un bout de temps que j'avais compris que c'était un salopard. Seulement j'avais du mal à m'en persuader à cause de ses faux airs de respectabilité. Un homme du monde jusqu'au bout des doigts !

— Et alors qu'est-ce qui s'est passé ?

— Il m'a dit qu'il devait lever le pied en vitesse, et je lui ai répondu que ce n'était pas mon problème, qu'il pouvait partir illico et que bon débarras.

Elle ajouta d'une voix songeuse :

— Je lui ai quand même donné 10 livres. C'est tout ce que j'avais dans la maison. Il gémissait qu'il était fauché... Et je ne l'ai plus jamais revu et n'en ai plus jamais entendu parler depuis. Jusqu'à aujourd'hui. Ou plutôt jusqu'à ce que je voie sa photo dans le journal.

— Il n'avait pas de signe distinctif ? Marque de naissance ? Cicatrice ? Fracture ? Rien dans ce goût-là ?

Elle secoua la tête :

— Non, je ne crois pas.

— A-t-il jamais utilisé le nom de Curry ?

— Curry ? Non. Pas à ma connaissance en tout cas.

Hardcastle fit glisser la carte de visite sur son bureau :

— Il avait ça dans sa poche.

— Toujours dans les assurances, hein ? J'imagine qu'il utilise... enfin, utilisait... toutes sortes de noms.

— Vous dites que vous n'avez jamais entendu parler de lui au cours des quinze dernières années ?

— Il ne m'envoyait pas ses vœux de nouvel an, si c'est à ça que vous songez, lança Mrs Rival avec une pointe d'humour inattendue. De toute façon, il n'aurait pas su où me joindre. Je suis retournée à la scène, après notre rupture. J'ai fait surtout des tournées. Ça n'avait pas vraiment été une vie, et j'ai laissé tomber le nom de Castleton avec le reste. J'en suis revenue à Merlina Rival.

— Merlina n'est pas... euh... votre vrai prénom, je suppose ?

Elle secoua la tête et un léger sourire éclaira son visage :

— C'est moi qui me le suis trouvé. Pas banal, hein ? Mon vrai nom, c'est Flossie Gapp. J'ai sans doute été baptisée Florence, mais tout le monde m'avait toujours appelé Flo ou Flossie. Flossie Gapp. Pas très romanesque, non ?

— Et que faites-vous à l'heure actuelle, Mrs Rival ? Vous êtes toujours comédienne ?

— À l'occasion, répondit-elle avec une certaine réticence. Par intermittence, quoi.

Hardcastle fit preuve de tact :

— Je vois.

— Je fais aussi des petits boulots par-ci par-là, ajouta-t-elle. Je donne un coup de main pendant les réceptions, je travaille comme hôtesse, des trucs comme ça... Ce n'est pas la mauvaise vie. Ça fait en tout cas rencontrer du monde. Et même parfois de chauds lapins.

— Vous n'avez jamais eu de nouvelles de Harry Castleton depuis votre séparation... vous n'en avez même jamais plus entendu parler ?

— Pas un mot. Je pensais qu'il avait dû partir pour l'étranger... ou qu'il était mort.

— Dernier renseignement que je puisse vous demander, Mrs Rival : avez-vous une idée de ce qui aurait pu pousser Harry Castleton à venir dans les parages ?

— Non. Bien évidemment non. Ça fait des années que j'ignore ce qu'il est devenu.

— Cela vous paraîtrait-il vraisemblable qu'il se soit mis à vendre de fausses polices d'assurance — quelque chose dans ce goût-là ?

— Je n'en sais rien. A priori, ça m'étonnerait. Je veux dire que Harry n'était pas du genre à courir le risque de se faire épingler. Je le vois mieux continuer à soutirer de l'argent à des femmes.

— Pouvait-il s'agir, à votre avis, d'une entreprise de chantage ?

— Eh bien, je ne sais pas... mais oui, après tout, pourquoi pas. Une femme, peut-être bien, qui aurait eu peur de voir son passé étalé au grand jour. Là, il ne se serait pas senti gêné aux entournures. Entendons-nous bien : je ne prétends que c'est ce qui s'est passé, seulement que ça n'est pas impossible. Je ne crois pas qu'il avait de grosses exigences, notez bien. Il n'aurait jamais été jusqu'à pousser quelqu'un dans ses derniers retranchements. Il devait plutôt travailler à la petite semaine. Oui...

— Les femmes raffolaient de lui, c'est ça ?

— Oui. Il les faisait craquer en moins de deux. Surtout à cause de son côté distingué, respectable. Elles étaient fières d'avoir fait la conquête d'un homme aussi bien. Elles se voyaient déjà menant la belle vie avec lui. C'est comme ça que je vois les choses. Et c'est comme ça que je m'étais fait avoir moi aussi, conclut Mrs Rival non sans une certaine franchise.

— Il y a encore un dernier point, prévint Hardcastle avant de faire appel à son subalterne : Apportez-moi les pendules, voulez-vous ?

On les lui apporta sur un plateau, recouvertes d'un tissu. Hardcastle ôta le tissu et les exposa au regard de Mrs Rival. Celle-ci les examina avec le plus grand intérêt :

— Ce qu'elles sont jolies ! J'aime bien celle-là, fit-elle en effleurant la pendulette dorée.

— Vous ne les aviez jamais vues ? Elles ont une signification pour vous ou pas ?

— Non. Elles devraient ?

— Voyez-vous un rapport entre votre mari et le prénom Rosemary ?

— Rosemary ? Laissez-moi réfléchir... Il y a bien eu cette rousse... Non, elle s'appelait Rosalie. Désolée mais je ne vois personne. Mais aussi, comment serais-je au courant ? Harry n'était pas du genre à crier ça sur les toits.

— Si vous étiez amenée à voir une pendule dont les aiguilles marquent 4 h 13...

Hardcastle attendit.

Mrs Rival contint un début de fou rire :

— Je me dirais que c'est bientôt l'heure du thé.

Hardcastle poussa un profond soupir :

— Eh bien, Mrs Rival, nous vous remercions infiniment. L'enquête du coroner, comme je vous l'ai déjà signalé, a été repoussée à après-demain. Cela ne vous ennuiera pas de venir témoigner pour l'identification de la victime ?

— Non. Non, c'est sans problème. J'aurai juste à dire qui c'était, c'est tout ? Je n'aurai pas besoin d'entrer dans les détails ? Je n'aurai pas à m'étendre sur la façon dont il vivait, et tout ça ?

— Ce ne sera pas nécessaire dans l'immédiat. Tout ce que vous aurez à jurer, c'est qu'il s'agit bien de Harry Castleton, à qui vous avez été mariée. La date exacte du mariage, on la retrouvera sur les registres de Somerset House. Où le mariage a-t-il eu lieu, au fait ? Vous vous souvenez au moins de ça ?

— Dans un patelin nommé Donbrook. Et, si ma mémoire est bonne, il s'agissait de l'église St Michael. J'espère que ça ne fait pas *plus* de vingt ans. Sinon, j'aurai l'impression d'avoir un pied dans la tombe.

Elle se leva et tendit la main. Hardcastle la raccompagna à la porte, puis revint s'asseoir à son bureau qu'il se mit à tapoter avec un crayon. Le sergent Cray ne tarda pas à entrer :

— Satisfaisant ?

— Ça m'en a tout l'air. Il s'appellerait Harry Castleton... mais rien ne nous prouve qu'il ne s'agit pas d'un nom d'emprunt. Il va falloir voir ce que nous pouvons dégoter sur ce zigoto. Il ne semble a priori pas invraisemblable que plus d'une femme ait pu avoir d'excellentes raisons de vouloir lui régler son compte.

— Et dire qu'il a pourtant l'air d'avoir été si comme il faut, soupira Cray.

— Ça, commenta Hardcastle, c'était apparemment l'essentiel de son fonds de commerce.

Il repensa au réveil de voyage avec son « Rosemary » en lettres d'or. Un souvenir ?

22

RÉCIT DE COLIN LAMB

— Ainsi, vous voilà de retour, constata Hercule Poirot.

Il plaça méticuleusement un signet entre les pages de son livre. Cette fois-ci, c'était une tasse de chocolat chaud qui fumait à portée de sa main. Décidément, Poirot avait un goût prononcé pour les breuvages impossibles ! Dieu merci, il ne me proposa pas de me joindre à lui.

— Comment allez-vous ? lui demandai-je

— Je suis contrarié. Je suis très contrarié. Ils rénovent, ils refont la décoration, ils vont même jusqu'à modifier certaines structures de l'immeuble.

— Ça ne va pas l'améliorer ?

— Si, sans doute... mais cela va me compliquer beaucoup l'existence. Cela va me déranger dans mes habitudes. Sans compter cette odeur de peinture !

Il me regardait d'un air indigné. Puis, balayant ses soucis domestiques d'un geste de la main :

— Vous avez obtenu ce que vous vouliez ?

— Je ne sais pas, répondis-je lentement.

— Ah... vous en êtes là ?

— J'ai découvert ce qu'on m'avait chargé de découvrir. Mais je n'ai pas réussi à mettre la main sur l'homme en question. Or, j'ignore encore ce qu'on attendait au juste de moi. Des informations ? Ou un cadavre ?

— À propos de cadavre, j'ai lu le compte rendu de l'enquête judiciaire qui a été renvoyée à Crowdean. Meurtre avec préméditation par une ou plusieurs personnes inconnues. Et puis votre cadavre s'est enfin vu attribuer un nom.

Je hochai la tête :

— Harry Castleton, qui que cela puisse être par ailleurs.

— Identifié par sa femme. Vous êtes allé à Crowdean ?

— Pas encore. Je pensais m'y rendre demain.

— Oh ! vous avez du temps libre ?

— Pas vraiment, je suis toujours pris par mon affaire. Et elle me ramène justement à Crowdean...

Je restai un instant silencieux. Puis je l'interrogeai :

— Je ne sais pas très bien ce qui s'est passé pendant que j'étais à l'étranger... identification mise à part, bien sûr. Qu'est-ce que vous en pensez ?

Poirot haussa les épaules :

— Il fallait s'y attendre.

— Oui... la police est bien faite...

— Et les épouses fort obligeantes.

— Mrs Merlina Rival ! Quel nom !

— Cela me rappelle quelque chose, dit Poirot. Mais quoi au juste ?

Il me regarda d'un air songeur, mais j'étais dans l'incapacité de l'aider. Connaissant Poirot, cela pouvait lui rappeler vraiment n'importe quoi.

— Une visite à un ami... dans sa maison de campagne ? hasarda cet excellent ami avant de secouer la tête. Non... il n'y a pas si longtemps de cela.

— Lors de ma prochaine visite à Londres, je viendrai vous raconter tout ce que Hardcastle aura pu m'apprendre sur Mrs Merlina Rival, lui promis-je.

Poirot eut un geste de la main :

— Ce ne sera pas nécessaire.

— Vous ne prétendriez quand même pas tout savoir de cette femme avant même qu'on vous en ait parlé ?

— Non, mais j'affirme qu'elle ne m'intéresse pas.

— Qu'elle ne vous intéresse pas ? Mais pourquoi ? Je ne vous comprends pas, avouai-je en secouant la tête.

— Il faut se concentrer sur l'essentiel. Parlez-moi plutôt de cette jeune fille, Edna, qui est morte dans une cabine téléphonique à Wilbraham Crescent.

— Je ne peux pas vous en dire plus que je ne l'ai déjà fait. Je ne sais rien sur son compte.

— Ainsi donc tout ce que vous savez, accusa Poirot, et tout ce que vous êtes capable de me dire, c'est que cette fille était une pauvre gamine effarouchée que vous avez vue d'une part taper à la machine dans un bureau, et d'autre part expliquer qu'elle avait cassé son talon dans une grille d'égout..

Il s'arrêta net :

— Où se trouvait-elle, cette grille d'égout, à propos ?

— Franchement, Poirot, comment le saurais-je ?

— Vous le sauriez si vous l'aviez *demandé*. Comment pouvez-vous espérer apprendre *quoi que ce soit* si vous ne posez pas les bonnes questions ?

— Mais quelle importance ça peut bien avoir, qu'elle ait cassé son talon ici ou ailleurs ?

— Peut-être aucune, je vous l'accorde. D'un autre côté, cela nous renseignerait sur un endroit au moins où cette fille est allée, cela pourrait nous mettre sur la piste d'une personne qu'elle y aurait éventuellement rencontrée — ou sur un événement quelconque qui aurait pu s'y passer.

— Vous coupez vraiment les cheveux en quatre. En tout cas, c'était près du bureau, parce qu'elle l'a précisé elle-même. Elle avait acheté des petits pains aux raisins et elle était rentrée les manger au bureau en clopinant. Et elle a conclu en se demandant comment elle allait bien pouvoir rentrer chez elle.

— Ah ! Et comment y est-elle finalement rentrée ? demanda Poirot très intéressé.

Je le foudroyai du regard :

— Je n'en ai pas la moindre idée.

— Ah ! mais c'est exaspérant, cette façon que vous avez de ne jamais poser les bonnes questions ! Résultat, vous passez à côté de l'essentiel.

— Pourquoi ne venez-vous pas vous-même à Crowdean procéder aux interrogatoires ? rétorquai-je, piqué au vif.

— Impossible pour le moment. Il y a, la semaine prochaine, une très importante vente de manuscrits d'auteurs.

— Toujours absorbé par votre nouvelle marotte ?

— Comme de bien entendu.

Ses yeux brillèrent :

— Prenez les ouvrages de John Dickson Carr, ou de Carter Dickson, comme il aime parfois à se faire appeler...

Prétextant un rendez-vous impérieux, je m'échappai avant qu'il n'ait eu le temps d'enfourcher son dada. Je ne me sentais pas d'humeur à subir une conférence de plus sur les gloires passées et autres maîtres du roman policier.

J'étais assis le lendemain soir sur les marches devant le domicile de Hardcastle et me levai dans la pénombre entre chien et loup pour l'accueillir quand il rentra chez lui.

— Salut ! C'est toi, Colin ? De retour de quoi ? De la Grande Bleue ?

— De chez les Rouges serait plus approprié.

— Depuis combien de temps te morfonds-tu sur ce perron ?

— Bah ! une demi-heure et quelque.

— Désolé que tu n'aies pas pu entrer.

— J'aurais parfaitement pu le faire, répliquai-je, indigné. Tu n'as pas idée de jusqu'où va notre entraînement !

— Alors qu'est-ce que tu fabriques là ?

— Je ne voulais pas porter atteinte à ton prestige. Un inspecteur de police perdrait la face si on apprenait qu'un quidam s'est introduit chez lui par effraction les doigts dans le nez.

Hardcastle sortit ses clefs de sa poche et ouvrit la porte :

— Entre, et cesse tes pitreries.

Je le suivis dans le salon où il s'employa à nous servir à boire :

— Tu m'arrêtes, hein ?

Je l'arrêtai, mais après avoir pris mon temps. Et nous nous installâmes avec nos whiskies.

— La situation commence enfin à évoluer, me confia Hardcastle. Nous avons identifié notre cadavre.

— Je sais. J'ai parcouru les journaux... Qui était Harry Castleton ?

— Un individu présentant toutes les apparences de la plus parfaite respectabilité, mais qui gagnait sa vie en promettant le mariage à des femmes aisées et crédules. Impressionnées par ses connaissances dans le domaine de la finance, elles lui confiaient alors leurs économies... après quoi il ne tardait pas à disparaître dans la nature.

— Il n'avait pourtant pas la tête à ça, commentai-je en rassemblant mes souvenirs.

— C'était son atout majeur.

— Il n'avait jamais été poursuivi ?

— Non... Nous avons fait des recherches, mais glaner des renseignements n'est pas commode. Il a assez souvent changé de nom. Et bien qu'on estime au Yard que Harry Castleton, Raymond Blair, Lawrence Dalton et Roger Byron ne sont qu'une seule et même personne, ils ne sont jamais parvenus à le prouver. Les femmes, comprends-tu, ne seraient jamais allées le dénoncer. Elles préféraient perdre leur argent. Surgissant ici ou là, opérant toujours selon le même topo et se montrant incroyablement insaisissable, ce type était plus un nom qu'autre chose. Roger Byron, mettons, disparaissait de Southend, et un dénommé Lawrence Dalton entreprenait dans la foulée la conquête de Newcastle-on-Tyne. Il fuyait les appareils-photo comme la peste et déjouait toutes les tentatives de ses amies désireuses de fixer son image sur la pellicule. Tout cela remonte à pas mal de temps, une quinzaine ou une vingtaine d'années. Depuis lors, il semblait avoir disparu. La rumeur le prétendait mort, mais certains le disaient parti pour l'étranger...

— Quoi qu'il en soit, on n'en a plus entendu parler jusqu'à ce qu'il réapparaisse à l'état de cadavre sur le tapis du salon de miss Pebmarsh ? soulignai-je.

— Exactement.

— Ce qui nous offre un bel éventail de possibilités.

— Comme tu dis.

— Une femme délaissée qui n'aurait jamais oublié ? suggérai-je.

— C'est vrai que ça arrive. Il y a effectivement des femmes qui ont une mémoire d'éléphant et qui ne pardonnent jamais.

— Pour peu que la femme en question devienne aveugle par-dessus le marché, seconde infortune venant se surajouter à la première...

— Ça reste du domaine de la conjecture. Rien ne vient étayer cette théorie.

— Et comment était sa femme ? Cette Mrs... — comment était-ce déjà ? — Merlina Rival ? Tu parles d'un nom ! Ce n'est pas possible que ce soit le sien.

— Son vrai nom est Flossie Gapp. L'autre, elle se l'est inventé. Plus approprié à son style de vie.

— Qu'est-ce qu'elle est ? Pute ?

— Pas professionnelle.

— Ce qu'il est convenu d'appeler avec tact une créature qui a la cuisse légère ?

— Je dirais que c'est une bonne pâte, prête à faire plaisir à ses amis et connaissances. Elle se décrit comme une ex-comédienne. Reconvertie à l'occasion dans les petits boulots genre « hôtesse ». Pas antipathique pour deux sous.

— Fiable ?

— Ni plus ni moins que la plupart des gens. Pour l'identification, elle a été formelle. Elle n'a pas hésité une seconde.

— Ça, c'est une bénédiction.

— Oui, je commençais à désespérer. Le nombre d'épouses que j'ai vu défiler ! Je commençais à me dire qu'il n'y avait que les cartomanciennes et autres devineresses pour reconnaître leur mari. Cela posé, j'ai l'impression que Mrs Rival en sait plus sur le sien qu'elle ne veut bien l'admettre.

— Est-ce qu'elle a elle-même été mêlée à des entourloupes ?

— Elle n'a pas de casier. Elle a peut-être eu — elle a d'ailleurs peut-être encore — des amis qui la fichent mal. Mais rien de bien méchant — des fricoteurs, sans plus.

— Et les pendules ?

— Ça ne lui disait strictement rien. Et je ne crois pas qu'elle me menait en bateau. On a retrouvé leur provenance : les Puces de Londres pour la pendulette dorée et celle en porcelaine de Saxe. Et ça nous fait une belle jambe ! Tu sais le monde qui s'y bouscule le samedi. Achetées par une Américaine, croit se souvenir le tenancier du stand — mais je pense qu'il dit ça au flan. Les Puces regorgent de touristes américains. Quant à sa femme, elle affirme qu'il s'agissait d'un homme. Mais elle ne se rappelle pas à quoi il ressemblait. La pendulette en argent vient de chez un orfèvre de Bornemouth. Une grande femme qui voulait un cadeau pour sa fi-fille ! Tout ce dont il se souvient, c'est qu'elle portait un chapeau vert.

— Et le réveil de voyage ? Celui qui a disparu ?

— Sans commentaire, grinça Hardcastle.

Je savais parfaitement ce qu'il entendait par là.

23

RÉCIT DE COLIN LAMB

L'hôtel où j'avais élu domicile était un minuscule trou à rats près de la gare. Il servait des steaks corrects, mais c'était tout ce qu'on pouvait en dire. Outre, bien évidemment, le fait qu'il était bon marché.

Le lendemain matin à 10 heures, j'appelai l'Agence Cavendish et expliquai que j'avais besoin d'une sténodactylo pour prendre quelques lettres et retaper un contrat. Je m'appelais Douglas Weatherby et j'étais descendu au *Clarendon* (les hôtels les plus sordides ont toujours des noms grandiloquents). Miss Sheila Webb était-elle disponible ? Un ami à moi m'avait assuré qu'elle travaillait très bien.

J'avais de la chance. Sheila pouvait venir tout de suite. Elle avait, cependant, un rendez-vous à midi. Je déclarai qu'ayant moi-même un rendez-vous à cette heure-là, j'en aurais fini avec elle bien avant.

J'étais devant les portes battantes du *Clarendon* quand Sheila apparut. Je fis un pas en avant :

— Mr Douglas Weatherby, pour vous servir.

— C'est *vous* qui avez appelé ?

— C'est moi.

— Mais vous ne pouvez pas faire des choses pareilles !

Elle semblait scandalisée.

— Où est le problème ? Je suis prêt à payer vos services que me facturera l'Agence Cavendish. Et qu'est-ce que ça peut faire si je gaspille votre temps précieux là en face, au *Buttercup Café*, au lieu de vous dicter des trucs assommants genre « Suite à votre honorée du 19 courant » ? Venez, allons boire un café insipide dans un cadre reposant.

Le *Buttercup Café* se hissait à la hauteur de sa réputation de bouton d'or, à savoir que tout y était jaune canari. Les plateaux de tables en Formica, les coussins de plastique, les tasses et les soucoupes étaient aveuglants.

Nous nous assîmes l'un en face de l'autre, et je commandai du café et des scones pour deux. Il était assez tôt pour que nous ayons l'endroit pour nous tout seuls ou presque.

Quand la serveuse se fut éloignée avec sa commande, nous nous regardâmes :

— Ça ne va pas trop mal, Sheila ?

— J'ai l'air d'aller mal ?

Ses yeux étaient tellement cernés qu'ils paraissaient plus violets que bleus :

— Vous avez passé par de sales moments ?

— Oui... non... je ne sais pas. Je croyais que vous étiez parti ?

— J'étais parti. Mais je suis revenu.

— Pourquoi ?

— Vous savez très bien pourquoi.

Elle baissa les yeux.

— J'ai peur de lui, murmura-t-elle après un silence d'une bonne minute — ce qui constitue un très long silence.

— Peur de qui ?

— De cet ami à vous... cet inspecteur. Il pense... il pense que c'est moi qui ai tué cet homme, et que j'ai tué Edna, elle aussi...

— Ça fait partie de son système, lui dis-je sur un ton rassurant. Il se donne toujours l'air de soupçonner la terre entière.

— Non, Colin, ce n'est pas ça du tout. Et ça ne sert à rien de me raconter des histoires pour essayer de me tranquilliser. Depuis le début, il est persuadé que j'ai quelque chose à voir là-dedans.

— Écoutez-moi bien, il n'y a aucune preuve contre vous. Ce n'est pas parce que vous étiez sur les lieux ce jour-là, ce n'est pas parce que quelqu'un avait fait en sorte que vous y soyez...

Elle m'interrompit :

— Il est persuadé que c'est moi qui me suis arrangée pour m'y faire envoyer. Il est persuadé que le tout est une combine montée par moi. Il est convaincu qu'Edna s'en était rendu compte. Convaincu qu'elle avait reconnu ma voix au téléphone et que c'était moi qui m'étais fait passer pour miss Pebmarsh.

— Et c'était effectivement vous ?

— Non, bien sûr que non. Je n'ai *jamais* passé ce coup de fil, je vous l'ai déjà dit.

— Sheila, je vous en prie. Quoi que vous puissiez raconter aux autres, à *moi*, il faut avouer la vérité.

— Alors vous ne croyez pas un mot de ce que je vous ai dit !

— Si, je le crois. Mais vous pourriez avoir passé ce coup de fil pour une raison parfaitement anodine. Quelqu'un aurait pu insister pour que vous le fassiez, en vous faisant éventuellement croire qu'il s'agissait d'une blague. Et puis après ça vous avez paniqué, et à partir du moment où vous aviez commencé à mentir, il vous fallait bien continuer à le faire. C'est bien ça, la vérité ?

— Non, non et *non* ! Combien de fois faudra-t-il que je vous le répète ?

— Très bien, Sheila. Mais il n'empêche que vous me cachez quelque chose. Or, je veux que vous me fassiez confiance. Si Hardcastle avait bel et bien une charge qui pèserait contre vous, un indice dont il ne m'aurait pas parlé...

Elle m'interrompit à nouveau :

— Parce que vous vous attendriez à ce qu'il vous raconte tout ?

— Il n'aurait aucune raison de ne pas le faire. Nous appartenons grosso modo à la même confrérie.

La serveuse choisit cet instant pour nous apporter ce que je lui avais demandé. Le café était aussi pâlichon que le dernier vison à la mode.

— Je ne savais pas que vous étiez plus ou moins dans la police, murmura Sheila tout en tournant interminablement sa cuillère dans sa tasse.

— Il ne s'agit pas exactement de la police. Mettons que je travaille dans un domaine parallèle. Mais là où je voulais en venir, c'est que si Dick pouvait en arriver à ne pas me dire ce qu'il a pu apprendre sur votre compte, c'est pour une raison bien précise. C'est parce qu'il pense que je m'intéresse à vous. Eh bien, oui, je m'intéresse à vous. Je fais même plus que ça. Je suis de votre côté, Sheila, quoi que vous ayez pu faire. Vous étiez terrorisée quand vous vous êtes précipitée hors de cette maison. Vous étiez vraiment terrorisée. Vous ne jouiez pas la comédie. Personne n'aurait pu jouer la comédie dans ces conditions-là.

— Évidemment, j'étais terrorisée. J'étais morte de peur.

— C'était le seul fait d'avoir découvert le cadavre qui vous avait mise dans cet état-là ? Ou est-ce qu'il y avait un autre motif ?

— Quel autre motif aurait-il bien pu y avoir ?

Je pris mon courage à deux mains :

— Pourquoi avez-vous subtilisé le réveil de voyage avec l'inscription Rosemary ?

— Qu'est-ce que vous voulez dire ? Et pourquoi l'aurais-je subtilisé ?

— Ce que je vous demande, c'est *pourquoi* vous l'avez fait.

— Je n'y ai pas touché.

— Vous êtes retournée dans cette pièce en prétextant y avoir oublié vos gants. Or, vous ne portiez pas de gants, ce jour-là. Une belle journée de septembre. Je ne vous ai jamais vue porter des gants. Bon, vous êtes retournée dans cette pièce et vous y avez subtilisé ce réveil. Ne me mentez pas, Sheila. C'est bien ce que vous avez fait, n'est-ce pas ?

Elle resta un long, très long moment sans rien dire et à apparemment se contenter d'émietter son scone dans son assiette.

— D'accord, finit-elle par avouer dans un murmure. D'accord. Je l'ai fait. J'ai pris ce réveil, je l'ai fourré dans mon sac et je suis ressortie.

— Pourquoi avoir fait une chose pareille ?

— À cause du nom... Rosemary. C'est comme ça que je m'appelle.

— Vous vous appelez Rosemary, et pas Sheila ?

— Les deux. Rosemary Sheila.

— Et ça vous avait paru une raison suffisante ? Le seul fait que ce prénom qui est le vôtre soit inscrit sur une de ces pendules ?

Elle voyait bien que je ne la croyais pas, mais elle s'obstina :

— J'étais terrorisée, je vous l'ai dit.

Je la regardai. Sheila était la femme de ma vie... celle que j'avais toujours voulue... celle que j'aimerais toujours. Mais il était inutile de se bercer d'illusions à son sujet. Sheila était une menteuse et ne changerait probablement jamais. Mentir comme on respire, c'était sa façon à elle de se battre contre les aléas de l'existence. C'était là une arme de gosse, à laquelle elle n'avait sans doute jamais su renoncer. Si je voulais Sheila, je devrais l'accepter telle qu'elle était, rester toujours à portée de main pour veiller au grain et colmater les brèches. Tout le monde a ses points faibles. Les miens étaient différents de ceux de Sheila, mais ils n'en existaient pas moins.

Je décidai d'attaquer de front. Il n'y avait pas d'autre moyen :

— C'était *votre* réveil, n'est-ce pas ? Il vous appartenait ?

Elle en demeura estomaquée :

— Comment le savez-vous ?

— Racontez-moi ce qui s'est passé.

Les mots se précipitèrent pêle-mêle comme si une bonde avait lâché. Ce réveil, elle l'avait pratiquement eu toute sa vie. Jusqu'à l'âge de 6 ans on l'avait appelée Rosemary — mais elle détestait ce nom et avait insisté pour qu'on l'appelle Sheila. Ces derniers temps, le réveil s'était mis à retarder. Elle l'avait emporté avec elle pour le déposer chez un horloger pas très loin de son bureau. Mais elle l'avait oublié quelque part... dans le bus, peut-être bien, où dans le café où elle allait prendre un sandwich à l'heure du déjeuner.

— C'était combien de temps avant le meurtre du 19, Wilbraham Crescent ?

Une semaine environ, estimait-elle. Elle n'en avait pas fait un drame, parce qu'il était vieux, qu'il marchait mal depuis un petit bout de temps et que, dans le fond, mieux valait en acheter un autre.

Et puis :

— Je ne l'avais pas remarqué tout de suite, poursuivit-elle. Pas quand je suis entrée dans la pièce. Et j'ai... j'ai découvert le cadavre. J'en suis restée pétrifiée. Après ça, j'ai effleuré le mort, je me suis redressée et je me suis retrouvée nez à nez avec mon réveil, là, devant moi, sur l'étagère à côté de la cheminée... *mon* réveil... et j'avais du sang sur les mains... et puis elle est arrivée et j'ai tout oublié parce qu'elle allait lui marcher dessus. Et... et puis je... j'ai pris mes jambes à mon cou. Disparaître... je n'avais que cette idée-là en tête.

J'acquiesçai lentement :

— Et ensuite ?

— J'ai commencé à réfléchir. Elle a dit que ce

n'était pas *elle* qui m'avait fait demander par téléphone... alors qui était-ce ? qui s'était donc arrangé pour que je me trouve dans cette pièce ? qui avait mis *mon* réveil à cet endroit-là ? J'ai... j'ai inventé cette histoire de gants oubliés et... et je l'ai fourré dans mon sac. Je veux bien croire que... que c'était stupide de ma part.

— Vous n'auriez rien pu faire de plus stupide, confirmai-je. En bien des points, Sheila, vous êtes dépourvue du moindre sens commun.

— Mais quelqu'un essaie de me mettre cette histoire sur le dos. Cette carte postale... Elle n'a pu m'être envoyée que par quelqu'un qui sait que j'ai pris ce réveil. Et déjà la carte en soi... la façade de l'Old Bailey ! Si mon père était un gangster...

— Que savez-vous de vos père et mère ?

— Ils sont morts tous les deux dans un accident de voiture quand j'étais petite. C'est ce que ma tante m'a raconté, c'est ce qu'on m'a toujours raconté. Mais elle ne me parle jamais d'eux, elle ne me dit jamais rien *sur* eux. Il est même arrivé, les rares fois où je lui ai posé des questions, qu'elle me donne des réponses complètement différentes de celles qu'elle avait pu me faire auparavant. Ce qui fait que j'ai toujours su, voyez-vous, qu'il y avait quelque chose qui clochait.

— Continuez.

— Alors j'en suis venue à penser que mon père était peut-être un malfaiteur — voire même un assassin, qui sait ? À moins que ce ne soit ma mère. On ne vous raconte pas que vos parents sont morts et qu'on ne peut ou ne veut rien vous dire sur leur compte à moins que la vérité derrière tout ça... à moins que cette vérité soit trop horrible pour qu'on vous la dévoile.

— Et du coup, vous vous êtes monté la tête. La raison est sans doute toute bête. Vous n'êtes peut-être, après tout, qu'une enfant illégitime.

— Ça aussi, j'y ai pensé. Les gens essaient parfois de cacher ce genre de choses aux enfants et ils ont tort. C'est stupide. Il vaudrait cent fois mieux leur dire la vérité telle qu'elle est. Surtout que ça n'a plus tellement d'importance, aujourd'hui. Mais le résultat en ce qui me concerne, voyez-vous, c'est que je ne sais rigoureusement *rien*. Je ne sais pas ce qu'il y a *derrière* tout ça. Pourquoi est-ce qu'on m'a appelée Rosemary ? Ce n'est pas un prénom usuel dans la famille. En revanche, dans le langage courant, c'est aussi une plante, non ? C'est le romarin, qui symbolise le souvenir...

— Ce qui, dans le cas présent, fis-je remarquer, pourrait avoir une connotation tout à fait sympathique.

— Peut-être... mais je n'arrive pas à m'en convaincre. Enfin bref, après que l'inspecteur m'a posé toutes ces questions, ce jour-là, je me suis mise à réfléchir. Pourquoi est-ce qu'il s'était trouvé quelqu'un pour vouloir que je sois là ? Pourquoi est-ce qu'on m'avait attirée auprès de cet inconnu qui était mort ? Ou encore est-ce que ce n'était pas le mort qui avait souhaité me rencontrer là ? Peut-être que cet homme était après tout... je ne sais pas, moi... mon père, par exemple, mon père qui voulait me demander de faire quelque chose pour lui ? Au lieu de quoi quelqu'un était venu le tuer entre-temps. À moins encore qu'on ait essayé depuis le début de faire croire que c'était moi qui l'avais tué ? Oh ! j'étais morte de peur, et tout s'embrouillait dans ma tête. J'avais l'impression que, sans trop que je sache comment, tous les indices convergeaient vers moi. Qu'on m'ait attirée dans cette maison, dans cette pièce même, et que j'y découvre un cadavre, et que j'y lise mon nom — Rosemary — gravé sur mon propre réveil qui n'avait rien à faire là... J'ai cédé à la panique et, vous avez raison de le dire, je me suis laissée aller à un geste idiot.

Je secouai la tête :

— Vous avez lu, ou tapé, trop de romans policiers. Et Edna, dans tout ça ? Vous n'avez vraiment pas la moindre idée de ce qu'elle a bien pu se fourrer dans la tête à votre sujet ? Pourquoi a-t-elle fait tout ce chemin pour aller vous parler chez vous alors qu'elle vous voyait tous les jours au bureau ?

— Je n'en sais rien. Elle ne serait jamais aller imaginer que, *moi*, je puisse avoir quoi que ce soit à voir avec ce meurtre. C'est impossible.

— Est-ce qu'il ne pourrait pas s'agir d'une conversation qu'elle aurait surprise et comprise de travers ?

— Mais je n'ai jamais rien dit, jamais rien fait, je vous le répète. Rien !

Je me le demandais. Je ne pouvais pas m'empêcher de me le demander... Même en cet instant, je soupçonnais Sheila de me mener en bateau.

— Vous n'avez pas d'ennemis personnels ? Il n'y a pas un garçon que vous auriez envoyé sur les roses, une fille jalouse, un déséquilibré quelconque qui en aurait après vous ?

Rien qu'à prononcer ces derniers mots je me rendais compte à quel point ce genre d'hypothèse était peu convaincant.

— Bien sûr que non.

Et voilà où nous en étions. Même maintenant, mes doutes sur cette histoire de réveil n'étaient pas dissipés. D'un bout à l'autre, tout cela était insensé. 4 h 13. Pourquoi noter cette heure sur une carte postale à la suite des mots « Souviens-toi » à moins que l'ensemble ne revête une signification bien précise pour leur destinataire ?

Je soupirai, payai l'addition et me levai :

— Ne vous inquiétez pas. (Sans aucun doute les mots les plus stupides dans toutes les langues de la terre.) L'Agence Privée Colin Lamb, Section Protection Rapprochée, est sur l'affaire. Tout va bien se passer, ensuite on se mariera et on sera heureux jusqu'à la fin des temps en vivotant à deux sur mon salaire de misère.

Mais alors qu'il eût mieux valu en rester sur cette note romantique, l'Agence Lamb, Section Curiosité Personnelle, ne put m'empêcher d'ajouter :

— À propos, qu'est-ce que vous en avez fait, de ce réveil ? Vous l'avez caché sous vos bas, au fin fond d'un tiroir ?

Elle observa un bref silence avant de répondre :

— Je l'ai jeté dans la poubelle des voisins.

J'en restai baba. C'était simple et probablement efficace. Pas bête de sa part, d'avoir pensé à ça. Peut-être que j'avais sous-estimé Sheila.

24

RÉCIT DE COLIN LAMB

Après le départ de Sheila, je retournai au *Clarendon*, bouclai ma valise et la confiai aux bons soins du portier. C'était le genre d'hôtel où on insiste pour que vous ayez libéré la chambre avant midi.

Puis je me mis en route. Mon chemin m'amena à passer devant le poste de police et j'y entrai après un instant d'hésitation. Je demandai Hardcastle. Il était là et me reçut, sourcils froncés, une lettre à la main.

— Je repars ce soir, Dick, lui annonçai-je. Je retourne à Londres.

Il me regarda avec une expression pensive :

— Je peux te donner un conseil ?

— Non, répondis-je aussitôt.

Il n'en tint aucun compte. Rien n'arrête les gens qui veulent vous donner des conseils :

— Fiche le camp, mon vieux... mais s'il te reste un brin de jugeote, fiche le camp pour de bon.

— Personne ne peut juger de ce qui convient à autrui.

— Je n'en suis pas persuadé.

— Je vais te dire une bonne chose, Dick. Une fois mon actuelle mission terminée, j'ai la ferme intention de raccrocher. Enfin... je crois bien que j'ai la ferme intention de le faire.

— Pourquoi ça ?

— Parce que je me sens comme un vieux pasteur victorien. Je suis saisi par le Doute.

— Accorde-toi un peu de temps.

Je ne sais pas très bien ce qu'il entendait par là. Je lui demandai pourquoi il paraissait lui-même si abattu.

— Lis ça.

Il me tendit la lettre qu'il étudiait avec attention à mon arrivée.

Cher monsieur,
Je viens de me rappeler un détail. Vous m'avez demandé si mon mari avait des marques distinctives et j'ai répondu que non. Mais je me trompais. Il avait en fait une sorte de cicatrice derrière l'oreille gauche. Il s'était coupé en se rasant quand un chien que nous avions lui avait sauté dessus. Et on avait dû lui faire des points de suture. C'était néanmoins si peu de chose que je n'y ai pas songé un instant l'autre jour.
Cordiales salutations,

Merlina Rival

— Belle écriture élancée, commentai-je, encore que je n'aie jamais beaucoup apprécié l'encre violette. Le cadavre avait bel et bien une cicatrice ?

— Oui. Exactement comme elle la décrit.

— Et elle ne l'avait pas vue quand on lui a montré le corps ?

Hardcastle secoua la tête :

— L'oreille la recouvre. Il faut replier le pavillon vers l'avant pour la découvrir.

— Eh bien, c'est parfait. Voilà qui corrobore ton identification. Pourquoi fais-tu cette tête ?

Hardcastle me répondit d'un air sinistre que cette affaire représentait pour lui le diable et son train ! Il me demanda si j'avais l'intention de passer voir mon ami français, ou belge, à Londres.

— Vraisemblablement. Pourquoi ?

— J'ai parlé de lui au chef de la police du comté qui affirme s'en souvenir fort bien — ce fameux assassinat de la jeune Éclaireuse. Il m'a chargé de l'accueillir à bras ouverts si jamais il envisageait de faire un saut à Crowdean.

— Ne compte pas là-dessus. Ce type est aussi cramponné à son fauteuil qu'une bernicle à son rocher.

Il était midi et quart quand je sonnai à la porte du 62, Wilbraham Crescent. Mrs Ramsay ouvrit. Elle leva à peine les yeux sur moi :

— C'est pour quoi ?

— Je peux vous parler un instant ? Je suis déjà venu il y a une dizaine de jours. Mais peut-être que vous ne vous en souvenez pas ?

Elle me regarda plus attentivement. Un léger froncement creusa une ridule entre ses sourcils :

— Oui... avec l'inspecteur de police, c'est bien ça ?

— C'est cela même, Mrs Ramsay. Je peux entrer ?

— Évidemment. Il serait maladroit de refuser à la police d'entrer chez vous. Elle serait fondée à se demander pourquoi.

Elle me mena vers le salon, m'y désigna d'un geste brusque un fauteuil et s'assit en face de moi. Si le ton de sa voix avait trahi une certaine agressivité, elle était maintenant retombée dans une apathie que je ne lui connaissais pas.

— C'est d'un calme, aujourd'hui, chez vous ! lui souris-je. Vos fils sont retournés au collège ?

— Oui. Ça change du tout au tout. Je suppose que vous voulez me poser des questions au sujet de ce dernier meurtre ? La fille qui a été tuée dans la cabine téléphonique ?

— Non, ce n'est pas exactement ça. En réalité, je n'ai pas de lien direct avec la police.

Elle ne manifesta qu'une surprise assez vague :

— Je croyais que vous étiez le sergent... Lamb, non ?

— Je m'appelle Lamb, en effet, mais je travaille dans un service totalement différent.

Mrs Ramsay sortit aussitôt de son apathie. Elle m'adressa un regard dur, direct, incisif :

— Ah ? Bon, eh bien, de quoi s'agit-il ?

— Votre mari est toujours à l'étranger ?

— Oui.

— Cela fait un bon moment qu'il est parti, n'est-ce pas, Mrs Ramsay ? Et qu'il est parti pour... très loin ?

— Qu'est-ce que vous en savez ?

— Entre autres, qu'il est passé de l'autre côté du rideau de fer. Nous sommes bien d'accord ?

Elle observa pendant un long moment un silence prudent, puis finit par aquiescer d'une voix morne :

— Oui. Oui, c'est exact.

— Vous étiez au courant de sa destination ?

— Plus ou moins.

Elle s'interrompit encore un bon bout de temps avant de préciser :

— Il voulait que je l'y rejoigne.

— Il y songeait depuis longtemps ?

— Oui, j'imagine. Mais il ne m'en a parlé que récemment.

— Vous ne partagez pas ses opinions politiques ?

— Autrefois, si, peut-être. Mais vous devez déjà savoir ça... Vous vous livrez à des enquêtes très poussées, dans ce domaine, non ? Vous remontez dans le passé des gens, vous faites le tri entre les membres du parti et les simples compagnons de route...

— Vous pourriez nous fournir des renseignements qui nous seraient de la plus grande utilité.

Elle secoua la tête :

— Non. Je ne peux pas. Ce qui ne veut pas dire que je ne le veux pas. Simplement, il ne m'a jamais rien dit de précis. Je ne voulais d'ailleurs rien savoir. J'en avais assez, de tout ça ! Quand Michael m'a dit qu'il quittait l'Angleterre, qu'il faisait le grand saut pour aller s'installer à Moscou, cela ne m'a pas vraiment paniquée. Mais ça a quand même posé le problème de ce que, moi, j'allais décider de faire.

— Et vous avez décidé que vous n'étiez pas suffisamment en accord avec les objectifs de votre mari pour l'accompagner ?

— Non, la question ne s'est pas posée dans ces termes ! J'ai envisagé les choses de mon petit point de vue personnel. En fin de compte, c'est toujours comme ça qu'il en va, avec les femmes — à moins, bien sûr, que ce ne soient des fanatiques. Et certaines femmes peuvent être extrêmement fanatiques. Moi pas. Je n'ai jamais été rien d'autre que modérément à gauche.

— Votre mari était-il mêlé à l'affaire Larkin ?

— Je n'en sais rien. C'est dans le domaine du possible. Mais il ne m'en a jamais rien dit et nous n'avons jamais abordé le sujet.

Elle me regarda droit dans les yeux et s'anima brusquement :

— Soyons clairs, Mr Agneau. Ou Mr Loup déguisé en Agneau, ou qui que vous soyez. J'aimais mon mari, je tenais peut-être même assez à lui pour le suivre à Moscou quelles qu'aient été mes opinions politiques. Seulement il voulait que j'emmène les enfants. Or, je ne voulais pas partir avec les enfants ! C'est aussi simple que cela. J'ai donc décidé de rester avec eux. J'ignore si je reverrai Michael un jour. Il avait opté pour un certain mode d'existence, il fallait que je fasse mon choix moi aussi. Mais après qu'il m'a parlé, je n'ai eu qu'une certitude : je tenais à ce que les garçons soient élevés ici, dans leur pays. Ils sont anglais. Et je veux qu'ils soient élevés comme n'importe quels autres petits Anglais tout ce qu'il y a d'ordinaires.

— Je comprends.

— Je crois vous avoir maintenant dit tout ce qu'il y avait à dire, conclut Mrs Ramsay en se levant.

Elle avait maintenant l'air très décidé.

— Ça n'a quand même pas dû être un choix facile, compatis-je. Je suis désolé pour vous.

Et je l'étais. Peut-être ma compassion est-elle parvenue jusqu'à elle car elle a eu un sourire imperceptible :

— Qui sait ? Il se peut que vous soyez sincère. J'imagine que, dans votre métier, on est amené à se glisser dans la peau des gens, pour savoir ce qu'ils pensent, ce qu'ils ressentent. Ç'a été pour moi un coup très dur, mais le pire est derrière moi... Il faut maintenant que je fasse des plans, que j'envisage ce que je vais faire, que je décide si je dois m'en aller ou bien rester ici. Il faut aussi que je trouve du travail. J'ai été secrétaire, à une époque. Je vais sans doute reprendre des cours de sténodactylo.

— Surtout n'allez pas vous faire embaucher par l'Agence Cavendish.

— Pourquoi pas ?

— Parce qu'il semble arriver des pépins aux filles qui y travaillent.

— Si vous croyez que je sais quelque chose là-dessus, vous faites fausse route.

Avant de la quitter, je lui souhaitai bonne chance. Elle ne m'avait rien appris, mais je n'en avais pas attendu grand-chose. Seulement il faut bien ramasser les fils de ses enquêtes quand par hasard ils traînent.

En franchissant le portail, je faillis heurter Mrs McNaughton de plein fouet. Elle portait un sac à provisions et ne paraissait pas très assurée sur ses jambes.

— Laissez-moi vous aider, dis-je en me baissant pour prendre son sac.

Elle commença par s'y agripper, puis me regarda fixement et relâcha son étreinte :

— Ah ! vous êtes le jeune homme de la police. Je ne vous avais pas reconnu tout de suite.

Je transportai le sac jusqu'à sa porte tandis qu'elle tanguait dans mon sillage. Le sac était étonnamment lourd et je me demandai ce qu'il y avait dedans. Des kilos de pommes de terre ?

— Ne sonnez pas, me dit-elle. La porte n'est pas fermée.

Les portes ne semblaient apparemment jamais fermées à Wilbraham Crescent.

— Et comment progresse l'affaire ? pépia-t-elle. J'ai l'impression qu'il s'était marié au-dessous de sa condition.

Je ne comprenais pas de quoi elle me parlait :

— Que qui s'était quoi ?... Pardonnez-moi, mais je me suis absenté quelque temps, lui expliquai-je.

— Ah ! je vois. Vous étiez sur une filature, je suppose. Je parlais de cette Mrs Rival. Je suis allée à l'enquête. Une créature d'un *commun* ! Et elle n'avait pas l'air très frappée par la mort de son mari.

— Elle ne l'avait pas vu depuis quinze ans, commentai-je.

— Angus et moi sommes mariés depuis vingt ans, soupira-t-elle.

Ça fait long. Et tout ce jardinage maintenant qu'il ne va plus à l'université... C'est devenu un vrai casse-tête de trouver à quoi occuper son temps.

Mr McNaughton, bêche en main, tourna le coin de la maison à cet instant précis :

— Ah ! te voilà, ma chère. Laisse-moi prendre...

— Déposez-moi le tout dans la cuisine, s'empressa de me dire Mrs McNaughton en me donnant un léger coup de coude. Ce sont juste les *corn flakes*, les œufs et un melon, annonça-t-elle à son mari avec un grand sourire.

Je posai le sac sur la table de la cuisine. Quelque chose tinta à l'intérieur.

Corn flakes, mon œil ! Je laissai libre cours à mes instincts de fouineur. Sous un camouflage de papier glacé s'alignaient trois bouteilles de whisky.

Je comprenais pourquoi Mrs McNaughton semblait parfois si animée et communicative, et pourquoi il lui arrivait de ne plus tenir très bien sur ses jambes. Quant à la démission de Mr McNaughton de l'université, il ne fallait sans doute pas chercher plus loin.

Ça devait décidément être la matinée des voisins. Je croisai Mr Bland en descendant vers Albany Road. Il paraissait en pleine forme. Et il me reconnut tout de suite :

— Comment allez-vous ? En comment va le crime de par le monde ? Vous avez réussi à identifier votre macchabée, à ce que j'ai pu voir. Il semblerait qu'il ne se soit pas très bien conduit avec sa bonne femme, hein ? À propos, dites-moi, vous n'appartenez pas à la police locale, non ?

Je répondis évasivement que j'étais venu de Londres.

— Ah ! alors Scotland Yard s'intéresse à l'affaire ?

— Eh bien...

Je laissai ma phrase en suspens.

— Je comprends. Motus et bouche cousue. Quand même, vous n'étiez pas à l'enquête du coroner, hein ?

Je lui racontai que j'étais parti pour l'étranger.

— J'en ai fait autant, mon garçon. J'en ai fait autant ! répéta-t-il en me décochant un clin d'œil.

— Le gai Paris ? lui demandai-je en lui rendant son clin d'œil.

— Ah, si seulement ! Non, juste un aller-retour à Boulogne.

Il me planta son coude dans les côtes (tout à fait comme Mrs McNaughton !) :

— Je n'avais pas emmené ma bourgeoise. Je faisais équipe avec une petite pépée, je ne vous dis que ça. Blonde. Un tempérament du feu de Dieu.

— Voyage d'affaires, quoi ? plaisantai-je.

Et nous éclatâmes de rire tous les deux, en hommes qui savent ce qu'est la vie.

Il continua vers le n° 61 tandis que je me dirigeai vers Albany Road.

Je n'étais pas très content de moi. Comme l'avait souligné Poirot, on aurait sûrement pu faire mieux avec les voisins. Il était totalement invraisemblable que *personne* n'ait rien vu ! Hardcastle n'avait peut-être pas posé les bonnes questions. Mais étais-je capable de songer à des meilleures ? Tout en obliquant dans Albany Road, je me dressai mentalement une liste de questions. Ce qui donna à peu près ça :

Mr Curry (Castleton) a été drogué — Quand ?
id a été tué — Où ?
Quelqu'un a bien dû voir quelque chose ! — Qui ?
id — Quoi ?

Je pris à nouveau sur la gauche. Je remontais à présent Wilbraham Crescent comme je l'avais fait le 9 septembre. Fallait-il que je rende visite à miss Pebmarsh ? Que je sonne à sa porte et que je lui dise... oui, que je lui dise quoi ?

Que je passe voir miss Waterhouse ? Que diable pourrais-je bien lui raconter, à celle-là ?

Mrs Hemming, peut-être bien ? Peu importait ce qu'on pouvait bien dire à Mrs Hemming. Elle n'écoutait jamais, mais ce qu'elle *disait*, si hors de propos et décousu que cela paraisse, pouvait éventuellement s'avérer lourd d'enseignements.

Je cheminais en relevant mentalement les numéros comme je l'avais fait la première fois. Feu Mr Curry les avait-il lui aussi notés au passage jusqu'à découvrir celui où il lui faudrait s'arrêter ?

Wilbraham Crescent n'avait jamais paru plus sur son quant-à-soi. « Ah ! si ces pierres pouvaient parler ! » faillis-je déclamer à la bonne vieille manière victorienne. C'était, semble-t-il, une sorte de lieu commun, à l'époque. Mais les pierres ne sont guère bavardes, les briques et le mortier pas davantage, pour ne rien dire du stuc ou du plâtre. Muré dans son silence, Wilbraham Crescent demeurait égal à lui-même. Démodé, distant, vaguement décrépit et peu porté au dialogue. Désapprouvant sans aucun doute les vagabonds qui venaient déambuler sur ses terres sans trop savoir ce qu'ils y cherchaient.

Le moins qu'on puisse dire est qu'il n'y avait pas foule. Un ou deux gamins à bicyclette me doublèrent et je croisai deux femmes portant des sacs à provisions. La vie était si peu perceptible à l'intérieur des maisons qu'elles auraient aussi bien pu être embaumées comme autant de momies. J'en connaissais la raison. Il était 1 heure ou peu s'en fallait. On s'adonnait au sacro-saint rite du déjeuner britannique. Dans quelques rares maisons, j'aperçus par des fenêtres vierges de rideaux une ou deux personnes attablées, mais cela même demeurait l'exception. Soit les fenêtres étaient discrètement voilées par des rideaux de Nylon qui remplaçaient la dentelle de Nottingham d'antan, soit — ce qui était plus probable — tous ceux qui déjeunaient à la maison le faisaient dans leur cuisine « moderne » répondant aux critères des années soixante.

C'était, me laissais-je aller à songer, l'heure rêvée pour un meurtre. L'assassin avait-il pensé à ça ? Planifié son horaire ? J'arrivai enfin au n° 19.

Comme la foule d'imbéciles qui s'étaient succédé là, je m'immobilisai et écarquillai les yeux. Il n'y avait, pour l'heure, plus un seul être humain en vue. « Pas de voisins, déplorai-je en moi-même. Pas de spectateurs intelligents. »

Je ressentis soudain une vive douleur à l'épaule. Je m'étais trompé. Le voisin espéré existait bel et bien, et il aurait fait un témoin de premier plan s'il avait seulement pu parler. Je m'étais par inadvertance appuyé au pilier de la grille du n° 20 et le gros chat roux que j'y avais déjà rencontré trônait à son sommet. Passé le préalable consistant à extraire de mon omoplate ses griffes espiègles, je décidai d'échanger quelques mots avec lui.

— Ah ! si les chats pouvaient parler, soupirai-je pour entamer la conversation.

Le chat roux ouvrit la gueule et émit un sonore et mélodieux mi-a-ou.

— Je sais que tu peux le faire, affirmai-je aussitôt. Je sais que tu peux le faire aussi bien que moi. L'ennui, c'est que nous ne parlons pas la même langue. Où étais-tu posté ce jour-là ? As-tu vu qui est entré dans cette maison ou qui en est sorti ? Est-ce que tu sais vraiment tout ce qui s'y est passé ? Ça ne m'étonnerait pas de toi, gros minet.

Le chat parut prendre ma remarque en mauvaise part. Il me tourna le dos et se mit à balancer la queue.

— Je vous demande pardon, votre Majesté, m'excusai-je.

Il me jeta un regard froid par-dessus son épaule et entreprit une toilette minutieuse. Ah ! c'est beau, les voisins ! me dis-je avec amertume. Par quel bout qu'on les prenne, ils se révélaient, à Wilbraham Crescent, d'un bien piètre secours. Ce qu'il m'aurait fallu — ce que Hardcastle aurait donné cher pour trouver lui aussi —, c'était une brave petite vieille, curieuse, observatrice, bavarde, toujours en quête de scandale et prête à se précipiter à sa fenêtre. L'ennui, c'est que ce genre de petites vieilles semble avoir disparu. On les retrouve désormais parquées dans des maisons de retraite dotées du confort indispensable au grand âge... quand elles n'encombrent pas les lits des hôpitaux dont on aimerait bien les extraire pour y mettre les malades. Les boiteux, les estropiés et les vieux ne vivent plus chez eux, assistés d'un fidèle domestique ou d'une parente pauvre et simplette, heureuse de trouver là un foyer confortable. Ça représente un sérieux handicap pour ce qui est de l'investigation criminelle.

Je regardai de l'autre côté de la rue. Pourquoi n'y avait-il pas de voisins par là ? Pourquoi ne se dressait-il pas devant moi une belle rangée de villas au lieu de cet alignement d'impersonnels caravansérails de béton ? On aurait dit une ruche humaine, colonisée par des abeilles travailleuses qui partaient toutes à l'ouvrage le matin pour ne rentrer qu'à la nuit tombée torcher leur progéniture ou se poudrer le bout du nez avant de sortir avec leurs mâles. Face à l'inhumanité de cet immeuble, je révisai mon jugement sur la distinction fanée de Wilbraham Crescent.

Mon regard fut soudain accroché par un éclair de lumière, quelque part au milieu de l'immeuble. Ça m'intrigua. Je levai la tête. Et puis ça recommença. Une fenêtre ouverte, et quelqu'un qui regardait par là. Un visage à moitié caché par ce qui était porté à ses yeux. L'éclair de lumière jaillit encore une fois. Je plongeai la main dans ma poche. Je garde des tas de choses dans mes poches, des bricoles qui peuvent se révéler utiles. Utiles à un point que vous n'imaginez pas. Un mini-rouleau de Scotch. Quelques petits instruments à l'air innocent mais en réalité capables d'ouvrir pratiquement toutes les portes les mieux verrouillées soient-elles, une boîte de poudre grise avec une étiquette qui ne correspond pas à son contenu et accompagnée d'un système diffuseur, plus un ou deux gadgets sur lesquels la plupart des gens seraient bien incapables de mettre un nom. Et parmi tout ce fourbi, des jumelles pour fanatiques de l'observation des oiseaux. Pas très puissantes, mais assez pour être parfois d'un grand secours. Je les sortis et les ajustai à mes yeux.

Une gamine était à la fenêtre. Elle avait une longue natte qui reposait sur son épaule. Et elle se servait d'une paire de jumelles d'opéra pour m'observer avec ce que d'aucuns pourraient considérer comme une attention flatteuse. Oui, mais comme j'étais la seule personne dans son champ de vision, ladite attention n'était peut-être pas aussi flatteuse qu'il y paraissait. À cet instant surgit une nouvelle distraction susceptible d'égayer l'heure du déjeuner à Wilbraham Crescent.

Une vieille Rolls-Royce glissa en effet le long de la rue, conduite par un quasi-nonagénaire. Il paraissait infiniment digne, un peu dégoûté de la vie, et passa près de moi avec la solennité de toute une procession de voitures. Je remarquai que ma petite observatrice avait reporté sur lui son attention ainsi que ses jumelles de théâtre. Et je restai planté là à réfléchir.

J'ai toujours professé que la chance finit forcément par vous sourire sous une forme quelconque pour peu que vous sachiez attendre. Et alors quelque chose que vous n'imaginiez même pas — un impondérable auquel vous n'auriez jamais songé — se produit bel et bien. S'agissait-il en l'occurrence de *mon* impondérable ? Je levai à nouveau la tête vers le gigantesque immeuble cubique, notai soigneusement l'étage — le troisième —, et la position de la fenêtre. Puis je remontai la rue et m'engageai dans une large allée qui courait dans le gazon tout autour du building, avec des parterres de fleurs postés aux endroits stratégiques.

Il est d'après moi toujours bon de fignoler sa mise en scène. Je sortis donc de l'allée, fis quelques pas en direction de l'immeuble, levai la tête d'un air surpris, me penchai sur l'herbe comme pour y chercher quelque chose, me redressai bientôt ostensiblement en faisant semblant de mettre un objet dans ma poche. Puis je fis le tour de l'immeuble et arrivai devant l'entrée.

À n'importe quel moment du jour ou de la nuit, il y aurait eu là un portier, mais à cette heure sacramentelle qui va de 1 à 2, le hall était désert. Il y avait bien une sonnette avec un grand écriteau qui disait GARDIEN, mais je passai sans m'arrêter. Je pris l'ascenseur et appuyai sur le bouton du troisième. Après ça, il fallait que je calcule bien mon coup.

Repérer une fenêtre et situer, de l'extérieur, la pièce à laquelle elle correspond peut sembler assez simple, mais, une fois dans la place, nombre d'éléments tendent à vous embrouiller. J'avais cependant suffisamment pratiqué ce genre d'exercice en mon temps pour être à peu près sûr que je tenais la bonne porte. Elle affichait, pour le meilleur ou pour le pire, le numéro 77. « Bah ! me dis-je, le 7 porte bonheur. Alors deux 7... allons-y ! » J'appuyai sur le bouton de sonnette et reculai d'un pas, prêt à toute éventualité.

25

RÉCIT DE COLIN LAMB

On me fit lanterner une ou deux minutes. Et puis la porte s'ouvrit enfin.

Une grande blonde nordique aux vêtements de couleur vive et au visage empourpré me dévisagea d'un air interrogateur. Elle s'était hâtivement essuyé les mains mais des traces de farine s'y voyaient encore ainsi que sur le bout de son nez et il me fut donc facile de deviner à quoi elle était occupée.

— Excusez-moi, dis-je, mais une petite fille habite ici, je crois. Elle a laissé tomber quelque chose par la fenêtre.

Elle me sourit d'un air encourageant. La langue anglaise ne semblait pas son fort :

— Pardon, vous dites quoi s'il vous plaît ?

— Une enfant, ici... une petite fille.

— Oui, oui, acquiesça-t-elle en hochant la tête.

— Elle a laissé tomber quelque chose... par la fenêtre.

J'accompagnai ces paroles d'une petite gesticulation :

— Je l'ai ramassé dans l'herbe et je vous l'ai rapporté.

J'ouvris la main sur un petit couteau à fruits en argent. Elle le fixa sans apparemment le reconnaître :

— Je pense pas... je pas avoir vu...

— Vous êtes en train de faire la cuisine ? m'apitoyai-je.

Elle hocha vigoureusement la tête :

— Oui, oui, je faire cuisine, c'est ça, oui.

— Je ne voudrais pas vous déranger, prétendis-je. Laissez-moi juste le lui donner.

— Pardon ?

Et puis elle parut soudain comprendre. Elle me fit traverser le couloir et ouvrit une porte qui donnait sur un salon fort agréable, ma foi. Une fillette d'une dizaine d'années y était allongée sur un sofa devant la fenêtre. Elle avait une jambe dans le plâtre.

— Ce monsieur il a dit que tu... que tu avoir laissé tomber...

À cet instant, la providence aidant, une violente odeur de brûlé nous parvint de la cuisine. Mon guide poussa un cri de consternation :

— Excusez, je vous prie, excusez !

— Allez-y, lui dis-je, affable. Je saurai me débrouiller.

Elle s'enfuit aussitôt. J'entrai dans la pièce, refermai la porte derrière moi et m'approchai de la fillette :

— Bonjour.

Elle me rendit mon « Bonjour » en me jaugeant d'un long regard pénétrant qui me déconcerta un peu. C'était une enfant assez laide, au front bombé et au menton pointu, avec des cheveux queuede-vache séparés en deux nattes et des yeux gris intelligents.

— Je suis Colin Lamb, comment t'appelles-tu ?

La réponse fusa :

— Geraldine Mary Alexandra Brown.

— Seigneur ! voilà un nom qui se pose là. Et comment t'appelle-t-on ?

— Geraldine. Parfois Gerry, mais ça me plaît pas trop. Et papa est contre les abréviations.

Les enfants présentent un précieux avantage : ils ont leur propre logique. Toute personne adulte m'aurait déjà demandé ce que je voulais, mais Geraldine était tout à fait prête à engager la conversation sans se sentir obligée d'en passer par des questions saugrenues. Elle était seule, elle s'ennuyait, et l'arrivée d'un visiteur quel qu'il soit était pain béni. Tant qu'elle ne me jugerait pas ennuyeux et sans intérêt, elle serait d'accord pour bavarder.

— Je suppose que ton père est absent ?

Comme pour ma première question, elle répondit du tac au tac par une énumération détaillée :

— Ateliers de constructions mécaniques de Cartinghave, à Beaverbridge, vingt kilomètres et demi d'ici exactement.

— Et ta mère ?

— Maman est morte, poursuivit Geraldine sans que cela entame sa bonne humeur. Quand c'est arrivé, j'avais deux mois. Elle avait pris un avion en France, il s'est écrasé et tout le monde a été tué.

Elle récitait cela d'un air satisfait et je compris qu'un enfant qui a perdu sa mère acquiert un certain prestige du fait qu'elle soit morte au cours d'une catastrophe particulièrement épouvantable.

— Je vois, dis-je. Et c'est pour ça que tu as une...

Je regardai en direction de la porte.

— Ça, c'est Ingrid. Elle arrive de Norvège. Ça fait seulement quinze jours qu'elle est là et elle ne sait pas encore parler. Je lui apprends l'anglais.

— Et elle, elle t'apprend le norvégien ?

— Pas des masses.

— Tu l'aimes bien ?

— Oui. Ça va. Mais les trucs qu'elle cuisine sont quelquefois assez bizarres. Vous savez quoi ? Eh bien elle mange du poisson cru.

— Moi-même, j'ai mangé du poisson cru en Norvège, je trouve ça très bon.

Geraldine n'eut pas l'air convaincu :

— Aujourd'hui, elle essaie de faire une tarte à la mélasse.

— Tu aimes ça.

— Oui, j'aime bien la tarte à la mélasse, dit poliment Geraldine. Vous êtes venu déjeuner ?

— Pas exactement. En réalité, je passais sous ta fenêtre et je crois que tu as laissé tomber quelque chose.

— Moi ?

— Oui.

J'exhibai le couteau à fruits en argent. Geraldine le regarda d'un regard méfiant, puis approbateur :

— C'est assez chouette, qu'est-ce que c'est ?

— Un couteau à fruits.

Je l'ouvris.

— Oh ! je vois. On peut s'en servir pour éplucher des pommes, des trucs comme ça ?

— Oui.

Geraldine poussa un soupir :

— Il est pas à moi. Et ce n'est pas moi qui l'ai laissé tomber. Qu'est-ce qui vous a fait croire que c'était moi ?

— Eh bien tu regardais par la fenêtre, et...

— Je passe une grande partie de mon temps à regarder par la fenêtre, me confia Geraldine. Je me suis cassée la jambe en tombant.

— Pas de veine.

— Oui, hein ? En plus, je me la suis même pas cassée de façon très intéressante. Je descendais d'un bus qui a redémarré trop vite. Au début, ça me faisait mal, mais plus maintenant.

— Tu dois t'ennuyer à cent sous de l'heure.

— Ben, oui. Heureusement, papa me ramène des trucs. De la pâte à modeler, des livres, des crayons, des puzzles, des machins comme ça, mais on en a des fois assez de *faire* des choses, alors je passe beaucoup de temps à regarder par la fenêtre avec ça.

Très fière, elle me tendit des jumelles de théâtre.

— Tu permets ?

Je les lui pris des mains, regardai par la fenêtre et les réglai.

— Elles sont excellentes, dis-je sur un ton admiratif.

Et elles l'étaient. Le père de Geraldine, en supposant que ce soit lui qui les ait achetées, n'avait pas lésiné sur la dépense. On voyait le 19 Wilbraham Crescent et les maisons avoisinantes comme si on y était.

Je les lui rendis :

— Bravo, elles sont de tout premier ordre.

— Oui, ce sont des vraies, se rengorgea Geraldine. Pas des jumelles pour enfants ou pour faire semblant.

— Oui, on s'en rend tout de suite compte.

— Je tiens un petit carnet de bord, me confia Geraldine.

Elle me le montra :

— Là-dedans, j'écris ce qui se passe et je note l'heure. C'est comme ce jeu où on joue à reconnaître les trains et à noter l'heure de passage. J'ai un cousin qui s'appelle Dick, il adore ça. On fait aussi les numéros de voiture. Vous commencez par un premier numéro et vous voyez jusqu'où vous pouvez aller.

— Pas mal, comme sport.

— Oui, mais comme il n'y a pas des masses de voitures qui passent dans cette rue, ça ne valait pas le coup. J'ai laissé tomber pour le moment.

— Dis donc, tu as dû apprendre des tas de choses sur les gens qui habitent dans les maisons d'en face.

J'avais lancé ça sur un ton détaché mais Geraldine réagit au quart de tour :

— Oui bien sûr, mais comme je connais pas leurs vrais noms, je les ai rebaptisés.

— Tu as dû bien t'amuser.

— Il y a la marquise de Carrabas, dans cette maison, là... Celle avec ces arbres mal taillés. Vous savez, comme dans le Chat Botté. Elle a des tas et des tas de chats.

— Je viens de parler à l'un d'entre eux. Le roux.

— Oui, je vous ai vu.

— Et tu as l'œil ! Il ne doit pas y avoir grand-chose qui t'échappe.

Geraldine sourit, visiblement flattée. Ingrid ouvrit la porte et apparut, hors d'haleine :

— Tout il va bien, oui ?

— Très bien, décréta Geraldine d'un ton ferme. Tu n'as aucune raison de t'inquiéter, Ingrid.

Geraldine agita la tête avec insistance et fit de grands gestes de la main :

— Retourne à ta cuisine.

— Très bien, je retourner. C'est gentil avoir un ami.

— Ça la rend nerveuse de faire la cuisine, expliqua Geraldine. Surtout quand elle essaie une nouvelle recette. Des fois, c'est pour ça qu'on mange tard. Je suis bien contente que vous soyez venu. C'est chouette d'avoir quelqu'un pour vous distraire, parce que vous vous dites pas que vous avez faim.

— Raconte-m'en un peu plus sur les gens qui habitent là en face et sur ce qui s'y passe, réclamai-je. Qui est-ce qui habite à côté de la marquise de Carrabas dans cette maison si bien tenue ?

— Oh ! là, c'est une aveugle. Elle est pas mal aveugle et pourtant elle se déplace comme si elle y voyait. C'est Harry, le gardien, qui me l'a dit. Il est très gentil, Harry. Il me raconte plein de trucs. Par exemple l'histoire du meurtre.

— Le meurtre ? m'écriai-je avec l'étonnement qui convient à pareille révélation.

Geraldine hocha la tête. Les yeux brillants, elle songeait à l'importance de l'information qu'elle allait me donner :

— Quelqu'un a été tué dans cette maison. Je l'ai pratiquement *vu* faire.

— Mais c'est passionnant, ça, dis-moi !

— Oui, hein ? J'avais jamais vu de meurtre avant.

Je veux dire, j'avais jamais vu un endroit où on avait assassiné quelqu'un.

— Mais qu'est-ce que tu as... vu au juste ?

— Eh bien, c'était le genre de moment où il se passe jamais grand-chose. L'heure creuse, quoi. Et puis, brusquement, ça a été grandiose quand quelqu'un est sorti de la maison en hurlant. Là, évidemment, j'ai compris qu'il s'était passé quelque chose de pas banal.

— Qui est-ce qui criait ?

— Oh ! rien qu'une bonne femme. Plutôt jeune et assez jolie, d'ailleurs. Elle est sortie sur le pas de la porte en braillant comme une possédée. Il y avait un bonhomme qui se baladait dans la rue. Elle a passé le portail comme une flèche et elle s'est accrochée à lui — comme ça.

Elle fit un geste avec les bras et me regarda fixement :

— Il vous ressemblait vachement, en fait.

— Je dois avoir un double, commentai-je d'un ton léger. Et qu'est-ce qui s'est passé ensuite ? C'est très excitant.

— Eh bien, il l'a laissée choir comme un vieux sac de patates et il est entré dans la maison. L'Empereur — c'est le chat roux, je l'appelle l'Empereur parce qu'il la ramène toujours tellement — s'est arrêté de faire sa toilette, il a paru surpris, et alors miss Piquebœuf est sortie de chez elle — c'est celle du n° 18. Elle est sortie et elle est restée sur son perron à regarder.

— Miss Piquebœuf ?

— Oui, elle est sèche comme un coup de trique, pointue de partout et elle a un frère qu'elle arrête pas de houspiller.

— Continue, dis-je, très intéressé.

— Et puis il s'est passé plein de trucs, le garçon est ressorti de la maison... vous êtes sûr que c'était pas vous ?

— J'ai un physique assez ordinaire, fis-je remarquer d'un air modeste. Des hommes comme moi, il y en a des tas.

— Oui, vous avez raison, acquiesça Geraldine sans chercher à ménager ma susceptibilité. Bref, ce garçon a descendu la rue pour aller téléphoner depuis la cabine. Et, après ça, la police a pas tardé à arriver.

Ses yeux brillèrent :

— Ça a grouillé de flics partout. Ils ont embarqué le cadavre dans une espèce d'ambulance. À ce moment-là, il y avait plein de monde qui regardait, bien sûr. J'ai vu Harry, il y était aussi. Harry, c'est le gardien de l'immeuble. C'est lui qui m'a donné tous les détails après.

— Est-ce qu'il t'a expliqué qui avait été tué ?

— Il m'a juste dit que c'était un homme. Et que personne savait son nom.

— C'est follement intéressant, tout ça.

Je priai avec ferveur pour qu'Ingrid ne réapparaisse pas avec une tarte à la mélasse ou autre chef-d'œuvre culinaire.

— Mais revenons un peu en arrière, tu veux bien ? Raconte-moi ce qui s'était passé avant. Cet homme — l'homme qui a été assassiné —, est-ce que tu l'avais vu arriver à la maison ?

— Non, ça non. Il devait déjà être là depuis un bout de temps.

— Tu veux dire qu'il vivait là ?

— Oh ! non, personne ne vit là que miss Pebmarsh.

— Celle-là, tu connais son vrai nom ?

— Bien sûr, je l'ai lu dans les journaux. Les articles sur le meurtre. Et la fille qui hurlait comme une malade s'appelle Sheila Webb. Et Harry m'a raconté que l'homme qui avait été tué s'appelait Mr Curry. Drôle de nom, hein, comme le riz au curry. Et vous savez qu'il y a eu un deuxième meurtre ? Pas le même jour mais plus tard, dans la cabine téléphonique là en bas de la rue. J'arrive à la voir d'ici, enfin de justesse, il faut que je me penche à la fenêtre et que je me torde le cou. Bien sûr je l'ai pas vraiment vu, parce que si j'avais su ce qui allait se passer, j'aurais plus fait attention... mais on ne peut pas tout savoir. Ce jour-là, il y avait plein de gens qui faisaient le pied de grue devant le n° 19, juste pour se rincer l'œil. C'est bête, hein ?

— Complètement idiot.

C'est là qu'Ingrid réapparut.

— Je revenir vite, dit-elle sur un ton rassurant, je revenir très, très vite maintenant.

Elle repartit.

— On n'a pas vraiment besoin d'elle, déclara Geraldine. Elle s'inquiète pour les repas. Enfin, c'est le seul repas dont elle s'occupe à part le petit déjeuner. Le soir, papa va au restaurant et il me fait monter quelque chose. Poisson ou autre. C'est pas un vrai repas, remarquez.

Une note de mélancolie perçait dans sa voix.

— Vers quelle heure prends-tu ton repas de midi, Geraldine ?

— Mon dîner, vous voulez dire ? Dans la région, le repas de midi s'appelle le dîner et celui du soir le souper. Eh bien je dîne quand Ingrid a fini de me préparer à manger. Elle est plutôt bizarre question horaires. Elle est obligée de préparer le petit déjeuner à l'heure parce que sinon papa se fâche, mais le dîner tombe n'importe quand. Ingrid dit qu'on ne mange pas à une heure précise mais quand le repas est prêt.

— Ça simplifie la vie. À quelle heure as-tu déjeuné — enfin, dîné — le jour du meurtre ?

— C'était un de ces jours où on mange à midi parce qu'Ingrid est de sortie. Elle va au cinéma, ou alors chez le coiffeur et Mrs Perry vient me tenir compagnie. Elle est pas buvable, celle-là. Elle vous tapote.

— Elle vous tapote ? répétai-je, un peu surpris.

— Oui, elle vous tapote les cheveux. Elle vous sort des trucs du genre « ma petite choute chérie ». C'est pas quelqu'un avec qui avoir une conversation qui se tienne. Mais elle m'apporte des bonbons, des gâteaux...

— Quel âge tu as, Geraldine ?

— Dix ans. Dix ans et trois mois.

— Tu me parais déjà très forte sur le chapitre des conversations qui se tiennent.

— C'est parce que je suis obligée de beaucoup discuter le coup avec papa, dit Geraldine avec le plus grand sérieux.

— Ainsi donc, le jour du meurtre, tu as dîné tôt ?

— Oui, pour qu'Ingrid ait le temps de faire la vaisselle avant de partir vers 1 heure.

— Et, ce matin-là, tu as regardé par la fenêtre et tu as observé les gens ?

— Oh ! oui. Une bonne partie du temps. Avant ça, vers 10 heures, j'ai fait des mots croisés.

— Je viens de me demander s'il n'aurait pas été possible que tu aies vu débarquer Mr Curry ?

Geraldine secoua la tête :

— Non. Je l'ai pas vu se pointer. C'est plutôt bizarre, je suis bien d'accord.

— Peut-être qu'il est arrivé très tôt ?

— Il n'est pas allé tirer la sonnette de la porte d'entrée. Sans quoi, je l'aurais vu.

— Peut-être qu'il est arrivé par derrière ? Par le jardin ?

— Ça me paraît difficile, dit Geraldine. Il donne sur les autres maisons. Il aurait fallu qu'il se faufile par le jardin des voisins et je ne pense pas qu'ils auraient apprécié.

— Non, tu as sans doute raison.

— J'aimerais bien savoir à quoi il ressemblait, soupira Geraldine.

— Eh bien, il était vieux comme Hérode. Dans la soixantaine. Il était rasé de près. Et il portait un costume gris foncé.

Geraldine secoua la tête.

— C'est pas brillant comme signalement, décréta-t-elle sur un ton désapprobateur.

— N'importe comment, me rebiffai-je, pour toi non plus, ça ne doit pas être commode de t'y retrouver. Quand on est cloué sur un divan et qu'on regarde par la fenêtre du matin au soir, c'est difficile de distinguer une journée d'une autre.

— Alors, là, pas du tout !

Ma remarque l'avait piquée au vif :

— Je peux vous dire très exactement tout ce qui s'est passé ce matin-là. Je sais quand Mrs Panierde-crabes est arrivée et quand elle est repartie.

— Ça, c'est la femme de ménage de miss Pebmarsh ?

— Oui. Elle sautille de côté comme un crabe. Elle a un petit garçon. Des fois, elle l'amène avec elle, mais elle l'a pas fait ce jour-là. Et puis miss Pebmarsh est sortie à 10 heures. Elle est professeur pour enfants handicapés. Mrs Panierdecrabes s'en va vers midi. Quelquefois, elle porte un paquet à la main qu'elle avait pas à l'arrivée. Sans doute des bricoles — du beurre, du fromage — qu'elle peut faucher sans que miss Pebmarsh s'en aperçoive... Ce qui s'est passé ce jour-là, je le sais particulièrement bien parce que je m'étais disputée avec Ingrid et elle ne me parlait plus. Je lui apprends l'anglais et elle voulait savoir comment on dit « au revoir ». Elle me l'avait dit en allemand. *Auf Wiedersehen*. Ça, je le savais parce que je suis allée une fois en Suisse et les gens là-bas disaient ça. Et ils disaient aussi *Grüss Gott*. Mais si on traduit *Grüss Gott* en anglais, ça devient un gros mot.

— Et alors qu'est-ce que tu avais appris à dire à Ingrid ?

Geraldine partit d'un petit rire de gorge malicieux. Elle voulut parler mais le fou rire la reprit. Finalement elle parvint à raconter son histoire :

— Je lui avais conseillé de dire « Foutez-moi le camp » ! Et elle l'a répété à miss Bulstrode, la voisine, et miss Bulstrode a été folle de rage. Ce qui fait qu'Ingrid a compris, qu'elle a été très fâchée contre moi et qu'on ne s'est pas réconciliées avant l'heure du thé le lendemain après-midi.

Je digérai cette information.

— Donc tu t'es concentrée sur tes jumelles ?

Geraldine hocha la tête :

— Voilà pourquoi je sais que Mr Curry est pas passé par la porte de devant. Peut-être qu'il s'était glissé dans la maison pendant la nuit et qu'il s'était caché au grenier. Vous croyez que c'est possible ?

— Je suis persuadé que rien n'est impossible, mais ça ne me paraît quand même pas très probable.

— Non, voulut bien admettre Geraldine. Il aurait eu faim. Et s'il voulait pas se montrer à miss Pebmarsh, il ne pouvait pas espérer qu'elle lui monterait son petit déjeuner.

— Et ce matin-là personne n'est entré dans la maison ? insistai-je. Absolument personne ? Quelqu'un qui serait venu en voiture, un commerçant, un représentant...

— L'épicier vient le lundi et le jeudi, et le laitier à 8 heures et demie du matin.

Cette gamine était une encyclopédie ambulante :

— Les choux-fleurs, les pommes, tout ça, miss Pebmarsh les achète elle-même. Absolument personne n'est venu à part la blanchisserie. C'était une nouvelle blanchisserie, précisa-t-elle.

— Une nouvelle blanchisserie ?

— Oui. D'habitude c'est la blanchisserie Southern Downs. La plupart des gens donnent leur linge à la Southern Downs. Ce jour-là, c'était des nouveaux, la Snowflake. Ils viennent sans doute de se lancer.

Je m'efforçai de gommer toute trace d'excitation de ma voix. Je ne voulais surtout pas qu'elle commence à fabuler :

— Ils ont apporté du linge ou ils en ont emporté ?

— Apporté, dans un très grand panier. Bien plus grand que d'habitude.

— C'est miss Pebmarsh qui l'a pris ?

— Non, bien sûr que non, elle était déjà ressortie.

— Quelle heure était-il au juste, Geraldine ?

— 1 h 35 de l'après-midi. Je l'avais noté, s'écria-t-elle avec fierté.

Elle attrapa un petit carnet, l'ouvrit et pointa un doigt plutôt crasseux sur une note qui disait : *13 h 35, arrivée blanchisseur au n° 19.*

— Tu devrais faire carrière à Scotland Yard.

— Ils ont des femmes inspecteurs ? Ça me plairait assez. Je parle pas des femmes agents de police,

237

hein ! Je trouve ça débile, les femmes agents de police.

— Tu ne m'as pas dit ce qui s'était passé au juste avec le panier de linge ?

— Il s'est rien passé, dit Geraldine. Le chauffeur est descendu, il a ouvert la camionnette, a sorti le panier et a fait le tour de la maison en titubant sous le poids pour aller jusqu'à la porte de derrière. Je pense pas qu'il ait pu entrer. Miss Pebmarsh doit la fermer à clef. Ce qui fait que, son panier, il a dû l'abandonner sur le pas de la porte avant de revenir.

— Il ressemblait à quoi ?

— Il avait l'air de tout le monde.

— Comme moi ?

— Oh ! non, beaucoup plus vieux que vous. Mais je ne l'ai pas vraiment bien vu parce que, pour arriver à la maison, il est passé par là...

Elle se pencha et me montra la rue à main droite :

— Il est allé se garer devant le n° 19 en roulant en sens interdit. Mais dans une rue comme ça, c'est pas grave. Et puis il a passé le portail plié en deux sur son panier. Je lui voyais seulement la nuque et, quand il est ressorti, il s'essuyait la figure. Je suppose que ça l'avait mis en nage de trimballer ce panier.

— Et puis il est reparti ?

— Oui. Pourquoi ça vous intéresse tant que ça ?

— Bah ! je me disais que, lui, il avait peut-être vu quelque chose d'intéressant.

Ingrid ouvrit la porte en grand. Elle poussait une table roulante.

— Le dîner on manger maintenant ! s'exclama-t-elle en hochant la tête d'un air radieux.

— Chouette ! applaudit Geraldine. Je meurs de faim.

Je me levai :

— Il faut que j'y aille. Au revoir, Geraldine.

— Au revoir. Et ce truc-là, alors ? fit-elle en brandissant le couteau à fruits. Il est pas à moi.

Sa voix prit des intonations mélancoliques :

— J'aurais pourtant bien aimé qu'il le soit.

— J'ai comme l'impression qu'il n'appartient à personne, fis-je d'un ton léger.

— Ce qui fait qu'on pourrait peut-être le considérer comme un de ces machins qu'on gagne à la chasse au trésor, quelque chose comme ça ?

— Oui, quelque chose comme ça, acquiesçai-je en souriant. Le mieux, ce serait que tu le gardes. Enfin, jusqu'à ce que quelqu'un vienne te le réclamer. Mais entre nous, avouai-je, ça m'étonnerait que le cas se présente.

— Va me chercher une pomme, Ingrid ! s'écria Geraldine.

— Pomme ? Quoi être pomme ?

— *Apple ! Apfel !*

Je les abandonnai à leurs démêlés linguistiques.

26

Mrs Rival poussa la porte du *Peacock's Arms* et tangua en direction du bar. Elle marmonnait des imprécations. Habituée des lieux, elle bénéficia d'un accueil chaleureux de la part du barman :

— Comment va, Flo ? Ben, dis-moi, ma grosse, ça a pas l'air de gazer comme tu veux ?

— Ça se fait pas, grommela Mrs Rival. C'est pas honnête. Non, ça se fait pas. Je sais de quoi je parle, Fred, et je te dis que ça se fait pas.

— C'est sûr que c'est pas honnête, convint à tout hasard Fred sur un ton apaisant. Qu'est-ce qui l'est encore de nos jours, je voudrais bien le savoir. Comme d'habitude, ma poulette ?

Mrs Rival hocha la tête en signe d'assentiment. Elle paya sa consommation et entreprit de la siroter tandis que Fred allait s'occuper d'un autre client. Son verre parut la rasséréner un peu. Elle continuait de marmonner mais sur un ton moins sombre. Quand

Fred fut de retour près d'elle, elle lui parla plus calmement :

— N'empêche que je vais pas encaisser ça sans broncher. Ça non, pas question. S'il y a une chose que je ne supporte pas, c'est qu'on se paie ma poire. Je peux pas blairer qu'on me mène en bateau, j'ai jamais pu.

— Je me mets à ta place, hasarda Fred.

Il la surveillait du coin de l'œil. « Elle a déjà un coup dans l'aile, jaugea-t-il. Mais, bah ! elle peut encore s'en jeter un ou deux derrière la cravate. Ce qu'il y a de sûr, c'est qu'elle est en pétard. »

— Le mensonge, gronda Mrs Rival. La prévari... prévari... je trouve plus le mot, mais tu le connais, toi, Fred.

— Bien sûr, acquiesça Fred.

Il se retourna saluer une vieille connaissance. Les contre-performances de certains lévriers furent doctement évoquées. Mrs Rival continuait de marmonner :

— J'aime pas ça et je ne me laisserai pas faire. Ah non ! Si les gens s'imaginent qu'on peut me traiter comme ça, ils se fourrent le doigt dans l'œil. Non, ils se le fourrent jusqu'au coude. Parce que ça se fait pas et si on se défend pas soi-même, personne le fera à votre place. Donne m'en un autre, mon loup, ajouta-t-elle d'une voix plus forte.

Fred s'exécuta.

— Je rentrerais chez moi après celui-là, si j'étais toi, lui conseilla-t-il néanmoins.

Il se demandait ce qui avait bien pu la contrarier à ce point-là. Cette brave vieille Flo... Elle avait pourtant sacrément bon caractère. C'était le genre bonne pâte, avec toujours le mot pour rire.

— Tu comprends, Fred, ça risque de me flanquer dans le pétrin. Quand on vous demande de faire un truc, on devrait rien vous cacher. On devrait vous expliquer honnêtement le comment et le pourquoi. Des menteurs. Des sales menteurs, voilà ce que j'en pense. Mais ça ne se passera pas comme ça.

— Si j'étais toi, je rentrerais chez moi, insista Fred

en remarquant la larme qui se formait au bord des cils englués de mascara. Il va pas tarder à pleuvoir, et ça va tomber des hallebardes. Tu vas abîmer ton joli chapeau.

Mrs Rival lui adressa un petit sourire reconnaissant :

— J'ai toujours aimé les coquelicots et les bleuets. Oh ! bon sang, si seulement je savais quoi faire au juste !

— Rentrer à la maison et piquer un petit roupillon, lui conseilla gentiment le barman.

— Oui, peut-être bien, mais...

— Allons, allons, tu n'as pas envie de fiche en l'air ton beau chapeau...

— T'as raison, opina pâteusement Mrs Rival. T'as tout à fait raison. C'est une pensée profuse, que t'as là, mon p'tit Fred... Une pensée profu... non, c'est pas profuse que je veux dire... qu'est-ce que je veux dire, hein ?

— C'est une pensée profonde que tu as là, mon petit Fred.

— Voilà, merci beaucoup.

— De rien, affirma Fred.

Mrs Rival se laissa glisser de son tabouret de bar et se dirigea vers la sortie d'un pas mal assuré.

— J'ai comme l'impression que, ce soir, notre Flo n'est pas dans son assiette, commenta un des clients.

— D'habitude, c'est plutôt la fille rigolotte, mais bon, chacun a ses hauts et ses bas, soupira un autre client, individu à la mine lugubre.

— Celui qui m'aurait dit que Jerry Grainger arriverait cinquième, et loin derrière Queen Caroline, décréta le premier qui avait parlé, je lui aurais ri au nez. M'est avis qu'il y a entourloupe par là-dessous. Les courses sont plus ce qu'elles étaient. Ils les dopent, les chevaux, voilà ce qu'ils font. Tous autant qu'ils sont.

Mrs Rival était sortie du *Peacock's Arms*. Elle leva un regard dubitatif vers le ciel. Oui, peut-être bien qu'il allait pleuvoir. Elle descendit la rue en pressant un peu le pas, tourna à gauche, puis à droite et s'arrêta devant une maison passablement délabrée. Comme elle montait les marches du perron en sortant sa clef, une voix lui parvint de l'entresol, une tête parut dans un entrebâillement de porte :

— Y a un monsieur qui vous attend là-haut.

— Moi ?

Mrs Rival parut un peu surprise.

— Oui, bien habillé et tout, mais bon, c'est pas le prince de Galles non plus, hein !

Mrs Rival parvint à trouver le trou de la serrure, tourna la clef et entra.

La maison sentait le chou, le poisson et l'eucalyptus. Dans le couloir, cette dernière odeur était pratiquement permanente. La logeuse de Mrs Rival croyait aux vertus des fumigations pour se protéger les bronches et commençait son traitement dès la mi-septembre. Mrs Rival escalada les marches en s'aidant des deux rampes. Elle ouvrit la porte du premier étage, entra et se figea :

— Oh ! c'est vous.

L'inspecteur Hardcastle se leva de la chaise sur laquelle il était assis :

— Bonsoir, Mrs Rival.

— Qu'est-ce que vous me voulez, encore ? demanda Mrs Rival d'un ton plus brutal que si elle avait été dans son état normal.

— Eh bien, j'avais des affaires à régler à Londres, et puis il fallait que j'éclaircisse un ou deux détails avec vous. Je suis donc venu ici en espérant vous y trouver. La... la dame en bas avait l'air d'estimer que vous ne tarderiez pas.

— Ah ! dit Mrs Rival. Je ne vois pas très bien... je...

L'inspecteur Hardcastle lui avança une chaise.

— Asseyez-vous donc, lui offrit-il le plus courtoisement du monde.

Les rôles étaient inversés, on aurait dit qu'il habitait là et que c'était elle qui lui rendait visite. Mrs Rival s'assit. Elle le dévisagea, les yeux quelque peu exorbités :

— Qu'est-ce que vous vouliez dire avec vos un ou deux détails ?

— Bah ! ce ne sont que des broutilles, mais des broutilles qui font mauvais effet.

— Vous voulez dire... au sujet de Harry ?

— Oui, c'est bien ça.

— Écoutez-moi voir ! lança Mrs Rival, incapable de contrôler son agressivité et tandis que des effluves alcoolisés parvenaient aux narines de Hardcastle. Harry, pour moi, c'est de l'histoire ancienne. Je ne veux plus y penser. Je suis venue vous trouver, pas vrai, quand j'ai vu sa photo dans le journal ? Je suis venue vous trouver et je vous ai tout déballé sur son compte. Seulement ça remonte à loin et je n'ai plus envie de remuer le passé. Je ne peux rien vous dire de plus. Je vous ai raconté tout ce dont je me souvenais et je ne veux plus en entendre parler.

— Il s'agit d'un tout petit détail, insista Hardcastle.

Il avait parlé d'une voix douce, et comme s'il cherchait à s'excuser.

— Bon, très bien, acquiesça Mrs Rival de mauvaise grâce. Il s'agit de quoi ? Dites-le et qu'on en finisse.

— Vous avez identifié le cadavre comme étant celui de l'homme que vous aviez épousé il y a une quinzaine d'années. C'est bien cela ?

— Depuis le temps que vous êtes sur l'affaire, vous auriez au moins pu découvrir la date exacte.

« Plus délurée que je ne l'imaginais », songea l'inspecteur avant d'enchaîner :

— Vous avez parfaitement raison sur ce point. Nous avons vérifié. Vous vous êtes mariée le 15 mai 1948.

— Se marier au mois de mai, ça porte la poisse, grommela sombrement Mrs Rival. Et c'est vrai que ça m'a pas porté chance.

— Malgré le nombre d'années écoulées, vous avez identifié votre mari avec une remarquable aisance.

Embarrassée, Mrs Rival s'agita sur sa chaise :

— Il n'avait pas beaucoup changé. Il a toujours pris soin de lui, Harry.

— Et vous avez été jusqu'à nous fournir un complément d'identification. Vous m'avez écrit, il me semble, au sujet d'une cicatrice.

— C'est exact. Située derrière l'oreille gauche. Là. Mrs Rival leva la main pour montrer l'endroit.

— Vous avez bien précisé derrière l'oreille gauche ?

— Eh bien...

Elle hésita un instant, puis :

— Oui, il me semble bien que oui. Oui, j'en suis certaine. Vous savez ce que c'est, quand on est pressé on ne connaît plus sa droite de sa gauche, mais oui, bien sûr, c'était du côté gauche. Là.

Elle réitéra le geste précédent.

— Et il avait fait ça en se rasant, dites-vous ?

— C'est ça, oui. Un chien lui a sauté dessus. Un chien très turbulent qu'on avait à cette époque-là. Toujours dans nos jambes... affectueux comme tout, remarquez. Il a sauté sur Harry qui tenait son rasoir à la main et la lame est entrée profond. Ça a beaucoup saigné. Ça a cicatrisé mais la marque est restée.

Elle avait maintenant recouvré une bonne partie de son assurance.

— C'est un détail d'une importance considérable, Mrs Rival. Après tout, rien ne ressemble autant à un homme qu'un autre homme, surtout après que beaucoup d'eau a passé sous les ponts. Or, non seulement cet homme ressemble comme deux gouttes d'eau à votre mari, mais il a par-dessus le marché une cicatrice au même endroit... avouez que cela réduit considérablement la marge d'erreur. Il semblerait donc que nous tenons réellement là du concret.

— Je suis contente que vous soyez content.

— Et cet accident avec le rasoir, ça s'est passé... quand ?

Mrs Rival réfléchit quelques secondes :

— J'ai l'impression que c'est arrivé... oh ! environ six mois après notre mariage. Oui, c'est ça. On a eu ce chien cet été-là, ça me revient tout d'un coup.

— Cela s'est donc passé en octobre ou novembre 1948. Nous sommes bien d'accord ?

— Absolument.

— Et après ça, votre mari vous a abandonnée en 1951...

— C'est plutôt moi qui l'ai fichu dehors, rectifia Mrs Rival avec dignité.

— D'accord. Comme vous voudrez. Bref, après que vous avez fichu votre mari dehors en 1951, vous ne l'avez plus jamais revu jusqu'au jour où vous avez remarqué sa photo dans le journal ?

— Oui. C'est bien ce que je vous ai dit.

— Et vous en êtes bien sûre, Mrs Rival ?

— Évidemment, que j'en suis sûre. Je n'ai plus jamais posé les yeux sur Harry Castleton avant de le voir à la morgue.

— C'est bizarre, vous savez, Mrs Rival. Vraiment très bizarre.

— Pourquoi... qu'est-ce que vous voulez dire ?

— Eh bien, c'est un drôle de machin, le tissu cicatriciel. Bien sûr, ça ne nous dit rien à vous et à moi. Une cicatrice est une cicatrice. Mais les médecins, eux, sont capables de la faire parler. Ils peuvent nous signaler en gros *depuis quand* un individu a une cicatrice.

— Je ne comprends pas où vous voulez en venir.

— Tout bonnement à ceci, Mrs Rival. D'après le médecin légiste, cette cicatrice derrière l'oreille de votre mari ne remonte pas à plus de cinq ou six ans.

— C'est idiot ! s'emporta Mrs Rival. Je n'en crois pas un mot. Je... personne ne peut dire. De toute façon, ça n'était pas quand...

— Aussi, voyez-vous, poursuivit Hardcastle d'une voix douce, si cette blessure n'a cicatrisé qu'il y a cinq ou six ans, cela signifie que, dans la mesure où cet homme était bien votre mari, il n'avait pas de cicatrice quand il vous a quittée en 1951.

— Peut-être qu'il n'en avait pas. Mais c'était quand même bien Harry.

— Mais vous ne l'avez jamais revu depuis, Mrs Rival. Et si vous ne l'avez jamais revu, comment pouviez-vous savoir qu'il s'était fait une cicatrice il y a cinq ou six ans ?

— Vous embrouillez tout ! s'écria Mrs Rival. Vous

embrouillez tellement tout que je ne sais plus où j'en suis. Peut-être que ça ne remonte pas à aussi loin que 1948... On ne peut pas tout se rappeler. En tout cas, Harry avait cette cicatrice et je le sais.

— Je vois, fit Hardcastle en se levant. Et je pense que vous devriez réfléchir très soigneusement, Mrs Rival. Vous n'avez pas envie d'avoir de gros ennuis, non ?

— Qu'est-ce que vous voulez dire, avoir de gros ennuis ?

— Eh bien, mais... pour faux témoignage, bien sûr, s'excusa presque Hardcastle.

— Un faux témoignage ! Moi !

— Et c'est un délit sévèrement puni par la loi. Ça pourrait même vous conduire en prison. L'autre jour, lors de l'enquête du coroner, vous n'avez pas eu à prêter serment, mais dans un tribunal, ce sera différent. Voilà pourquoi je vous demande de bien réfléchir, Mrs Rival. Se pourrait-il que quelqu'un... vous ait suggéré de nous raconter cette histoire de cicatrice ?

Mrs Rival sauta sur ses pieds. Elle se dressa de toute sa taille et ses yeux lancèrent des éclairs. L'espace d'un instant, elle fut splendide :

— Je n'ai jamais rien entendu d'aussi stupide ! D'aussi absolument stupide ! J'ai essayé de faire mon devoir. Je suis venue vous trouver pour vous aider, et je vous ai raconté tout ce dont je me souvenais. Si j'ai fait une erreur, ça n'a rien d'extraordinaire. Après tout, je suis au contact de pas mal de... de messieurs avec lesquels je me lie d'amitié et il peut m'arriver parfois de me tromper. Mais là, je suis formelle. Cet homme était Harry, et Harry avait une cicatrice derrière l'oreille gauche, ça j'en suis sûre et certaine. Et maintenant, inspecteur Hardcastle, peut-être que vous feriez bien de vous en aller plutôt que de rester chez moi à insinuer que j'ai raconté des mensonges.

Hardcastle se leva aussitôt :

— Bonsoir, Mrs Rival. Réfléchissez. Un point, c'est tout.

Mrs Rival rejeta la tête en arrière et regarda Hardcastle se diriger vers la porte. Dès qu'il fut sorti, son attitude changea du tout au tout. Sa belle arrogance ne fut bientôt plus qu'un souvenir. Elle se tassa sur elle-même, effrayée, épouvantée.

— M'avoir fourrée dans un pétrin pareil, marmonna-t-elle. M'avoir fourrée dans un pétrin pareil. Oh ! mais ça ne va pas se passer comme ça. Je n'ai pas... je n'ai pas... je n'ai pas l'intention de payer les pots cassés, moi. M'avoir raconté ces salades, m'avoir menti comme ça, m'avoir menée en bateau... C'est monstrueux. Absolument monstrueux. Et je ne vais pas me priver de le lui dire.

Les jambes de plus en plus flageolantes, elle arpenta un bon moment sa chambre en tous sens, puis, prenant une décision soudaine, elle empoigna un parapluie posé dans un coin et ressortit. Elle descendit la rue, hésita devant une cabine téléphonique et poussa jusqu'à la poste. Là, elle demanda de la monnaie et entra dans une des cabines. Elle appela les renseignements, demanda un numéro à l'opératrice et attendit.

— C'est à vous. Votre correspondant est en ligne.

Elle haleta :

— Allô !... oh ! c'est vous ? Flo à l'appareil. Oui, je sais que vous m'avez dit de ne pas appeler mais il a bien fallu. Ça n'a pas été correct, votre façon de vous conduire avec moi. Vous ne m'avez jamais dit dans quoi je mettais les pieds. Vous m'avez seulement raconté que ce serait embarrassant pour vous que ce type soit identifié. Jamais je n'aurais cru que je risquais d'être impliquée dans une histoire de meurtre... Oui, bien sûr, c'est ce que vous m'aviez dit, mais ce n'est en tout cas pas ce qui s'est passé... Oui, parfaitement. Et je pense que vous êtes bel et bien pour quelque chose dans ce meurtre... Oui, eh bien je ne vais pas payer les pots cassés à votre place, c'est moi qui vous le dis... Ce n'est pas rien que de se retrouver complice... Complice à postère... à postère... le mot ne me revient pas, mais n'empêche que j'ai peur... Oui, j'ai peur... M'avoir demandé de leur écrire pour leur raconter ces salades à propos de cette cicatrice... Maintenant on m'annonce qu'elle est vieille d'un an ou deux, et moi qui jure mes grands dieux qu'il s'est coupé il y a quinze ans de ça... C'est un faux témoignage et ça peut me valoir de la prison. Non, c'est pas la peine d'essayer de me rouler dans la farine... Non... Rendre service est une chose... Je sais bien... Oui, je sais bien que vous m'avez payée pour le faire. Et pas tant que ça non plus... Bon, d'accord, je vous écoute, mais c'est pas pour ça que je vais... D'accord, d'accord, je me calme... Qu'est-ce que vous dites ?... Combien ?... Ça fait beaucoup d'argent. Mais qu'est-ce qui me dit que vous avez ça sur votre compte ?... Eh bien, oui, bien sûr, ça changerait pas mal de choses. Vous me jurez que vous n'avez rien à voir là-dedans ?... Je veux dire... que vous n'avez tué personne ?... Non, bien sûr, je sais bien que vous n'auriez jamais fait ça. Bien sûr, je comprends... Il arrive qu'on s'embarque dans une histoire avec des gens et puis... et puis ils vont plus loin que vous l'aviez imaginé mais ce n'est pas votre faute... C'est vrai que les choses paraissent toujours simples quand vous les expliquez... Ça a toujours été comme ça... Bon, d'accord, je vais y réfléchir, mais il faudrait que ce soit rapide... Demain ? Quelle heure ?... Oui... oui, je viendrai mais pas de chèque. Des fois qu'il soit sans provision... Je ne sais pas vraiment si je devrais accepter de continuer à marcher dans cette combine même si... Bon, d'accord. Bon, si c'est vous qui le dites... Mais non, je n'avais pas l'intention de me montrer mesquine... Bon, eh bien d'accord.

Elle sortit de la poste en tanguant d'un bord à l'autre du trottoir mais le sourire aux lèvres.

Pour une somme pareille, ça valait le coup d'avoir quelques ennuis avec la police. Ça lui mettrait sérieusement du beurre dans ses épinards. Et ça ne lui ferait pas courir tellement de risques, au bout du compte. Il lui suffirait de prétendre qu'elle avait oublié ou qu'elle n'arrivait plus à se souvenir au juste. Des tas de femmes ne se rappelaient pas de trucs qui ne remontaient qu'à l'année précédente. Elle n'aurait qu'à leur expliquer qu'elle se mélangeait les pinceaux entre Harry et un autre type. Oh ! il y avait des tas de choses qu'elle trouverait à leur dire.

Mrs Rival était une créature à l'humeur chan-
geante. Elle passait en un clin d'œil de la dépression
la plus noire à l'euphorie la plus complète. Elle entreprit de réfléchir avec infiniment de sérieux et d'appli-
cation aux premières dépenses qu'elle pourrait faire
sitôt qu'elle aurait touché l'argent.

27

RÉCIT DE COLIN LAMB

— Vous n'avez pas tiré grand-chose de cette
Mrs Ramsay, se plaignit le colonel Beck.

— Il n'y avait pas grand-chose à en tirer.

— Vous en êtes sûr ?

— Certain.

— Elle n'était pas membre actif ?

— Ni membre ni actif.

Beck m'étudia avec attention.

— Satisfait de votre enquête ? s'enquit-il enfin.

— Pas vraiment.

— Vous en attendiez davantage ?

— Il reste des trous.

— Il nous faudra donc chercher ailleurs... laisser
tomber vos « crescents » et autres « croissants », pas
vrai ?

— Oui.

— Vous êtes bien monosyllabique. Vous avez la
gueule de bois ?

— Je ne suis plus fichu de faire ce métier, déclarai-
je en pesant mes mots.

— Vous voulez que je vous tapote le crâne en vous
disant « Allons, allons » ?

Je ne pus m'empêcher de rire.

— C'est mieux, approuva Beck. Et maintenant, de
quoi s'agit-il ? Peines de cœur, j'imagine.

Je secouai la tête :

— Ça couve depuis un certain temps.

— Je l'avais remarqué, reconnut Beck sans détour. Le monde aujourd'hui est dans une situation confuse. Les enjeux sont moins clairs qu'ils ne l'étaient naguère. Quand le découragement s'installe, c'est comme une décomposition sèche. Les champignons croissent et se multiplient à l'intérieur des murs qu'ils finissent par désagréger ! Si c'est bien votre cas, c'en est fini de votre utilité. Vous nous avez fait du travail de tout premier ordre, mon garçon. Satisfaites-vous de ça. Et retournez à vos satanées algues.

Il marqua un temps, puis :

— Vous aimez vraiment ces affreuses choses gluantes, hein ?

— C'est un sujet qui me passionne et me comble.

— Moi, il m'écœurerait ! Ah ! des goûts et des couleurs... L'infinie variété de la nature... Et que devient votre crime cousu de fil blanc ? Je vous parie que c'est la fille qui a fait le coup.

— Vous vous trompez, grondai-je.

Beck me menaça de son index avec des airs de vieil oncle débonnaire :

— Écoutez bien ce que je vais vous dire : « Toujours prêt ». Et je ne l'entends pas dans le sens où les scouts l'utilisent habituellement.

Je descendis Charing Cross Road plongé dans mes pensées.

Arrivé au métro, j'achetai un journal.

J'y lus qu'une femme, censée prise de malaise dans la cohue de l'heure de pointe la veille au soir à la gare de Victoria, avait été transportée à l'hôpital. Dès son arrivée, on avait découvert qu'elle avait en réalité été poignardée : Elle était morte sans avoir repris connaissance.

Elle s'appelait Mrs Merlina Rival.

Je composai le numéro de Hardcastle.

— C'est parfaitement exact, me confirma-t-il.

Sa voix, au bout du fil, était dure, amère :

— Je lui avais rendu visite avant-hier soir. Et je lui

avais annoncé que son histoire de cicatrice ne tenait pas la route. Que le tissu cicatriciel était relativement récent. C'est drôle, les bourdes que les gens peuvent commettre. Cette manie qu'ils ont d'en rajouter. Quelqu'un avait payé cette femme pour qu'elle identifie le cadavre comme étant celui de son mari qui l'a laissée choir il y a des années.

Elle s'en était sortie comme un chef. Je m'y étais laissé prendre. Et puis l'instigateur a voulu se montrer un tout petit peu trop intelligent. Si elle se rappelait cette cicatrice *après coup*, ça emporterait la conviction et réglerait le problème de l'identification. Tandis que si elle avait tout de suite placé son histoire de cicatrice, ça risquait de paraître suspect.

— Donc Merlina Rival était plongée dans cette histoire jusqu'au cou ?

— Figure-toi que j'en douterais plutôt. Imagine en revanche qu'un de ses vieux copains, ou une relation quelconque, soit venu la trouver et lui ait dit : « Écoute, je suis salement embêté. Un type avec lequel j'étais en affaire vient de se faire descendre. Si par malheur il est identifié et si on découvre nos magouilles, c'est la fin des haricots. Au lieu de quoi si tu te pointes et que tu jures tes grands dieux qu'il s'agit de ton salopard de mari, Harry Castleton, qui s'est fait la malle il y a des années, toute l'affaire part en eau de boudin. »

— Elle aurait quand même tiqué... objecté que c'était trop risqué.

— Auquel cas l'individu en question l'aura rassurée : « Trop risqué, comment ? Au pire, tu te seras trompée. Au bout de quinze ans, n'importe qui peut se tromper. » Et sans doute qu'à ce moment-là une petite somme d'argent aura été mentionnée. Ce qui fait qu'elle aura dit OK, qu'elle n'était pas femme à refuser un service ! Et aura tenu parole.

— Sans se douter de rien ?

— Elle n'était pas du genre méfiant. Après tout, bon sang de bonsoir, chaque fois qu'on arrête un meurtrier, il se trouve des gens qui l'avaient bien connu et qui n'arrivent pas à imaginer qu'il ait pu faire une chose pareille !

— Qu'est-ce qui s'est passé quand tu es allé la voir ?

— Je lui ai flanqué la frousse. Après mon départ, elle a fait exactement ce que je pensais qu'elle allait faire : elle a tenu à contacter l'homme ou la femme qui l'avait mise dans ce pétrin. Je la faisais bien évidemment filer. Pour passer son coup de téléphone, elle s'est rendue à la poste. Pas de chance, je pensais qu'elle utiliserait la cabine à côté de chez elle. Mais elle avait besoin de monnaie. Quand elle est ressortie de la poste, elle avait l'air très contente d'elle. On l'a gardée sous surveillance mais bon, il ne s'est rien passé d'intéressant avant hier soir. Là, elle s'est rendue à la gare de Victoria et a pris un billet pour Crowdean. Il était 18 h 30, l'heure de pointe. Elle ne se méfiait pas. Elle se rendait à son rendez-vous à Crowdean. Mais le fieffé salaud, mâle ou femelle, avait une longueur d'avance sur elle. Rien de plus facile que de se plaquer au dos de quelqu'un dans la cohue et de lui enfoncer une lame entre les côtes... Elle ne s'est sans doute même pas rendu compte qu'elle avait été poignardée. Les gens ne s'en aperçoivent pas souvent, tu sais. Rappelle-toi le cas de Barton, dans le hold-up du gang Levitti ? Il a descendu toute une rue avant de s'écrouler. Juste une douleur aiguë... et puis tu crois que c'est passé. Mais ça n'est pas passé du tout. Tu n'es plus qu'un cadavre ambulant qui s'ignore.

» Bon Dieu de bon Dieu de bon Dieu ! conclut-il.

— As-tu... vérifié les emplois du temps... de tout le monde ?

Il avait fallu que je pose la question. Je n'avais pas pu m'en empêcher.

La réponse fusa, sèche et cinglante :

— La Pebmarsh a passé la journée d'hier à Londres. Elle avait des affaires à régler pour son institut et elle est rentrée à Crowdean par le train de 19 h 40.

Il s'interrompit, puis reprit :

— Et Sheila Webb est allée corriger un manuscrit avec un auteur étranger de passage à Londres et en partance pour New York. Il était 17 h 30 environ quand elle a quitté le *Ritz*, et elle est allée — seule — au cinéma avant de rentrer.

— Écoute-moi bien, Hardcastle. J'ai quelque chose pour toi. Garanti par un témoin oculaire. Le 9 septembre à 13 h 35, une camionnette de blanchisserie s'est arrêtée devant le 19, Wilbraham Crescent. L'homme qui le conduisait a livré un gros panier à linge qu'il est allé déposer derrière la maison. C'était un panier à linge particulièrement lourd et volumineux.

— Une blanchisserie ? Quelle blanchisserie ?

— La Snowflake. Tu en as déjà entendu parler ?

— *A priori*, je ne vois pas. Des blanchisseries, il en ouvre tous les jours et c'est un nom assez banal pour une blanchisserie.

— Et bien... lance des recherches. Un *homme* était au volant... et un *homme* a transbahuté le panier.

La voix de Hardcastle monta d'un ton, brusquement soupçonneuse :

— Tu n'es pas en train d'inventer ça, Colin ?

— Non. Je t'ai dit que j'avais un témoin oculaire. Vérifie, Dick. Vas-y.

Je raccrochai pour couper court à ses questions.

Puis je sortis de la cabine et jetai un coup d'œil à ma montre. Il me restait beaucoup à faire — et je tenais à ce que Hardcastle n'ait aucun moyen de me joindre. J'avais mon avenir à organiser.

28

RÉCIT DE COLIN LAMB

Cinq jours plus tard, je débarquai à Crowdean sur le coup de 11 heures du soir. Je me rendis tout droit à l'hôtel Clarendon, pris une chambre et montai me coucher sans plus tarder. Ma nuit précédente ayant été agitée, je fis quasiment le tour du cadran. Il était

10 heures moins le quart quand je me réveillai le lendemain matin.

Je fis monter du café, des toasts et le journal du jour. Ils arrivèrent accompagnés d'une grande enveloppe carrée. Les mots EN MAIN PROPRE en barraient le coin en haut à gauche.

Je l'examinai avec surprise. C'était inattendu. Le papier était épais et sans aucun doute coûteux, la suscription soignée.

Après l'avoir tournée et retournée en tous les sens, je finis par l'ouvrir.

À l'intérieur, il y avait une feuille de papier. Et les mots suivants y étaient tracés en lettres capitales :

CURLEW HOTEL 11 h 30
CHAMBRE 413
(Frapper trois coups)

Je la retournai — qu'est-ce que ça pouvait bien signifier ?

Je notai le numéro de la chambre — 413 —... ça rappelait les 4 h 13 des pendules. Coïncidence ? Ou *pas* coïncidence ?

Je songeai d'abord à passer un coup de fil à l'hôtel *Curlew*. Puis j'envisageai de faire appel à Dick Hardcastle. Je ne fis ni l'un ni l'autre.

Ma léthargie s'était envolée. Je me levai, me rasai, me lavai, m'habillai et allai à pied jusqu'au *Curlew* où j'arrivai pile à l'heure indiquée.

L'été était bien fini et, dans le hall, les clients se faisaient rares.

Je ne m'arrêtai pas à la réception, pris l'ascenseur pour atteindre le quatrième étage et foulai la moquette jusqu'au numéro 413.

Je restai un moment sur le seuil avant de me décider. Puis, me faisant l'impression d'un parfait imbécile, je frappai les trois coups.

— Entrez ! dit une voix.

Je tournai la poignée. Le verrou n'était pas mis. Je fis un pas en avant et restai figé net.

Je me trouvais devant la dernière personne au monde que je me serais attendu à trouver ici.

Assis dans un fauteuil, Hercule Poirot me faisait face. Hilare :

— Pour une surprise, c'est une surprise, n'est-ce pas ? Mais agréable, j'espère.

— Poirot, espèce de vieux sagouin ! m'écriai-je. Comment diable vous êtes-vous *transporté* jusqu'ici ?

— À bord d'une limousine de chez Daimler. Parfaitement confortable, je me dois d'en convenir.

— Et qu'êtes-vous venu *faire* ici ?

— J'ai traversé des heures pénibles. Ils ont insisté, très lourdement insisté pour refaire la décoration de mon appartement. Vous imaginez mon désarroi : à quel saint me vouer ? Où aller ?

— Il existe des destinations diverses et variées, répliquai-je froidement.

— Peut-être, mais il m'a été suggéré par mon médecin que l'air de la mer serait éventuellement susceptible de me faire du bien.

— Un de ces médecins obligeants qui savent où leur patient a envie d'aller et lui conseillent donc de s'y rendre ! Alors c'est vous qui m'avez envoyé *ceci* ?

Je brandis la lettre que je venais de recevoir.

— Évidemment, qui d'autre ?

— Et c'est une coïncidence si on vous a réservé une chambre qui porte le numéro 413 ?

— Pas du tout. J'avais bien précisé que je voulais celle-là.

— Pourquoi ?

Poirot pencha la tête de côté. Ses yeux pétillaient :

— Parce que cela me semblait approprié.

— Et cette histoire de frapper trois coups ?

— Je n'ai pas pu résister. Si j'avais été en mesure d'y joindre un brin de romarin, une Ode à Rosemary ou un cadran de pendule marquant 4 h 13, ç'eût été mieux encore. J'ai un instant songé à m'entailler le doigt pour laisser mon empreinte sanglante sur la porte. Mais trop, c'est trop. Et puis la plaie aurait pu s'infecter.

— Mon hypothèse la plus charitable est que vous

êtes retombé en enfance, commentai-je, glacial. Cet après-midi, je sortirai vous acheter un ballon et un ours en peluche.

— J'ai l'impression que vous n'appréciez guère ma surprise. Me voir ne suscite chez vous ni manifestations de joie ni transports d'allégresse.

— Vous vous attendiez à ce que je vous saute au cou ?

— Pourquoi pas ? Allons, redevenons sérieux, maintenant que je vous ai joué ce petit tour de ma façon. Je pense pouvoir vous être de quelque utilité. J'ai appelé le chef de la police du comté qui s'est montré on ne peut plus aimable, et j'attends, pour l'heure, la visite de votre ami l'inspecteur Hardcastle.

— Et vous allez lui dire quoi ?

— J'avais dans l'idée que nous pourrions peut-être nous engager dans une petite conversation à trois.

Je le fixai en éclatant de rire. Qu'il appelle ça conversation, je n'avais personnellement rien contre. Mais ce que je savais d'expérience, c'est qui tiendrait le crachoir :

Hercule Poirot !

Hardcastle était là. Les présentations avaient été faites, les amabilités échangées, les verres et la boisson distribués. Nous étions maintenant confortablement installés et Dick jetait de temps à autre des coups d'œil furtifs à Poirot, de l'air d'un visiteur de zoo observant une nouvelle acquisition étrange autant qu'exotique. Je doute qu'il ait jamais rencontré quelqu'un comme Hercule Poirot !

Les politesses d'usage ayant été réitérées, Hardcastle s'éclaircit la voix.

— J'imagine, monsieur Poirot, préluda-t-il avec prudence, que vous voudrez voir... comment dire ?... l'ensemble des lieux par vous-même et avec un œil neuf ? Cela risque de poser quelques problèmes, mais enfin...

Il hésita :

— ... Le chef de la police du comté m'a recommandé d'accéder à toutes vos demandes. Vous vous doutez bien cependant que nous rencontrerons des difficultés, que cela va soulever des objections, que certains pourront s'étonner. Mais comme vous vous êtes déplacé personnellement jusqu'ici...

Poirot l'interrompit — non sans une certaine froideur :

— Ce qui a provoqué ce déplacement, ce sont le ravalement de mon immeuble et la rénovation de mon appartement de Londres.

Je m'esclaffai et Poirot me jeta un regard de reproche.

— M. Poirot n'a nul besoin de se rendre sur les lieux, expliquai-je. Il a toujours clamé haut et fort que l'on pouvait tout régler du fond de son fauteuil. Mais ce n'est pas tout à fait exact, n'est-ce pas, Poirot ? Sinon, pourquoi êtes-vous venu jusqu'à nous ?

Poirot se drapa dans sa dignité :

— J'ai dit qu'il était inutile de se transformer en fox-hound, en saint-hubert, en chien courant qui s'agite en tous sens, prenant le vent et reniflant la piste. Mais j'ai toujours admis qu'à la chasse, un chien était indispensable. Un chien d'arrêt, mon bon ami. Un excellent chien d'arrêt et de rapport.

Il se tourna vers l'inspecteur et se lissa la moustache d'un air satisfait :

— Laissez-moi vous dire que je ne suis pas, comme les Anglais, obsédé par les chiens. Personnellement, je peux m'en passer. Mais j'accepte néanmoins votre vision idéale de cet animal. L'homme aime et respecte son chien, il lui passe ses caprices, il vante son intelligence et sa sagesse auprès de ses amis. Seulement figurez-vous que la relation peut très bien être inversée ! Le chien aime son maître, il lui passe ses caprices, il vante lui aussi ses qualités, sa sagacité, son intelligence. Et de même qu'un homme qui n'a pas vraiment envie de sortir secouera sa paresse parce que son chien adore aller se promener, de son côté le chien s'efforcera de donner à son maître ce que ce dernier désire le plus au monde.

» C'est ainsi qu'il en est allé avec mon jeune et

excellent ami Colin ici présent. Il est venu me voir, non pas pour me demander de l'aider à régler son problème — cela, il s'estimait de taille à y parvenir lui-même et je pressens qu'il y a réussi —, mais parce qu'il s'inquiétait de ma solitude et de mon désœuvrement. Aussi m'a-t-il apporté une énigme dont il pensait qu'elle m'intéresserait et occuperait mes loisirs. Ce faisant il m'a mis au défi... au défi de mettre en pratique la méthode de travail que je lui avais si souvent vantée : résoudre l'énigme en temps voulu mais sans bouger de mon fauteuil. Il y avait peut-être bien, j'en suis conscient, un léger brin de malice — de malice innocente — dans ce défi. Il voulait, dirons-nous, me prouver que ce n'était après tout pas si facile. Mais oui, mon tout bon, et ne me dites pas le contraire ! Vous vouliez vous moquer de moi... oh ! rien qu'un petit peu ! Je ne vous le reproche pas. Mais c'était bien mal connaître votre Hercule Poirot.

Il bomba le torse et tortilla sa moustache.

Je lui souris affectueusement :

— Tout cela est bel et bon. Et maintenant, donnez-nous la solution du problème... si vous l'avez.

— Mais bien sûr que je l'ai !

Hardcastle le dévisagea avec incrédulité :

— Vous voulez dire que vous savez qui a tué cet homme au 19, Wilbraham Crescent ?

— Absolument.

— Et aussi qui a tué Edna Brent ?

— Bien sûr.

— Vous connaissez l'identité du cadavre ?

— Je sais qui il doit être.

Hardcastle affichait une mine profondément dubitative. Songeant au chef de la police du comté, il demeura poli. Mais le scepticisme transparaissait dans sa voix :

— Je vous demande infiniment pardon, monsieur Poirot, mais vous prétendez savoir qui a tué trois personnes. Connaîtriez-vous aussi la raison de ces trois meurtres ?

— Oui.

— Vous voulez dire qu'on va pouvoir refermer le dossier ?

— Je n'irai pas jusque-là.

— Ce que vous voulez dire en somme, c'est que vous avez une intuition, décrétai-je assez méchamment.

— Nous n'allons pas nous quereller pour un mot, Colin, mon très cher. Je *sais*, un point c'est tout.

Hardcastle poussa un profond soupir :

— Le hic, monsieur Poirot, c'est qu'il me *faut* des preuves.

— Bien évidemment. Mais étant donné les moyens dont vous disposez, obtenir ces preuves ne devrait pas être la mer à boire.

— Je n'en suis pas si sûr.

— Voyons, inspecteur. Si vous savez... si vous *savez* vraiment... n'est-ce pas l'essentiel ? Ce premier pas franchi, la victoire n'est-elle pas pratiquement acquise ?

— Pas toujours, soupira Hardcastle. Les rues sont pleines de gens qui devraient être sous les verrous. Ils le savent et nous le savons.

— Bah ! cela ne représente guère qu'un très faible pourcentage...

Je perdis patience et explosai :

— Très bien. D'accord. Vous, vous *savez*. Et si vous nous mettiez au courant, *nous* aussi ?

— Je me rends bien compte, mon tout bon, que vous êtes toujours sceptique. Mais permettez-moi, en guise d'avant-propos, de vous préciser ceci : être *sûr* de ce qu'on avance revient à dire que, quand on a trouvé la solution, la seule, l'unique, toutes les pièces du puzzle ont du même coup trouvé leur place. Cela signifie en outre que les choses *n'auraient pas pu* se passer autrement.

— Bon sang de bonsoir, Poirot, m'exclamai-je, finissons-en ! Je suis prêt à reconnaître le bien-fondé de tout ce que vous voudrez.

Poirot se carra plus confortablement encore dans son fauteuil et tendit son verre à Hardcastle pour qu'il le lui remplisse :

— Il est un point essentiel, mes très chers, que je tiens à bien souligner. Qui veut résoudre un problème doit préalablement disposer de la totalité des *faits*. Pour cela le chien dont je vous ai parlé est indispensable, le brave chien d'arrêt qui rapporte un par un les morceaux du puzzle et les dépose aux...

— ... Aux pieds de son maître, grinçai-je. D'accord.

— On ne saurait résoudre une affaire du fond de son fauteuil en ne se fiant qu'à la seule lecture des journaux. Car les faits dont on dispose doivent être exacts, or les journaux brillent rarement — si toutefois ils le font jamais — par l'exactitude de leurs renseignements. Ils sont capables de vous rapporter qu'un événement a eu lieu à 4 heures de l'après-midi alors qu'il s'est produit à 4 heures et quart, ils impriment sans sourciller qu'Untel avait une sœur qui s'appelait Elizabeth alors qu'il s'agissait de sa belle-sœur et qu'elle se prénommait Alexandra. J'en passe et des meilleures. Mais je tiens en la personne de Colin ici présent un chien tout à fait remarquable... et que ses qualités ont d'ailleurs conduit très loin dans sa carrière personnelle. Il a toujours eu une mémoire étonnante. Il peut vous répéter mot pour mot des conversations qui ont eu lieu plusieurs jours auparavant. Il vous les rapporte avec précision — sans les transposer, comme cela nous arrive à tous, en fonction de leurs conséquences immédiates ou des sentiments qu'elles *lui* ont inspirées. Pour vous en donner un exemple, il ne vous dira jamais « Le courrier est arrivé à 11 h 20 » mais il rapportera les faits, à savoir qu'on a frappé à la porte et que quelqu'un est entré portant des lettres à la main. Tout ceci est d'une importance extrême. Cela signifie qu'il a entendu ce que j'aurais moi-même entendu et vu ce que j'aurais vu moi-même.

— Sauf que ce pauvre chien n'a pas été capable d'en tirer les conclusions qui s'imposaient ?

— J'ai ainsi, dans la mesure du possible, été mis au courant des faits. Je suis donc maintenant « au parfum », comme disent d'aucuns. C'est une expression du milieu, non ? « Mettre quelqu'un au parfum. » La première chose qui m'ait frappé quand Colin m'a raconté cette histoire, c'est son côté d'un romanesque débridé, pour ne pas dire d'un fantastique achevé. Quatre pendules, toutes en avance d'une heure environ sur l'heure exacte et introduites dans la maison sans que la propriétaire des lieux en sache rien — ou du moins le *prétend-elle*. Car on ne doit, convenons-en, jamais prendre pour argent comptant ce qu'on n'a pas soigneusement vérifié soi-même.

— Vous fonctionnez sur le même mode que moi, approuva Hardcastle.

— Sur le sol est étendu le cadavre d'un homme d'un certain âge et d'allure respectable. Personne ne sait de qui il s'agit — ou, encore une fois, c'est ce que l'on *prétend*. Dans sa poche, il y a une carte de visite au nom de Mr R. H. Curry, Compagnie d'assurances Metropolis, 7, Denvers Street, Londres W2. Mais il n'existe pas de Compagnie d'Assurances Metropolis. Il n'y a pas de Denvers Street non plus, et de Mr Curry pas davantage. Voilà des preuves — certes négatives, mais preuves tout de même. Examinons la situation plus avant. À 13 h 49, le téléphone sonne, semble-t-il, dans une agence de travaux de secrétariat, et une miss Millicent Pebmarsh demande à ce qu'on lui envoie pour 15 heures une sténodactylo au 19, Wilbraham Crescent. Elle insiste pour qu'il s'agisse d'une miss Sheila Webb. Miss Webb est dépêchée sur les lieux. Elle arrive là-bas quelques minutes avant 15 heures, se rend — suivant en cela les instructions reçues — dans le salon, y découvre un cadavre sur le parquet et se précipite dehors en hurlant. Elle s'y précipite d'ailleurs, notons-le au passage, dans les bras d'un sémillant jeune homme.

Poirot marqua une pause. Je m'inclinai bien bas.

— Entrée en scène de notre jeune héros, ironisai-je.

— Vous voyez bien, souligna Poirot. Même vous, vous ne pouvez vous retenir d'adopter un ton mélodramatique en en parlant. Toute cette histoire est mélodramatique, fantasmagorique et complètement chimérique. On y relève le genre de péripéties qui pourraient survenir dans les écrits de gens du type Garry Gregson. Il n'est pas inutile de mentionner que quand mon jeune ami est arrivé pour me raconter son histoire, j'étais embarqué dans une étude exhaustive des auteurs de romans policiers qui ont exercé leurs talents au cours des soixante dernières années. Très intéressant. Ce faisant, on en vient presque à considérer les crimes d'aujourd'hui à la lumière de la fiction. Si par exemple je remarquais qu'un chien n'avait pas aboyé, je me disais : « Ah ! Un crime à la Sherlock Holmes ! » De même, si on découvrait un cadavre dans une chambre close, je songeais : « Tiens ! du Dickson Carr ! » Quant à ma chère amie Mrs Oliver, si je notais... mais ne nous égarons pas. Vous comprenez où je veux en venir ? Nous nous trouvons en présence d'un crime commis dans des circonstances tellement extravagantes qu'on se dit immédiatement : « Ce bouquin pèche par manque de réalisme. C'est n'importe quoi. » Seulement ce jugement lapidaire ne vaut hélas pas ici, car nous sommes cette fois dans la *réalité*. Les choses se sont bel et bien *passées* ainsi. Voilà qui donne donc furieusement à réfléchir, vous ne trouvez pas ?

Hardcastle ne l'aurait pas dit comme ça mais il partageait pleinement ce sentiment et opina vigoureusement du bonnet. Poirot continua :

— Nous nous trouvons à l'extrême opposé du style de Chesterton : « Où cacheriez-vous une feuille ? Dans la forêt. Un galet ? Sur la plage. » Ici, nous nageons au contraire dans l'excès, la fantaisie, le mélodrame ! Et quand, paraphrasant Chesterton, je m'interroge : « Où une femme vieillissante peut-elle bien cacher sa beauté déclinante ? » je ne réponds pas : « Au milieu d'autres femmes à la beauté déclinante. » Pas du tout. Elle se cache sous le maquillage, sous le rouge et le mascara, elle se drape dans d'ensorcelantes fourrures, s'entoure le cou de mille et un colliers et accroche des pendentifs à ses oreilles. Vous me suivez ?

— Eh bien... murmura l'inspecteur, essayant vainement de dissimuler qu'il perdait pied.

— Parce que, voyez-vous, les gens regarderont les fourrures, les bijoux, la coiffure élaborée, la robe de haute couture, et ils en oublieront de regarder la femme elle-même ! Ce qui m'a amené à me dire — et d'ailleurs à glisser à mon ami Colin : Pour que le meurtrier ait mis en place tout cet extravagant dispositif à seule fin de distraire l'attention, c'est que la solution doit être vraiment très simple. Ne vous l'ai-je pas dit, Colin ?

— Si, admis-je. Mais je ne vois toujours rien qui vienne confirmer cette assertion.

— Patience et longueur de temps... Mais enfin, bref, écartons donc tous les *leurres* et concentrons-nous sur l'*essentiel*. Un homme a été tué. Pourquoi a-t-il été tué ? Et d'abord qui était-il ? La réponse à la seconde question nous donnera la solution de la première. Et tant que nous n'aurons pas répondu à ces deux questions nous n'avancerons pas. Il avait pu être maître chanteur, escroc, voleur à l'américaine, mari exécré d'une épouse dont il menaçait d'attenter à la vie. Nous n'avions que l'embarras du choix. Cependant plus j'accumulais d'informations, plus les témoins s'accordaient à le décrire comme un homme d'un certain âge, certes, mais ne manquant ni d'élégance ni de raffinement, possédant l'air « éminemment respectable » d'une personne « bien sous tous rapports ». Et brusquement je me suis dit : « Tu prétends que ce crime est la simplicité même ? Très bien, démontre-le. Et admets du même coup que cet individu ait été *très exactement ce qu'il paraissait* : un « homme de bien, un monsieur ».

Il regarda l'inspecteur :

— Vous me suivez ?

— Eh bien... répéta l'inspecteur avant de sombrer dans un silence de bon aloi.

— Nous voici avec un homme bien sous tous rapports dont *quelqu'un* a estimé nécessaire de se débarrasser. Qui donc ? Là, nous pouvons enfin rétrécir quelque peu le champ de nos recherches. Nous disposons de ce qui est de notoriété publique : miss Pebmarsh, ses habitudes et son emploi du temps, d'une part — l'Agence Cavendish et une jeune fille qui y travaille et s'appelle Sheila Webb, de l'autre. J'ai donc dit à mon ami Colin : « Les voisins. Il faut que vous alliez *parler* avec eux. Que vous les ameniez à se confier, à s'épancher. Il faut vous intéresser à leurs antécédents. Mais, par-dessus tout, il importe de les inciter au bavardage. Parce qu'en bavardant vous obtiendrez d'eux bien davantage que les réponses à vos questions : les gens qui bavardent sans trop songer à ce qu'ils disent laissent souvent échapper ce qu'ils prendraient bien garde de vous taire autrement. »

— Admirable système dans son principe, concédai-je. Mais qui ne s'est hélas pas révélé concluant dans le cas qui nous occupe.

— Bien sûr que si, mon cher et bon ami. Une petite phrase est tombée. Une petite phrase d'une importance inestimable.

— Laquelle ? m'écriai-je. Qui l'a prononcée ? Et quand ?

— Chaque chose en son temps, mon tout bon.

— Vous en étiez... monsieur Poirot ? intervint Hardcastle pour le ramener à son sujet.

— Si vous tracez un cercle autour du n° 19, il est clair que quiconque se trouvait à l'intérieur de ce cercle aurait pu tuer Mr Curry. Mrs Hemming, les Bland, les McNaughton, miss Waterhouse. Plus compromis encore sont bien évidemment ceux qui avaient pris position dans la place. Miss Pebmarsh, qui aurait pu le supprimer avant de sortir aux alentours de 13 h 35 et miss Webb, qui aurait pu lui donner rendez-vous là et l'y tuer avant de se précipiter dehors pour donner l'alarme.

— Ah ! Vous en venez enfin aux choses sérieuses, se réjouit Hardcastle.

— Et, bien sûr, poursuivit Poirot en se tournant brusquement vers moi, il y a *vous*, mon cher Colin. Vous étiez aussi pour ainsi dire dans la place. En train de chercher un numéro élevé dans le secteur des plus bas.

— Il ne manquait plus que ça ! m'écriai-je au comble de l'indignation. Qu'est-ce que vous allez encore trouver à nous sortir après ce genre d'énormité ?

— Moi, je n'ai jamais caché le fond de ma pensée ! lança Poirot avec panache.

— Et dire que c'est *moi* qui suis venu vous apporter cette affaire sur un plateau !

— Les assassins se laissent souvent aveugler par leur orgueil et leur présomption, décréta Poirot. Sans compter que vous pouviez trouver plaisir à... à me mener en bateau et à rire à mes dépens.

— Si vous continuez comme ça, vous allez finir par me convaincre moi-même de ma culpabilité !

Je commençais néanmoins à me sentir mal à l'aise.

Poirot se tourna vers Hardcastle :

— Nous avons affaire ici, me suis-je donc fait la réflexion, à un crime dont l'essence même est la simplicité. La présence de ces pendules incongrues, ces cadrans indiquant une bonne heure de plus qu'il n'était réellement, l'ensemble de cette mise en scène ostensiblement destinée à préparer la découverte du cadavre, tout ceci doit être pour l'instant mis de côté. Il ne s'agit là, comme il est dit chez votre immortelle *Alice*, que « *de chaussures, de bateaux, de cire à cacheter, de choux et de rois.* » Le point essentiel est qu'un honorable individu d'un certain âge est mort parce que quelqu'un tenait à ce qu'il meure. Et que, si nous la connaissions, l'identité du mort nous indiquerait aussitôt celle de son assassin. Si nous savions qu'il s'était agi d'un maître chanteur connu, il nous suffirait de chercher une éventuelle victime de chantage ; si ç'avait été un policier, le détenteur possible d'un lourd secret de nature criminelle ; s'il avait été riche, des héritiers. Mais puisque nous ne savons *pas* à qui nous avons affaire, il ne nous reste que la méthode la plus laborieuse, celle qui consiste à tracer un cercle autour du cadavre et partir en quête d'une personne qui aurait eu une raison de le tuer.

» À part miss Pebmarsh et Sheila Webb, qui y a-t-il dans les parages qui pouvait ne pas répondre à l'image qu'il souhaitait donner de lui ? La réponse a été plutôt décevante. À l'exception de Mr Ramsay, dont j'ai cru comprendre qu'il n'était *pas* ce qu'il prétendait...

Là, Poirot me regarda d'un air interrogateur et je confirmai d'un signe de tête.

— À cette exception près, tout le monde semblait correspondre à sa carte de visite. Bland était un entrepreneur local bien connu, McNaughton avait été titulaire d'une chaire à Cambridge, Mrs Hemming était la veuve d'un commissaire priseur de la région, les Waterhouse étaient des résidents respectables installés de longue date dans le quartier. Nous en revenons donc à Mr Curry. *D'où* venait-il ? Qu'est-ce qui l'avait amené au 19, Wilbraham Crescent ? Et là, une remarque infiniment précieuse a été formulée par une des voisines, Mrs Hemming. Quand on lui a appris que la victime n'habitait pas au numéro n° 19, elle a dit : « Ah ! bon, il n'est donc venu là que pour se faire assassiner. Ce n'est quand même pas banal. » Elle a eu ce don, qui est souvent l'apanage des gens trop pleins d'eux-mêmes pour prêter attention à ce que disent leurs interlocuteurs, d'aller au fond des choses. Elle a cerné le problème en trois phrases. Elle a résumé la situation : *Mr Curry n'est venu au n° 19 que pour s'y faire assassiner*. C'est aussi simple que cela !

— Je me souviens d'ailleurs que sa remarque m'avait frappé, parvins-je à placer.

Poirot ne me prêta pas la moindre attention :

— *Guili-guili-guili... Viens-là te faire assassiner* : Mr Curry est venu... et il s'est fait assassiner. Mais ce n'est pas tout. Il était essentiel *qu'il ne puisse pas être identifié*. Il n'avait pas de portefeuille, pas de papiers, les marques de ses vêtements avaient été ôtées. Cependant cela ne suffisait encore pas. La carte de visite de Mr Curry, agent d'assurances, n'était qu'une mesure temporaire. Si on voulait définitivement occulter l'identité de cet homme, il fallait lui en trouver une fausse. Tôt ou tard, j'en aurais mis ma main à couper, quelqu'un se présenterait pour mettre définitivement un nom sur son visage et le tour serait joué. Un frère, une sœur, une femme. Ce fut une femme. Mrs Rival — et ce seul nom aurait dû suffire à éveiller les soupçons. Il y a un village dans le Somerset qui porte ce nom — j'ai séjourné non loin, chez des amis : le village de Curry Rival. L'assassin l'avait inconsciemment scindé, sans du tout se rappeler ce qui les reliait. Mr Curry — Mrs Rival.

» Jusque-là, le plan paraît clair et tout se tient. Mais ce qui m'a surpris c'est le fait que notre meurtrier semblait tenir pour certain qu'il n'y aurait pas de *véritable* identification. Or, même si la victime n'avait pas de famille, elle avait au moins une concierge, des domestiques, des relations d'affaires. Cela m'amena à une nouvelle déduction : cet homme *n'était pas porté disparu*. Ma déduction suivante fut qu'il n'était pas anglais, mais seulement de passage en Angleterre. Cela expliquait en outre que les soins dentaires dont il avait bénéficié ne correspondaient à aucune fiche répertoriée sur le territoire.

» Je commençais à avoir une vague idée de la victime et du meurtrier. Sans plus. Le crime avait été bien préparé et intelligemment exécuté... mais survint néanmoins le pépin, le grain de sable propre à gripper les rouages des mécaniques les mieux huilées et qu'aucun assassin ne saurait prévoir.

— Et c'était quoi ? demanda Hardcastle.

De façon tout à fait inattendue, Poirot rejeta la tête en arrière et se mit à déclamer :

Parce qu'il manquait un clou, un fer fut perdu
Parce qu'il manquait un fer, un cheval fut perdu,
Parce qu'il manquait un cheval, une bataille fut
[perdue,
Parce qu'il manquait une bataille, un Royaume fut
[perdu,
Et tout cela parce qu'il manquait un clou au fer d'un
[cheval.

Il se pencha en avant :

— Bon nombre de gens auraient pu tuer Mr Curry. Mais une personne, *et une seule*, pouvait avoir tué la jeune Edna... ou du moins avoir eu une raison de le faire.

Hardcastle et moi écarquillâmes les yeux.

— Attardons-nous un peu sur l'Agence Cavendish. Huit jeunes filles y travaillent. Le 9 septembre au matin, quatre de ces jeunes filles se trouvaient en rendez-vous extérieur à quelque distance et leur déjeuner leur était par conséquent fourni par leurs clients. Il s'agissait des quatre qui d'habitude font une pause-déjeuner de 12 h 30 à 13 h 30. Les quatre autres, Sheila Webb, Edna Brent, Janet et Maureen peuvent disposer de leur temps entre 13 h 30 et 14 h 30. Mais ce jour-là, il est arrivé une tuile à Edna sitôt après sa sortie du bureau. Son talon s'est trouvé pris dans une grille d'égout et a cassé. Impossible de marcher jusqu'au restaurant. Elle a donc acheté des petits pains aux raisins à la pâtisserie la plus proche et s'en est retournée au bureau ses chaussures à la main.

Poirot agita un index dramatique dans notre direction :

— On nous a signalé qu'Edna Brent était très préoccupée. Elle avait essayé de voir Sheila Webb en dehors du bureau, mais sans y parvenir. On en avait conclu qu'il s'agissait d'un problème concernant directement Sheila Webb, mais rien n'est venu étayer cette thèse. Peut-être désirait-elle simplement consulter Sheila sur un sujet qui la tracassait, mais en tout cas une chose était claire : elle voulait parler à Sheila Webb *hors* du bureau.

» Ses quelques mots échangés avec l'agent à l'issue de l'enquête du coroner sont les seuls indices que nous possédions sur ce qui motivait son trouble. Elle a prononcé une phrase du genre : « Je ne vois pas comment ce qu'elle a dit pourrait être vrai. » Or, ce matin-là, trois femmes avaient déposé. Edna pouvait donc faire allusion à miss Pebmarsh. Ou encore, comme on l'a généralement supposé, à Sheila Webb.

Il existe cependant une troisième possibilité... *elle pouvait faire référence à miss Martindale.*

— Miss Martindale ? Mais son témoignage n'a duré que quelques minutes.

— Exactement. Et il consistait à donner l'heure de l'appel téléphonique qu'elle avait reçu et qu'elle attribuait à miss Pebmarsh.

— Vous voulez dire qu'Edna savait qu'il n'était pas de miss Pebmarsh ?

— Je crois que c'est beaucoup plus simple. Je suggère qu'il n'y a pas eu de coup de téléphone *du tout.*

» Edna a cassé son talon, reprit-il. La grille d'égout était à deux pas de l'Agence Cavendish. Elle a regagné son poste de travail. Mais miss Martindale, enfermée dans son bureau directorial, ignorait tout du retour d'Edna. Pour autant qu'elle le sache, il n'y avait qu'elle, et elle seule, dans la place. Il lui suffisait donc de *prétendre* qu'elle avait reçu un coup de téléphone à 13 h 49. Edna ne comprend pas d'emblée la portée de ce qu'elle a su tout de suite. Sheila est convoquée chez miss Martindale qui lui dit de se rendre à un rendez-vous. Le quand et le comment de cette prise de rendez-vous ne sont pas mentionnés devant Edna. Puis la rumeur du meurtre se répand et, petit à petit, les détails se précisent. Miss Pebmarsh *avait téléphoné* pour demander qu'on lui envoie Sheila Webb. Mais miss Pebmarsh affirme qu'elle n'a jamais passé ce coup de fil. L'appel aurait été effectué à 13 h 50. *Mais Edna sait que c'est impossible, que ça n'est pas vrai.* Personne n'a appelé à cette heure-là. Miss Martindale a dû se tromper... Mais il est bien connu que miss Martindale ne se trompe jamais. Plus Edna réfléchit, moins elle comprend. Il faut qu'elle en parle à Sheila. Sheila doit connaître l'explication.

» C'est alors que se déroule l'enquête du coroner. Toutes les filles s'y rendent. Miss Martindale répète son histoire d'appel téléphonique et Edna sait maintenant en toute certitude que le témoignage de miss Martindale, si clair et d'une telle précision quant à l'heure exacte du coup de fil, n'est qu'un tissu de mensonges. C'est à ce moment-là qu'elle a demandé à l'agent de faction à la porte si elle pourrait parler à l'inspecteur. Miss Martindale, quittant la Halle au Grain au milieu de la foule, a sans doute surpris leur conversation. Avant ça, elle avait dû entendre les jeunes filles taquiner Edna au sujet de son talon mais sans se rendre compte de ce que cela impliquait. Bref, elle a suivi Edna jusqu'à Wilbraham Crescent. Pourquoi Edna y allait-elle, je me le demande.

— Dans le seul but de se repaître des lieux du crime, je suppose, soupira Hardcastle. Les gens ne peuvent pas s'en empêcher.

— Oui, ce n'est que trop vrai. Peut-être miss Martindale l'aborde-t-elle là-bas. Peut-être redescendent-elles la rue ensemble et est-ce à ce moment-là qu'Edna lui assène sa question. Miss Martindale agit très vite. Elles sont juste à hauteur de la cabine téléphonique. Elle lui dit : « C'est très important. Il faut que vous appeliez tout de suite la police. Le numéro est le tant. Dites-leur que nous arrivons toutes deux immédiatement. » Chez Edna, faire ce qu'on lui dit est une seconde nature. Elle entre, elle décroche, miss Martindale se glisse derrière elle, lui passe l'écharpe autour du cou et l'étrangle.

— Et personne n'a rien vu ?

Poirot haussa les épaules :

— N'importe qui aurait pu, mais personne effectivement ne l'a fait. Il était 1 heure de l'après-midi. Tout le quartier déjeunait. Quant aux badauds qui encombraient le « crescent », ils étaient bien trop occupés à dévorer des yeux le n° 19. C'était un risque froidement calculé par une femme audacieuse et dépourvue de scrupules.

Hardcastle secouait la tête d'un air incrédule :

— Miss Martindale ? J'avoue ne pas voir par quel biais elle vient s'insérer au cœur de cette histoire.

— Oui. C'est vrai que cela ne saute pas aux yeux à première vue. Mais étant donné que c'est miss Martindale qui a indubitablement tué Edna — oh ! oui... il n'y a qu'elle qui ait pu le faire —, il en découle qu'elle est *forcément* au cœur de cette affaire. Et je commence à suspecter que nous tenons avec miss Martindale la Lady Macbeth de ce crime, une femme aussi cruelle que dépourvue d'imagination.

— Dépourvue d'imagination ? s'étonna Hardcastle.

— Oh ! oui, sans imagination aucune. Mais l'efficacité faite femme. Une organisatrice hors pair.

— Mais pourquoi ? À quel mobile pouvait-elle bien obéir ?

Hercule Poirot se tourna vers moi et agita un index réprobateur :

— Ainsi la conversation des voisins ne vous a rien apporté, hein ? J'y ai pourtant relevé une phrase des plus éclairantes. Vous vous souvenez qu'après avoir évoqué la vie à l'étranger, Mrs Bland a déclaré qu'elle était attachée à Crowdean *parce qu'elle avait une sœur qui y vivait. Or, Mrs Bland n'était pas censée avoir de sœur.* Elle avait, un an auparavant, hérité la fortune d'un grand-oncle canadien pour la bonne raison qu'elle était la seule survivante de sa famille.

Hardcastle se redressa brusquement :

— Et donc vous pensez...

Poirot se carra contre le dossier de son fauteuil et joignit l'extrémité de ses doigts. Puis il ferma à demi les yeux et murmura d'une voix rêveuse :

— Imaginez que vous êtes un homme comme il y en a tant, pas particulièrement scrupuleux et qui traverse de graves difficultés financières. Une lettre vous arrive un beau jour d'un cabinet juridique qui vous annonce que votre femme a hérité le pactole d'un grand-oncle canadien. La lettre est adressée à Mrs Bland, à ceci près que la Mrs Bland qui la reçoit n'est pas la bonne : elle est la seconde Mrs Bland, pas la première... Je vous laisse mesurer l'ampleur de la déception ! Les affres que traverse le couple ! Puis il leur vient une idée. Qui donc va aller chercher qu'elle n'est effectivement pas la bonne ? Qui donc, à Crowdean, sait que Bland avait déjà été marié ? Son premier mariage, qui remonte à des années, a eu lieu pendant la guerre, quand il était à l'étranger. Sa première épouse est sans doute morte peu de temps après, et il s'est immédiatement remarié. Il possède encore le certificat de mariage original, des papiers de famille, des photographies de parents canadiens qui sont maintenant décédés... Ça doit pouvoir marcher. En tout cas, cela vaut la peine de tenter sa chance. Ils la tentent, et ça passe comme une lettre à la poste. Les formalités légales s'accomplissent sans heurt. Et voilà les Bland riches et prospères, à jamais à l'abri des soucis d'argent...

» Et puis, un an plus tard, surgit un pépin. Quel genre de pépin ? Eh bien j'opterais pour la visite d'un individu arrivant du Canada et qui aurait suffisamment connu la première Mrs Bland pour ne pas se laisser abuser par une femme qui se ferait passer pour elle. Peut-être avait-il été l'homme de loi de la famille, ou un ami proche... de toute façon, il découvrirait le pot aux roses. Ils ont dû réfléchir aux moyens d'éviter cette rencontre. Mrs Bland pourrait feindre la maladie pour n'avoir pas à se montrer, on pourrait la dire en voyage hors frontières... mais ce genre de stratagème, quel qu'il soit, ne ferait qu'engendrer les soupçons. Le visiteur insisterait pour rencontrer la femme qu'il était venu voir.

— D'où l'idée... du meurtre ?

— Oui. Et là, je pense que c'est la sœur de Mrs Bland qui a été l'instigatrice du complot. Elle a conçu et planifié le projet.

— Vous tenez pour acquis que miss Martindale et Mrs Bland sont réellement sœurs ?

— C'est la seule explication qui tienne.

— Quand j'ai fait sa connaissance, Mrs Bland m'avait en effet vaguement rappelé quelqu'un, avoua Hardcastle. Elles ont des personnalités très différentes mais c'est vrai, il y a une ressemblance. Seulement je ne comprends pas comment elles espéraient s'en sortir. L'homme serait porté disparu, on lancerait des recherches...

— Si cet homme voyageait à l'étranger — peut-être pour ses loisirs et non pour ses affaires —, son emploi du temps resterait assez flou. Une lettre par-ci, une carte postale par-là... il faudrait du temps avant que des gens se demandent pourquoi ils ne recevaient plus de ses nouvelles. D'ici là, qui irait faire le rapprochement entre un homme identifié comme étant Harry Castleton et un riche visiteur canadien que personne n'aurait jamais vu dans ce trou perdu ? Si j'avais été le meurtrier, j'aurais poussé la prudence jusqu'à faire un saut en France ou en Belgique pour y abandonner le passeport de ma victime dans un tramway ou un train afin que l'enquête sur sa disparition ait lieu dans un autre pays.

J'eus un geste involontaire et Poirot se tourna vers moi :

— Oui ?

— Bland m'a signalé qu'il s'était récemment offert une traversée aller et retour pour Boulogne — en compagnie d'une blonde, si j'ai bien compris...

— Ce qui devait rendre la chose naturelle. D'autant que ce genre de frasque doit être dans ses habitudes.

— Tout ceci n'est que conjecture, objecta Hardcastle.

— Mais peut parfaitement servir de point de départ à une enquête, répliqua Poirot.

Il prit une feuille de papier à l'en-tête de l'hôtel et la tendit à Hardcastle :

— Écrivez donc à Mr Enderby, 10, Ennismore Gardens, S.W.7, qui m'a promis de mener pour moi une petite enquête au Canada. Il s'agit d'un juriste international de grande réputation.

— Et qu'en est-il selon vous de cette avalanche de pendules ?

— Ah ! Les pendules. Ces fameuses pendules !

Poirot sourit :

— Je suis certain que vous découvrirez qu'il s'agit d'une idée de miss Martindale. Le crime, comme je vous l'ai déjà dit, étant d'une simplicité et d'une évidence enfantines, il convenait de le maquiller et, ce faisant, elle a opté pour le fantastique, le rocambolesque. Ce réveil de voyage dédié à Rosemary que Sheila Webb avait l'intention de porter à réparer... Est-ce qu'elle ne l'aurait pas égaré à l'Agence

Cavendish ? Et miss Martindale ne l'aurait-elle pas pris comme point de départ de son invraisemblable dispositif, d'où le choix de Sheila pour aller découvrir le cadavre ?

Hardcastle éclata :

— Et vous prétendez que cette femme manque d'imagination ? Alors qu'elle a concocté tout ça ?

— Mais elle n'a rien concocté du tout. Et c'est ce qui fait la beauté de la chose. Le scénario existait déjà au complet... et à son entière disposition. D'entrée de jeu, il m'avait semblé discerner un élément familier... un canevas connu. Un canevas connu parce que je venais de lire des intrigues similaires. Et puis j'ai eu beaucoup de chance. Colin vous le confirmera, je me suis rendu cette semaine à une vente de manuscrits. Dans le lot en figuraient quelques-uns de Garry Gregson. Je n'aurais jamais osé rêver cela. Mais, encore une fois, la chance était avec moi. *Et voilà !*...

Tel un prestidigitateur sortant un lapin de son sac, il fit jaillir d'un tiroir deux cahiers d'écolier à la couverture assez fatiguée :

— *Tout est là !* Il s'agit d'une des nombreuses intrigues qu'il avait élaborées. Il n'aura pas vécu assez longtemps pour développer celle-là mais miss Martindale, qui était sa secrétaire, n'en ignorait rien. Et elle s'est chargée de lui faire prendre corps pour atteindre son but.

— Mais les pendules devaient bien avoir une signification ? Dans l'intrigue de Gregson, veux-je dire ?

— Oh ! oui. Ses pendules étaient réglées sur 5 h 5, 5 h 4 et 7 h 5. C'était la combinaison d'un coffre : 555475. Le coffre était caché derrière une reproduction de la Joconde. À l'intérieur du coffre, poursuivit Poirot, écœuré, se trouvaient les joyaux de la famille impériale de Russie. Un ramassis d'insanités, de bout en bout ! Et, bien évidemment, s'ajoutait à cela une histoire du même tonneau — celle d'une malheureuse innocente persécutée. Oh ! oui, c'était là une manne pour la Martindale. Elle n'avait plus qu'à choisir ses personnages parmi la faune locale et à adapter l'histoire. Et tous ces flamboyants indices devaient mener... où donc ? Très exactement nulle part ! Ah ! oui, une femme efficace. Au point qu'on finit par se poser des questions... Gregson lui a laissé une part d'héritage, non ? Comment et de quoi diable est-il mort, je n'ose me le demander...

Hardcastle refusa de s'intéresser à l'histoire ancienne. Il ramassa les cahiers et me prit des mains la feuille de papier à lettres. Cela faisait deux minutes que je la regardais fixement, fasciné. Hardcastle y avait griffonné l'adresse d'Enderby sans prendre le temps de mettre la feuille à l'endroit. L'adresse de l'hôtel, en bas de la feuille à gauche se retrouvait à l'envers.

Les yeux rivés sur cette feuille de papier, je compris que j'avais agi comme un imbécile.

— Eh bien merci, monsieur Poirot, dit Hardcastle. Vous nous avez à coup sûr donné matière à réflexion. Si jamais l'exactitude de vos hypothèses se vérifiait...

— Je serai en ce cas ravi d'avoir pu vous être utile dans la faible mesure de mes moyens.

Poirot jouait les modestes.

— Il faudra que je procède à des vérifications...

— Bien entendu, mon bon, bien entendu.

Les adieux furent échangés. Et Hardcastle prit congé.

L'attention de Poirot se reporta sur moi. Ses sourcils se haussèrent :

— Eh bien, quelle mouche vous a soudain piqué, mon bon ami ? On dirait que vous venez d'entrevoir un fantôme.

— Je viens surtout de mesurer l'étendue de ma bêtise.

— Bah ! Cela arrive un jour ou l'autre à la majorité d'entre nous.

Mais sans doute jamais à Hercule Poirot ! Je ne pus m'empêcher de me montrer odieux :

— Dites-moi une bonne chose, Poirot. S'il est exact, comme vous le prétendez, que vous auriez pu mener votre enquête du fond de votre fauteuil en vous contentant de me convoquer de temps à autre chez vous avec Hardcastle, pourquoi, oh ! pourquoi diable êtes-vous venu traîner vos bottes jusqu'ici ?

— Je vous l'ai déjà expliqué : on est en train de faire des travaux dans mon immeuble et mon appartement.

— Le syndic était certainement prêt à vous en louer un autre. Ou encore vous auriez pu établir vos pénates au *Ritz*, qui vous aurait certainement mieux convenu que le *Curlew*.

— Sans le moindre doute, convint Poirot. Le café ici, seigneur, le café !

— Alors, dans ce cas, *pourquoi* ?

Hercule Poirot s'emporta :

— Eh bien, puisque vous êtes trop stupide pour le deviner, je vais vous le dire. Que vous le vouliez ou non, je suis un être humain. Oui, je peux me carrer dans mon fauteuil et réfléchir. Oui, je suis capable de me transformer en machine à débrouiller des intrigues si c'est nécessaire. Mais je n'en suis pas moins humain, vous dis-je. Et de ce fait sujet aux mêmes faiblesses que mes congénères.

— Ce qui signifie ?

— Que l'explication est aussi simple que l'était le meurtre. Je suis venu pour satisfaire ma curiosité foncière ! s'écria Hercule Poirot, luttant pour sauvegarder un semblant de dignité.

29

RÉCIT DE COLIN LAMB

Une fois de plus je m'étais engagé dans Wilbraham Crescent en procédant d'est en ouest.

Je m'arrêtai devant la grille du n° 19. Personne ne sortit de la maison en hurlant cette fois-ci. Tout, au contraire, respirait l'ordre et la tranquillité.

Je marchai jusqu'à la porte d'entrée et sonnai.

Miss Millicent Pebmarsh m'ouvrit.

— Je suis Colin Lamb, annonçai-je. Puis-je entrer bavarder un instant avec vous ?

— Je vous en prie.

Elle me précéda dans le salon :

— Vous semblez passer beaucoup de temps dans les parages, Mr Lamb. J'avais pourtant cru comprendre que vous n'apparteniez pas à la police locale.

— Et vous ne vous étiez pas trompée. Je pense même que vous avez su très exactement qui j'étais dès le premier jour où vous m'avez adressé la parole.

— Je ne suis pas sûre de très bien saisir ce que vous entendez par là.

— Je me suis montré on ne peut plus stupide, miss Pebmarsh. C'est vous que je cherchais en venant rôder par ici. Et, sans même m'en rendre compte, je vous avais trouvée la première fois que j'y ai mis les pieds.

— Il est possible que le meurtre vous ai distrait.

— Comme vous dites. J'ai aussi été assez bête pour ne pas lire une feuille de papier dans le bon sens.

— Et pourquoi me racontez-vous tout cela ?

— Parce que vous avez perdu la partie, miss Pebmarsh. J'ai découvert le quartier général où se cache la fine fleur de l'organisation. Dossiers et notes indispensables au bon fonctionnement des opérations sont archivés ici en Braille. C'est à vous que Larkin communiquait les informations qu'il subtilisait à Portlebury. D'ici vous les transmettiez à Ramsay qui les acheminait à bon port. Il venait vous voir la nuit quand c'était nécessaire en passant de son jardin au vôtre. Il y a, un beau jour, laissé tomber une pièce de monnaie tchèque.

— Stupide négligence de sa part.

— Nous faisons tous preuve de négligence un jour ou l'autre. Votre couverture était excellente. Vous êtes aveugle, vous travaillez dans un institut pour enfants handicapés, vous avez chez vous des livres en braille ce qui est on ne peut plus normal, et vous êtes une femme d'une intelligence au-dessus de la moyenne. Quel est le ressort profond qui vous anime ?

— Appelez cela, si vous voulez, un certain acharnement à défendre sa cause.

— Oui. C'est bien ainsi que je l'imaginais.

— Encore une fois, pourquoi diable me parler de tout ça ? C'est une façon de procéder plutôt inhabituelle.

Je consultai ma montre :

— Vous avez deux heures, miss Pebmarsh. Dans deux heures, les services spéciaux débarqueront chez vous.

— Je ne vous comprends pas. Pourquoi êtes-vous venu en avant-garde, comme pour m'avertir de ce qui m'attend ?

— Je suis effectivement venu vous en avertir. Et si je me suis déplacé personnellement, et si je compte bien ne pas bouger d'ici avant l'arrivée de mes collègues, c'est pour m'assurer que rien ne sortira de cette maison... à une exception près. Et cette exception, c'est *vous*. Si ça vous tente, vous avez deux heures pour plier bagages.

— Mais pourquoi ? *Pourquoi* ?

— Parce que... dis-je avec une infinie lenteur. Parce qu'il y a une vague chance que vous puissiez devenir bientôt ma belle-mère... encore que je me trompe peut-être.

Il y eut un silence. Millicent Pebmarsh se leva et alla à la fenêtre. Je ne la quittai pas des yeux. Je ne me faisais aucune illusion sur son compte. Je m'en méfiais au contraire comme de la peste. Elle était aveugle, mais même une aveugle peut vous avoir au tournant si vous n'êtes pas sur vos gardes. Sa cécité ne la gênerait en rien si elle parvenait à me braquer un revolver dans le dos.

Elle murmura :

— Je ne vous dirai pas si vous avez tort ou raison. Qu'est-ce qui vous fait penser que... que ce puisse être le cas ?

— Vos yeux à toutes deux.

278

— Mais nos caractères n'ont rien de commun.

— Non.

— J'ai fait pour elle le maximum de ce que je pouvais ! lança-t-elle sur un ton quasi provocant.

— C'est une question de point de vue. Pour vous, la cause passait avant tout.

— Comme il se doit.

— C'est encore votre point de vue. Pas le mien.

Il y eut un nouveau silence. Puis je lui demandai :

— Ce jour-là... vous saviez qui elle était ?

— Pas avant d'entendre son nom... Mais je m'étais toujours tenue au courant de ses faits et gestes. Toujours.

— En somme, vous n'étiez pas aussi inhumaine que vous auriez aimé le croire.

— Arrêtez de dire n'importe quoi.

Je regardai à nouveau ma montre :

— Le temps passe.

Elle quitta la fenêtre et se dirigea vers son bureau :

— J'ai là une photo d'elle... quand elle était enfant.

Je me tenais derrière elle quand elle ouvrit le tiroir. Ce n'était pas un automatique, mais un petit couteau à la lame mortelle...

Je refermai la main sur son poignet :

— Ce n'est pas parce que je suis sentimental qu'il faut me prendre pour un parfait imbécile.

Elle tâtonna pour chercher une chaise et s'y assit. Elle ne manifestait pas la moindre émotion :

— Je n'ai pas l'intention de profiter de votre offre. À quoi bon ? Je resterai ici jusqu'à... jusqu'à ce qu'ils arrivent. Il y a toujours des occasions... même en prison.

— Des occasions d'endoctrinement, vous voulez dire ?

— Si vous tenez à appeler ça comme ça.

Nous restâmes à nous regarder en chiens de faïence, hostiles mais nous comprenant mutuellement.

— J'ai démissionné du service, lui annonçai-je. Je retourne à mes premières amours : la biologie marine. On m'a proposé un poste en Australie.

— Vous avez sans doute raison. Ce n'est pas un métier pour vous. Vous êtes comme le père de Rosemary. Il n'a jamais pu admettre le mot d'ordre de Lénine : « À bas les états d'âme. »

Je repensai aux paroles de Poirot.

— Je ne suis après tout pas mécontent, déclarai-je, de mon statut d'être humain...

Nous observâmes après cela le silence, chacun de son côté intimement convaincu de ce que c'était l'autre qui avait tort.

LETTRE DE L'INSPECTEUR HARDCASTLE
À M. HERCULE POIROT

Cher monsieur Poirot,

Nous sommes désormais en possession d'un certain nombre de faits et preuves dont l'énumération devrait à mon avis vous intéresser.

Un Mr Quentin Duguesclin, originaire de la ville de Québec, a quitté le Canada il y a quatre semaines environ dans le but d'effectuer un voyage en Europe. Il n'a plus de proches parents et n'avait pas fixé de date de retour. Son passeport a été trouvé par le patron d'un petit restaurant de Boulogne, qui l'a remis à la police. Personne, jusqu'à présent, ne l'a réclamé.

Mr Duguesclin était un ami de toujours de la famille Montrésor, au Québec. Le chef de cette famille, Mr Henry Montrésor, est mort il y a dix-huit mois, laissant une fortune considérable à sa seule parente encore de ce monde, sa petite-nièce Valérie, réputée épouse de Josaiah Bland, de Portlebury, Angleterre. Un cabinet de notaires londoniens d'excellente réputation avait agi au nom des exécuteurs testamentaires canadiens. Tout lien entre Mrs Bland et ses parents au Canada avait été rompu sitôt après son mariage, sa famille n'approuvant pas cette union. Mr Duguesclin avait annoncé à un de ses amis qu'il avait l'intention de profiter de son passage en Angleterre pour se mettre à la recherche des Bland, car il avait toujours beaucoup aimé Valérie.

280

Le corps jusqu'à présent considéré comme celui de Henry Castleton a été formellement identifié comme étant en réalité celui de Quentin Duguesclin.

Des panonceaux ont été découverts sur un chantier appartenant à Bland. Bien qu'ils aient été récemment décapés, les mots Blanchisserie Snowflake y sont parfaitement lisibles après traitement par des experts.

Je vous fais grâce des détails de moindre importance, mais le ministère public estime pouvoir lancer un mandat d'arrêt contre Josaiah Bland. Miss Martindale, comme vous l'aviez subodoré, est effectivement la sœur de Mrs Bland, mais bien que je partage vos vues quant à leur participation à ces crimes, une preuve concluante risque d'être difficile à obtenir. Miss Martindale est sans l'ombre d'un doute une femme intelligente. Je place tous mes espoirs en Mrs Bland. Elle est du genre à cafarder.

La mort au champ d'honneur, en France, de la première épouse Bland et le remariage de ce dernier, toujours en France, avec Hilda Martindale (qui était auxiliaire aux armées) doit pouvoir, je pense, être clairement établi, encore que de nombreuses archives aient été bien évidemment détruites à l'époque.

Vous rencontrer a été un plaisir, et je me dois de vous remercier pour les précieuses suggestions que vous m'avez faites à cette occasion. J'espère que les nouveaux aménagements et la redécoration de votre domicile londonien vous ont donné toute satisfaction.

Cordiales salutations,

Richard Hardcastle

COMMUNICATION ULTÉRIEURE DE R.H. À H.P.

Bonne nouvelle ! La Bland a craqué ! Elle a tout avoué !!! Elle rejette l'entière responsabilité sur sa sœur et son mari. Elle n'a « jamais compris, avant qu'il ne soit trop tard, ce qu'ils avaient l'intention de faire » ! Elle pensait qu'ils allaient seulement « l'abrutir un peu à coup de tranquillisants pour qu'il ne s'aperçoive pas qu'elle n'était pas la bonne Mrs Bland » ! On aura tout entendu ! Mais je veux bien lui accorder que ce n'est pas elle qui a conçu le projet.

Les gens des Puces de Londres ont identifié miss Martindale comme étant l' « Américaine » qui avait acheté deux des pendules.

Mrs McNaughton affirme maintenant qu'elle a vu Duguesclin dans la fourgonnette de Bland quand il la rentrait dans son garage. Que croire encore ?

Notre ami Colin a épousé cette fille. Si vous voulez que je vous dise, il est cinglé !

Bien à vous,

Richard Hardcastle

Composition réalisée par JOUVE

Achevé d'imprimer en juin 2007 en France sur Presse Offset par

CPI
Brodard & Taupin

La Flèche (Sarthe).
N° d'imprimeur : 40937 – N° d'éditeur : 86259
Dépôt légal 1re publication : novembre 1992
Édition 04 – juin 2007
LIBRAIRIE GÉNÉRALE FRANÇAISE – 31, rue de Fleurus – 75278 Paris cedex 06.